GEBURT DER USA

German Newspaper Accounts of the
American Revolution
1763 - 1783

ALFRED KRÖGER

THE STATE HISTORICAL SOCIETY OF WISCONSIN

MADISON · 1962

GEBURT DER USA

Nachdruck ist verboten, alle Rechte verbehalten.

Copyright © 1962 by

Gedruckt in den Vereinigten Staaten von Nord Amerika.

Printed in the United States of America.

———

CUSHING-MALLOY INC., ANN ARBOR, MICHIGAN

LOUIS P. LOCHNER

GEWIDMET

INHALT

EINLEITUNG

I.

1763—1774

WIE ENGLAND AUSZIEHT, NEU-ENGLÄNDER ZU SUCHEN UND AMERIKANER FINDET

Vom Stempelgesetz bis zum Teeskandal

Englands Sorgen — Amerikas Sorgen — Amerika denkt nicht an Unabhängigkeit — England beschließt die Stempelakte — Ernüchterung in England — Während die Stempelakte fällt, holt der König zum vernichtenden Schlage aus — Amerika läßt sich nicht täuschen — Die Metamorphose des großen Pitt — Amerika rüstet zum passiven Widerstand — Alles blickt auf Boston — Boston gibt das Signal zum Kampf — Der Teeskandal.

II.

1774—1775

AMERIKA STELLT SEINE MÜNDIGKEIT UNTER BEWEIS

Vom Ausbruch des Kampfes

England ist empört — Amerika im Aufbruch — Boston soll bestraft werden — Die Reaktion — Der 1. Juni — Eine englische Lady schreibt ... — General Gage bekommt einen schweren Stand — Amerika will England zwingen — Französische Unterstützung für Amerika — Alles treibt zum Bruch — Amerikakrieg, ein Millionenverlust für England — William Pitt: „Ich fordere die sofortige Zurückziehung der Truppen aus Boston" — Lord North antwortet mit der Kriegserklärung an Amerika — Härte soll den Krieg schnell beenden — Ein plötzlicher Hoffnungsstrahl für England — Lord North packt die Gelegenheit beim Schopfe — Was soll man da glauben? — Wie Amerika seine Revolution aufzieht — Attentat auf John Hancock mißlingt — Amerika zur Unabhängigkeit ungeeignet — Amerika siegt bei Lexington.

III.

1775—1776

DER KAMPF UM DIE FREIHEIT

Von Lexington bis zur Unabhängigkeitserklärung

Lexington bedeutet Krieg — Dunmores unkluge Reden — „Sieg der Heiligen" — Gerüchte, nichts als Gerüchte — Amerikas Freiheitsruf an die Welt — Das Manifest — Amerika wird den Krieg verlieren — John Hancock und Samuel Adams vogelfrei — Niederlage bei Bunkers-Hill — Deutsche an die Front — Noch einmal bittet der Kongreß — Georg III.: „Alle Amerikaner sind Rebellen" — Wollten die Freeholder den König entführen? — Die „Restraining"-Akte — Das Rennen um die Indianer — Die Amerikaner bauen sich eine Flotte — Nervosität um Quebeck — Der Krieg ohne Gnade — 12 000 Hessen — Amerikas Kriegsflotte im Werden — Orden und Ehrenzeichen in den Staaten — Das Neueste von General Washington — Amerika, Grundfeste der Freiheit — „Auch mit Halb-Deutschland besiegt ihr Amerika nicht" — Arnolds Niederlage vor Quebeck — Eine mutige Antwort — Noch einmal die deutschen Fürsten — Aus der Perspektive des kleinen Mannes — Ein großes Ereignis wirft seine Schatten voraus — „Commune Sense" — Das Schlangennest New York — Die Unabhängigkeit erklärt.

IV.

1776—1777

ALLEN TEUFELN ZUM TROTZ

Von Ticonderoga bis Saratoga

Arnolds Niederlage bei Trois-Rivières — Es geht auf New York — Inzwischen kommt General Carleton den Hudson herab — England immer wieder verhandlungsbereit — Howes Pardon — Niederlage Washingtons bei Brooklyn — Georg III. deckt Frankreichs Karten auf — Abscheu der Lords gegen die Rebellen — Amerika verliert eine Flotte — Die Aufmerksamkeit auf Frankreich wächst — Washington weicht seinem Gegner aus — Washington verwarnt seine Soldaten — Was treibt Herr Franklin in Paris? — Die Amerikaner pfeifen auf dem letzten Loch — Der Feind erkennt Washingtons Genie an — Nichts besseres könnte ihnen passieren — „Independent Chronicle" berichtet — Überfall bei Trenton — Kritik an der offiziellen Berichterstattung — „Protektor Washington" — Lafayette geht nach Amerika — Von der Kanzel herab verlesen — Philadelphia, Schlüssel

zum Siege — Wann wird Frankreich seine Karten aufdecken? — Wie die
französische Hilfe bisher aussieht — Vom Kampfgeist der Amerikaner —
Der Kaperkrieg — Die Flagge mit den 13 Balken — Die fremden Offiziere
bei Washington — Wie das Magazin bei Dunbury zerstört wurde — Wo
steckt Mr. Howe? — Politisches Barometer — Kleine Anfrage in Paris —
Die beklagenswerten Opfer aller Kriege — Vor großen Ereignissen —
Burgoyne tritt in Aktion — Amerikanische Stimme zum Fall von Tyconderago — London in Erwartung — „General Winter, Kapitän Frost und
Admiral Eis" — Howe im siegreichen Angriff auf Washington — „Glorreiche Neuigkeiten für Alt-England! Washington gänzlich geschlagen!" —
6000 Engländer strecken bei Saratoga die Waffen.

V.

1778—1781

EIN NEUES VOLK SCHAFFT EINE NEUE WELT

Vom Bündnis mit Frankreich bis York-Town

Ein Brief, der einen Feldzug entscheidet — England bindet den Helm
fester — Englische Offiziere aus Frankreich zurückberufen — Sich wider-
sprechende Nachrichten — Unglaublich, aber wahr — Franklins Werk trägt
Früchte — Fox beschwört den Schatten Jakobs II. — Noch einmal ruft
Lord North: „Versöhnung" — Frankreich hat die Unabhängigkeit Ameri-
kas anerkannt — So sahen viele in Europa den Konflikt England—Amerika
— Spanien soll sich entscheiden — England ruft den Landsturm auf —
„Um keinen Preis die Unabhängigkeit" — Französische Hilfe naht — Das
Nein des Kongresses — Philadelphia wieder amerikanisch — Probe der
Waffenbrüderschaft bei Rhode-Island gescheitert — General Arnold fällt
in Ungnade — Washington überrumpelt Stony-Point — Das Neueste von
Paul Jones — Vorbildliche Gefangenenhaltung — Franzosen und Ameri-
kaner scheitern vor Savannah — George Washington gestorben? — Die
beste Antwort auf Savannah — Die Königin weint — Die Engländer siegen
Charles Town's Fall bestürzt Paris — Herr Lafayette läßt sich nicht wan-

kend machen — Ein großer Fang — Die Amerikaner bei Camden geschlagen — Super-Waffen nicht erwünscht — Verräter Arnold — Wo der
Wunsch der Vater des Gedankens ist — Die Lage Amerikas ist keineswegs
rosig — Aufstand in der Washingtonschen Armee — Baron Steuben verliert eine Schlacht — Niederlage der Amerikaner bei Guilford und Camden — Auf das Konto des Verräters Arnold — Auch Charles Lee lief über?
— Das amerikanische Schiff sinkt, sagt London — Der Kreis beginnt sich
zu schließen — London gibt Cornwallis bereits auf — Sieg der Freiheit.

VI.

1781—1783

ENGLAND GIBT DAS RENNEN AUF

Der Kampf um den Frieden

Der Sündenbock — Ratlosigkeit im englischen Parlament — Die am Kriege verdienten — Lord Germaines letztes Wort — Lord North dankt ab — Großer Seesieg Englands — Der Kampf um den Frieden beginnt — Der Kongreß erteilt die erste Audienz — Frankreich griff tief in die Tasche — Gründung der Bank von Philadelphia — Noch einmal die „unbedingte" Unabhängigkeit — Tage der Hochspannung — Sonderfrieden England—Amerika — Finale — Schlußbemerkung.

EINLEITUNG

Dieses Buch hat sich die Aufgabe gestellt, den Freiheitskampf des amerikanischen Volkes um seine Unabhängigkeit einmal in einer Form aufzuzeichnen, wie er unseres Wissens bisher noch von keinem Geschichtsschreiber dargestellt worden ist: im Gegenwartserleben seiner Zeit, im Spiegelbild einer deutschen Zeitung der Jahre 1763—1783. Es sollen hier aus einem bedeutsamen Abschnitt der Weltgeschichte die einschneidendsten Ereignisse dieses Kampfes so geschildert werden, wie der Zeitgenosse George Washingtons sie durch sein Zeitungsblatt miterlebte, noch ehe der gewissenhafte Geschichtsforscher kritisierend und abwägend d i e Geschichte daraus formte, die sich in späteren Jahren bei gehörigem Abstand von den Dingen, seinem schöpferischen Geiste bot.

War nun die Zeitung und besonders in ihren Anfängen, überhaupt imstande, ein so wichtiges Ereignis, wie die Loslösung der Nordamerikanischen Staaten vom Mutterlande England, auch nur einigermaßen geschichtsgetreu zu schildern? Dieses Buch wird den Beweis erbringen, daß sie es sehr wohl war und mit der Darstellung der Ereignisse, in der großen Linie gesehen, gerade der späteren Geschichtsschreibung Material von großer Lebendigkeit vermittelt hat. Der Leser wird erstaunt sein über die Klarheit und Ausführlichkeit der Berichterstattung jener Tage, zumal wenn er bedenkt, daß die politische Tageszeitung doch erst seit wenigen Jahrzehnten bestand.

Aus den Wirren des Dreißigjährigen Krieges geboren, fristete sie, wenigstens in Deutschland, bis zur Thronbesteigung Friedrichs des Großen, noch ein recht bescheidenes Dasein. Doch die Zeit der Aufklärung begann bereits mit ihrem Einfluß. Ihre Berichterstattung, bisher vom höfischen Stil beeinflußt, trocken und gleichförmig gestaltet, begann sich freier zu entfalten. Das Geschehen des Tages, das, was die breite Leserschaft eigentlich interessierte, trat in ihr immer mehr in den Vordergrund und allmählich wuchs sie aus ersten Anfängen auf zu jener Macht, die wir in unseren Tagen so recht zu spüren bekommen haben. Damals freilich, in jener Zeit, aus der dieses Buch gestaltet wurde, war von einer Macht, die Kriege heraufbeschwören und Völker vergiften konnte, kaum etwas zu merken. Damals wollte die Zeitung nur wahrheitsgetreu berichten, was in der Welt geschah. Damals war sie noch parteilos und enthielt sich jeder eigenen Meinung. Natürlich war sie deshalb nicht weniger fehlbar als heute, und manche ihrer Darstellungen wurden durch die spätere Geschichtsforschung korrigiert. Aber gerade weil sie nie objektiv und immer fragmentarisch ist, gerade weil sie der Leidenschaft des Augenblicks unterliegt und dadurch zu Übertreibungen veranlaßt wird, sind ihre unter dem Eindruck des soeben Erlebten niedergeschriebenen Berichte eine Art Autobiographie. Und darin liegt ihr Reiz, den sie allen Geschichtsbüchern voraus hat. Es gibt kein Geschichtswerk, das den Hintergrund zur Geschichte farbenfreudiger, überraschender und echter malen könnte, als die Zeitung. Sie gibt ein unmittelbares Bild, ohne Retusche. Was in ihren Berichten von Miterlebenden, Mitstreitern und Mitgestaltern der Zeit niedergelegt ist, ist der Urtext aller Geschichte und wird da, wo die Niederschrift nichts anderes als ein reiner Tatsachenbericht ist, zur Quelle späterer Forschung.

Daß es so ist, hat uns die Zusammenstellung des vorliegenden Buches ermöglicht. In den meisten Fällen haben die von uns gewählten Schlagzeilen, die geschichtlichen Brücken und Anmerkungen genügt, um mit der chronologischen Folge der ausgewählten Artikel das Werk als geschlossenes Ganzes erstehen zu lassen. Wir haben der Zeitung selbst das Wort gelassen und sind der Überzeugung, daß durch die kaleidoskopartige Abrollung der Ereignisse ein unverfälschtes Miterleben dieses welthistorischen Tatsachenberichts als „Zeitgenossen" erfolgt. Wenn wir für unsere Darstellung allein die „Leipziger Zeitungen" sprechen lassen, dann deshalb, weil diese zu Goethes Zeiten in Mitteldeutschland wohl die bedeutendste Zeitung ihrer Epoche war und die gleichen Artikel auch in Berliner, Königsberger, Hamburger oder Münchner Zeitungen zu finden waren, also durchaus als allgemeingültig betrachtet werden kann. Alle ausgewählten Berichte sind authentisch. Der einzige Eingriff, den wir uns bei ihrer Wiedergabe erlaubt haben, ist der, die dem Leser heute ungewohnte Umgangssprache des 18. Jahrhunderts — ohne Beeinträchtigung des textlichen Inhaltes — unserer heutigen Ausdrucksweise etwas anzugleichen. Dadurch soll besonders unseren ausländischen Lesern die Lektüre erleichtert werden.

Mit dem vorliegenden Werk möchte zugleich der Beweis erbracht werden, wie wertvoll das Sammeln von Tagesschrifttum sein kann. Für „Die Geburt der USA" trifft es besonders markant zu, weil in ihr die Höhen und Tiefen jenes gigantischen Ringens durch die aufmerksame Beobachtung und klassische Wiedergabe gewandter Redakteure — wie die „Leipziger Zeitungen" sie in Gottlieb Schumann und dem Sprachforscher Adelung besaßen — dramatisch aufgezeichnet wurden. Damit wird gleichsam die Bedeutung unterstrichen, die unsere Ahnen schon damals dieser Auseinandersetzung jenseits des Ozeans beimaßen. Wer wollte wohl heute leugnen, daß dieser Kampf, ursprünglich ein interessantes Schauspiel einer „familiären" Streitigkeit, von eminenter Bedeutung für die Gestaltung des Schicksals so vieler Völker geworden ist? Noch vor kaum zweihundert Jahren ein nur am Ostrande des Atlantiks von rund 3 Millionen Menschen schwach besiedelter Kontinent von der Größe ganz Europas, voller Urwälder, unermeßlicher Steppen und durchsetzt von wilden Völkerstämmen, ist er in einem unvorstellbar kurzen Zeitraum aufgerückt zum mächtigsten der Welt. Fürwahr, das Werden der Vereinigten Staaten von Nord-Amerika ist ohne Beispiel in der Geschichte; es grenzt ans Wundersame. Noch vor zweihundert Jahren von ihrem König als Kolonie von „Rebellen" gebrandmarkt, ist diese Nation heute im Kampf um Freiheit oder Unfreiheit das Zünglein an der Waage geworden. Es lohnt sich schon, die Urväter dieses Bollwerkes fanatischen Freiheitsdranges aus jenen Tagen kennen zu lernen, in denen sie in primitivster Verteidigung ihrer eigenen Freiheit den Grundstein zum Freiheitsgedanken überall in der Welt legten. Der Wunschtraum der Menschheit: Freiheit!, das war der Sinn der amerikanischen Revolution. Gradlinig, bis auf den heutigen Tag, hat der Kolonist von damals diesen Weg verfolgt, getreu der Worte, die sein größter Sohn, George Washington, ihm fast prophetisch an jenem Tage vor dem Senat gab, als er aus dessen Händen die Würde des ersten Präsidenten der Vereinigten Staaten von Nord-Amerika empfing: „Es ist eine der sichersten Wahrheiten, daß Tugend und Glück durch unaufhörliche Bande aneinander gekettet sind; unsere Pflicht macht unser Glück aus, und die Maximen einer weisen und redlichen Politik begründen allezeit das Wohl der Nationen. Der Himmel kann niemals eine Nation begünstigen, die die ewigen Gesetze der Ordnung und Gerechtigkeit verachtet. Von der Ausübung dieser Tugenden ist die Erhaltung der heiligen Flamme der Freiheit abhängig, deren Schutz uns gewissermaßen anvertraut ist, da man sagen kann, daß wir wirklich eine Erfahrung machen, an welche ihr Erlöschen oder ihr Bleiben auf der ganzen Welt geknüpft ist."

1763—1774

WIE ENGLAND AUSZIEHT, NEU-ENGLÄNDER ZU SUCHEN
UND AMERIKANER FINDET

Vom Stempelgeseß bis zum Teeskandal

Wir schreiben das Jahr 1763. Es ist ein Jahr der Friedensverträge.
Zwei langwierige Kriege haben ihr Ende gefunden und aus beiden
geht England als Sieger hervor. Ohne die englischen Pfunde wäre kein
Roßbach, kein Leuthen gewesen, ohne Roßbach kein Fall von Quebeck.
Preußens Kampf um Schlesien erleichterte England den Sieg über Kanada. Jeßt hatte England einen Grad von Macht und Gebietsausdeh-
nung erfahren, mit denen sich kein anderes Reich der Welt messen
konnte. Es beherrscht mit einem Arme die Ufer des Ohio, mit dem
anderen die des Ganges und die Meere und doch steht diese Welt-
macht vor der größten Krise seiner Geschichte, denn sie ist bettelarm
geworden. Die Kriege haben Unsummen verschlungen, die Kassen sind
leer, Not und Elend im Lande sind kaum noch zu überbieten und doch
weiß das Parlament nicht, woher es die Mittel nehmen soll, um der
größten Not zu steuern. Die Reichen, die Vornehmen, sie könnten
etwas dazu tun, doch sie halten die Hand auf der Tasche und fördern
damit die Opposition im Unterhaus, wo auch die Belange der Ärmsten
der Armen zur Debatte stehen. Zwar werden zur Zeit in Frankreich
Voltaires und Rousseaus Schriften vom Henker auf dem Scheiter-
haufen verbrannt, auch hat Beaumarchais seine „Hochzeit des Figaro"
noch nicht geschrieben; im großzügigen England jedoch herrscht jene
Freiheit des Denkens, die von je in der Verfassung des Landes ver-
ankert war. Hier heißt der Anwalt des Volkes John Wilkes, ein Mann,
der die Parlamentarier und die Zeitungen beschäftigt, ein Mann, der

13

die Sprache des Volkes redet, in seinem „North-Britton", auf der Tribüne, ja selbst vor dem König. Als jetzt das Parlament in seinen Sorgen sich der reichen Kolonien am Ostrande des Atlantiks erinnert und billig den Tribut fordert den sie ihrer verarmten Mutter schuldig sind, ist es wieder dieser John Wilkes, der in das Wehgeschrei von drüben mit einfällt und sich von Stund an auch zum Anwalt dieser Kolonisten macht. Hoch gehen die Wogen in diesem Streit. Es ist etwas Neues, etwas Erschreckendes, aber wiederum auch etwas Interessantes für die europäische Auffassung, wo das alte Bibelwort: „Sei gehorsam deiner Obrigkeit", noch Geltung hat. Es ist das erste Mal, daß man in Europa so viel von diesen fernen Kolonien hört, soviel von diesem unbekannten Lande, der Zuflucht der Unzufriedenen, Verbannungsort vieler, mit den Gesetzen Englands in Konflikt Geratener, die man alle in der selbstgesuchten oder verdienten Fronarbeit wähnt. Und jetzt diese unglaubliche Kunde: Diese zusammengewürfelten, schwerschaffenden, gegen wilde Tiere und Indianer kämpfenden Haufen aus dem alten Europa, die sich alle dem großmächtigen England untertan gemacht hatten, lehnen sich plötzlich gegen ihre Wohltäterin auf, um mit Widersetzlichkeiten, Drohungen und Gewalttaten so etwas wie eine persönliche Freiheit ertrotzen zu wollen! Das muß die Gemüter freilich überall aufrütteln und läßt die Lager abstecken. Dennoch, ob pro, ob contra: über das Endresultat sind sich alle im Klaren: niemals kann dieser ungleiche Kampf für den primitiven Kolonisten gut ausgehen. Was wollte er wohl gegen die Macht Englands ausrichten? Und deshalb eben, weil dieser Streit so sinnlos anmutet, so unglaublich, unterhält man auch den deutschen Zeitungsleser damit. Vielleicht lernt er daraus soviel, daß das Wörtchen Freiheit, das jetzt so laut von drüben herüberklingt, nichts als eine Chimäre ist, solange das alte Bibelwort noch gilt.

Was wissen sie in Europa von den Menschen in jenen fernen Kolonien! Ein mühevolles Leben hat dieses Volk jenseits des Ozeans hart gemacht und ihm frühzeitig einen selbständigen Charakter verliehen. Privilegien und Feudalrechte, wie sie in England zuhause sind, gibt es nur vereinzelt im Süden des Landes, wo die Söhne wohlhabender Kronbeamten als reiche Tabakpflanzer sitzen. Der weitaus größere Norden hat sich seinen Besitz sauer erarbeiten müssen und hier will man dann auch absolut nicht einsehen, daß man sein Glück, auf eigener Scholle zu stehen, nächst Gott und seinem zähen Fleiße, etwa noch der Gnade des englischen Königs zu verdanken habe. Man erkühnt sich, Seiner weltlichen Majestät ein trotziges Nein auf die Steuergesetze der Lords entgegenzurufen. Zehn Jahre lang aber hatte England gnädigst ein Auge zugedrückt, wenn die Kolonisten, entgegen dem Verbot der Navigationsakte, einen regen Handel mit ihren benachbarten Inseln, besonders den Westindischen, trieben und ihre Häfen einem ersprießlichen Schleichhandel öffneten, was dem englischen Staatsäckel schwere Verluste einbrachte. Das schien jetzt in den Kolonien vergessen zu sein und die Zollwächter, teils bestochen, teils um ihr Leben besorgt, wagten schon längst nicht mehr, ihren Dienst auszuüben. Deshalb schickt England nunmehr Kriegsschiffe in die amerikanischen Häfen. An Stelle der unfähigen Zolbeamten sollen jetzt Soldaten darüber wachen, daß die Taxen, die das Parlament in London den Kolonien auferlegt hat, auch gewissenhaft bezahlt werden. Noch glaubt England es mit einer Handvoll zügellosem Mob zu tun zu haben, der schon auseinanderlaufen würde, wenn er an entschlossene Männer geriet, die ihm ein königliches Gewehr unter die Nase hielten.

Womit England nicht rechnet ist, daß ihm in seinen unzufriedenen Besitzungen Männer entgegentreten, die sehr wohl wissen, was sie wollen. Männer, die nicht nur über Mut und über Verstand, sondern auch über die Zustimmung eines gewaltigen Teiles aller Bewohner der Kolonien verfügen. Sie wissen auch, daß sie den Gewehrläufen eine Macht entgegensetzen können, die tödlicher als Blei sein kann, nämlich eine grenzenlose Bedürfnislosigkeit. Sie wissen, wenn sie fortan nicht nur auf jeden Luxus, sondern auch auf alle Bedürfnisse des täglichen Daseins, die sie bisher aus England abnehmen mußten, verzichten, ihrer Mutter ein viel größeres Leid zufügen würden, als die Zurechtweisung unter dem Union-Jack ihnen schaden könnte. Weil sie die Schiffe aus England, die ihnen Fertigwaren bringen, in die Heimat zurückschicken, setzen sie tausende fleißiger Arbeiter auf die Straße und Großbritannien, anstatt seine leeren Kassen aus den Taxen der Kolonien aufzufüllen, muß den Bewohnern seiner Insel neue Lasten aufbürden, um die brotlos gewordenen Arbeiter zu ernähren. Sie wissen, diese Männer in Amerika, daß ihre Arme kräftig genug und ihrer Köpfe viele sind, um im ganzen Lande selbst Fabriken aufrichten und selbst fabrizieren zu können. Wenn England glaubt, sie zwingen zu können, werden sie England beweisen, daß sie allein mit sich fertig werden.

England sieht sich zum ersten Male in seiner Geschichte einer solchen Situation gegenüber und mit ihm glaubt ganz Europa nicht, daß der passive Widerstand dieser Kolonisten England auf die Dauer gefährlich werden könnte. Einmal fest zugepackt, müßte sich der Trotz

an der Faust des Stärkeren brechen. Und so kommt es, nachdem Großbritannien den anfangs wohl zu straff gespannten Bogen ohne sichtbaren Erfolg gelockert hatte, nun zur Probe aufs Exempel. Alle Taxen,
bis auf diejenige auf den Tee, hatte das Parlament großmütig fallen
gelassen, doch diese eine Taxe, sie sollte bestehen bleiben, um jeden
Preis, damit der Schein des Rechtes gewahrt bliebe. Doch um dieses
Recht geht ja der ganze Streit und deshalb wollen sie in Amerika auch
die Taxe auf den Tee, eine Lappalie übrigens, nicht bezahlen. Die
taxfreien Waren wollen sie abnehmen, nicht aber den verhaßten Tee
und da man sie zwingen will, entweder die ganze Ladung, oder nichts,
zu übernehmen, werfen sie den Tee der Ostindischen Kompagnie ins
Meer.

England ist sprachlos über soviel Frevel und seine Geduld ist erschöpft; es wird sofort ernstliche Maßregeln erwägen, um diesem mut-
willigen Zerstörerhaufen das Handwerk zu legen. Daß aber hier ein
Naturgesetz unaufhaltsam seiner Erfüllung entgegengeht, erkennt
weder England, noch die Welt. Auch die Handvoll mutiger Männer in
Philadelphia ahnt es zur Zeit noch nicht, was sie so und nicht anders
handeln läßt, denn ewig unerforscht ruht in uns das, was wir Seele
nennen und das so eng verbunden ist mit unserem Gefühl für Freiheit.

Englands Sorgen

**Die Staatsschuld auf 143 Millionen Pfund gestiegen — Unzufriedenheit
und Not im ganzen Lande — Es müssen neue Steuern geschaffen werden**

London, 19. Februar 1763

Die Verlegenheit in England besteht nicht darin, Geld zu neuen
Feldzügen aufzubringen, sondern darin, daß man nicht weiß, woher
man die Summen zu den Zinsen für neue Schulden hernehmen soll,
ohne die Nationalschulden noch zu vergrößern. Das ganze Land ist
besteuert. Das aber wäre nicht so schlimm, wenn die Lasten nicht so
ungleich verteilt würden. Leute, die Ländereien haben, die 4000 bis
5000 Pfund Sterling einbringen, zahlen ebensoviel als diejenigen, die
kaum 100 Pfund Einkünfte beziehen. Die Klage darum ist groß, aber
wer wird den Großen im Parlament, die bei der Sache am meisten
interessiert sind, zumuten, daß sie Gesetze in Vorschlag bringen sollen,
die ihren eigenen Vorteilen zuwiderlaufen! Außer der Landsteuer hat
man bei uns noch Steuern auf Fenster und Haustüren, Kutschräder,
auf Malz, Bier, Hopfen, Wein, Branntwein und hundert anderen
Sachen. Auch die Abgaben, die ein jedes Haus zum Unterhalt der Kir-

chen, der Prediger, der Schulen, der Armen, der Waisen, der Wächter, der Straßenkehrer usw. zu entrichten hat, sind ebenfalls nicht gering. Man kann verstehen, daß die kleinen Leute und der Mittelstand froh sind, daß der König den Krieg beendet hat, wenngleich auch andere um ihres Beutels willen anders darüber denken.

Leipzig, 21. Mai 1763

In England ist der Hof der Ansicht, daß eine allzu ausgebreitete Macht in anderen Weltteilen einem europäischen Handelsstaat zwar Vorteil bringen, aber auch wiederum schädlich sein könnte und daß die Verbindung der auswärtigen britischen Besitzungen mit dem Mutterlande aufrecht erhalten bleiben muß.

Leipzig, 21. September 1763

Die „James Chronicle" vom 3. September schreibt:

„Die Geschäfte dieses Königreiches sind in einer sehr üblen Lage. Dieses ist die Wahrheit, über die jedermann, der sein Vaterland liebt, mit Erschrecken Betrachtungen anstellt. Die Minister wissen es auch und sie können nicht leugnen, daß sie, oder doch einige von ihnen, schuld daran sind. Wenn sie ihr Vaterland liebten, so sollten sie keinen Augenblick zögern, ihre Ämter niederzulegen, zumal sie selbst wissen und ihre Freunde es ihnen bestätigen, daß sie nicht mehr imstande sind, ihren Posten zu versehen.

Es ist gewiß Zeit, ja, höchste Zeit, sich nicht weiter mit Schikanen herum zu ziehen. Laßt uns doch ernstlich daran denken, uns den Frieden zu Nutze zu machen und wegen unserer amerikanischen Kolonien alle Anstalten zu treffen. Bisher ist nichts erfolgt und wir haben noch keinen einzigen Plan entworfen, um die Länder, die wir durch den Krieg erhalten haben, zu kultivieren und zu bevölkern. Man hat wenig Anstalten gemacht zur Versorgung der Leute die man abgedankt hat und die, bloß weil sie nichts zum Leben haben, entweder rauben und stehlen und sodann an den Galgen kommen, oder zu unseren Feinden überlaufen müssen. Indem wir unsere Sachen in allen Stücken, leider! auf diese Art verabsäumen und man alles eingehen läßt, suchen sich alle anderen Nationen in Europa stark zu machen. Tun wir es unsererseits nicht auch, wird es bald mit unserem ganzen Kredit, mit unserer Macht, mit unserer Tapferkeit aus sein und es wird kein Staat so schwach sein, daß er uns nicht Gesetze vorschreiben kann. Alles dieses muß uns ermuntern und die sehnlichsten Wünsche eingeben, wieder solche Männer am Ruder der öffentlichen Geschäfte zu sehen, die Verstand und Fähigkeit besitzen und genügend Erfahrung, um die

Nation vor dem allergrößten Übel, das ihr begegnen könnte, nämlich: ihren Einfluß auf die Geschicke Europas zu verlieren, zu bewahren."

Vor kurzem hatte Georg III. seinen wenig geschickten Premier, Lord Bute, entlassen müssen. Jetzt regierte der König ohne Minister, d. h. die Minister hatten nur beratende Stimmen. — Der Ruf des Artikelschreibers nach den „starken Männern" gilt in erster Linie dem im Volke so beliebten Ex-Minister William Pitt. Aber erst 1766, als die amerikanische Frage brenzlich wurde, rief der König Pitt an das Ruder der Regierung zurück.

Leipzig, 30. März 1765

Unter den merkwürdigen Anträgen, Gesetzen, Beschlüssen und Anstalten, welche in der gegenwärtigen, noch andauernden Sitzung des Parlaments in England vorkommen, verdient eine ganz besondere Aufmerksamkeit. Es handelt sich um die Frage: Wie kommt es, daß in einer sonst so mächtigen, ansehnlichen und reichen Nation, jetzt so sehr über das Elend und den Verfall der Nahrung so vieler tausend Einwohner, Kaufleute und Handwerker — nicht nur in London, sondern auch in anderen Orten des Landes — beständig Klage geführt wird und das Parlament damit beschäftigt werden muß.

In allen Kaffeehäusern in London, besonders bei Tom und Watson, sammelt man Almosen. Eine besonders niedergesetzte Kommission hat allein in einer Woche in London 2720 Männern, Weibern und Kindern Hilfe zu verschaffen gesucht. Es handelt sich hierbei um Menschen, die, um nicht vor Hunger zu sterben, ihre Kleider, ihren Hausrat, Betten usw. verkaufen oder versetzen müssen.

Obgleich die Engländer nicht leugnen, daß die Exzesse der blauen Montage und Mittwoche diese Leute an den Bettelstab gebracht haben, so gestehen sie doch zugleich aufrichtig, daß die Übertreibung in den Moden viel an dem Elend die Schuld trägt, das wir jetzt bekämpfen müssen. Diese Moden begünstigen nämlich mehr den ausländischen als den inländischen Kaufmann. Geiz und Wucher der Kaufleute treibt aber die Lebensmittel in die Höhe, was zu übermäßigen Steuern führt, die auf den kleinen Mann umgelegt werden.

Amerikas Sorgen

Die Kolonien lehnen die Steuern ab — Sie wollen dem Luxus entsagen und sich selber helfen — Alarm in England: Man fürchtet die Unabhängigkeit!

London, 14. August 1764

Ein Brief aus New York gibt uns schlechte Hoffnung, daß sie aus dieser Provinz in Zukunft einiges Eisen nach England bringen werden.

Sie haben Eisenminen in Mengen daselbst und man glaubte, daß man es in Kürze nicht mehr nötig haben würde Eisen aus Schweden und Rußland beziehen zu müssen, weil uns die Provinzen in Amerika damit versorgen könnten. Jetzt schreibt man aus New York, daß die Fracht nach England zu teuer sei und man deshalb das Eisen selbst verarbeite. Man wolle allerhand Instrumente und Handwerkzeuge daraus herstellen und habe nun nicht mehr nötig, solche in England in Auftrag zu geben.

Man vernimmt diese Nachricht hier nicht gern, zumal es den amerikanischen Provinzen verboten ist, dergleichen Manufakturen im eigenen Lande zu errichten und sie dadurch etwa in den Stand zu setzen unabhängig zu werden und England nicht mehr zu benötigen.

Leipzig, 10. November 1764

So sehr man wünscht, den Frieden auf dem Lande in Amerika hergestellt zu sehen, so sehr beunruhigt auf der anderen Seite den Engländer die Animosität, welche die amerikanischen Provinzen, die unter Großbritannischer Herrschaft stehen, über die aufgelegten Steuern bezeigen. Die Waren, die man aus England dahin bringt, werden unter ihrem Wert bezahlt. Man geht dort so weit, daß man alle Anstalten macht, Woll- und andere Manufakturen anzulegen, um dergleichen Waren nicht mehr aus England zu beziehen.

Diese Aufführung gedachter Provinzen in Amerika wird daher dem Ministerium und der Nation verdächtig und erregt allerwärts die größte Aufmerksamkeit.

Aus England, 30. Oktober 1764

Aus Amerika lautet es aus einem Schreiben aus Virginien vom 4. 9. sehr kläglich.

„Es geht hier, heißt es, noch immer schläfrig und verwirrt zu. Man redet von nichts anderem als Prozessen und viele Leute verkaufen ihre Besitzungen. Man liest Unruhe und Verdruß und Melancholie aus allen Gesichtern. Derjenige ist glücklich, welcher noch soviel Gegenwart des Geistes besitzt, seine Angelegenheiten in Ordnung zu halten. Der Tabak ist im Preise gefallen und alle Arten des Getreides gleichfalls. Es wird schwer halten, daß wir uns wieder aufhelfen. Nichts als die größte Sparsamkeit scheint allein in der Lage zu sein, uns vom gänzlichen Untergange zu erretten. Vom Hanf und Lein glaubt man, daß sie uns aus der Not helfen können. Immerhin ist dies allein nicht hinreichend."

Leipzig, 17. November 1764

In Amerika ist der General Gage an Stelle des Generals Amherst zum General en chef der dortigen Armee ernannt worden. Übrigens nimmt der Hof zu London alle nur möglichen Maßregeln und Vorsicht — soweit menschliche Klugheit dies zuläßt — um die Kolonien in beständiger Abhängigkeit von Großbritannien, ihrer Mutter, zu erhalten.

London. 29. Oktober 1764

Letzten Nachrichten aus Neu-England zufolge, haben sich dort verschiedene Kaufleute nach den Regeln der Klugheit untereinander verbindlich gemacht, den Luxus und alles Überflüssige an ihrer Kleidung einzuschränken oder abzuschaffen. 50 Kaufleute haben demzufolge eine Vereinbarung getroffen und unterschrieben, wonach sie fest entschlossen sind, weder für sich, noch für ihre Angehörigen das Tragen von Spitzen, Manschetten, Seide und gewirkte feine Tuche zuzulassen. Selbst bei Trauerzeremonien wollen sie keine schwarzen Kleider mehr anlegen, sondern das Zeichen der Trauer nur durch einen schwarzen Flor, um den Arm gelegt, zum Ausdruck bringen. Und ähnlich soll in Proportion in allem was unnötig und überflüssig ist, verfahren werden, weil der Luxus und aller äußerlicher Glanz nur dem Pöbel Verwunderung und Hochachtung abzwingt, bei Vornehmeren jedoch Verachtung auslöst.

(Anmerkung der „Leipziger Zeitung": Die wahre Ursache ist wohl, daß die Kaufleute in Neu-England nicht leiden wollen, daß so viele Waren aus Alt-England nach Amerika gebracht und dort mit Zöllen belegt werden.)

Leipzig, 23. Februar 1765

Es ist dem englischen Charakter völlig gemäß, was eine gewisse Person, welche nicht so sehr wegen ihrer Talente als wegen ihrer Rechtlichkeit berühmt ist, öffentlich gesagt haben soll: Es sei besser mit den Gesetzen in Verfall zu geraten, als unter deren Ruinen groß zu werden!

Unter den vielen Diskussionen, die vorzüglich den inneren Zustand Englands angehen, bieten die neuesten Streitigkeiten mit Amerika viel Material.

Die Einwohner von New-York stellen ihre Sache so vor:

„Der Verfall der Handlung, die Verschwendung, welche sich während des letzten Krieges eingeschlichen, die übermäßige Einfuhr fremder Waren, der Mangel an Kaufmannsgütern, Effekten, wie auch Produkten, die man gegen fremde Waren vertauschen könnte, die außerordentliche Seltenheit des baren Geldes, die große Unbequemlichkeit, welche aus dem Verbot des Papiergeldes entsprungen, und die vielen Einschränkungen, welche ihre Handlung erlitten, hätten sie notwendig rege machen müssen."

Weil sie nun geglaubt hätten, daß aus England selbst viel Hilfe zu erlangen sei, hätten sie in Amerika eine Gesellschaft errichtet, welche die Beförderung der Künste, des Ackerbaus und der Ökonomie in der Provinz New-York und dem nördlichen Amerika zum Gegenstand haben.

Allein eben diese Gesellschaft mißfällt den Engländern und in England selbst beklagt man sich darüber sehr, daß die amerikanischen Provinzen viele Manufakturen gerade von solchen Waren anlegten, die ihnen bisher aus England zugeführt worden wären. Hierdurch, so heißt es, büße Großbritannien jährlich wenigstens eine halbe Million Pfund Sterling ein. Seit kurzer Zeit wären vierzehn solcher Manufakturen in Neu-England und in New-York errichtet worden. Man könne daher zwar das Papiergeld in den amerikanischen Provinzen gelten lassen und ihnen auch erlauben eigenes Geld zu prägen, doch die neuen Manufakturen müßten notwendig eingeschränkt werden, weil sonst ein Land dem anderen in beiden Weltteilen schädlich werden dürfte.

Der Artikel offenbart die ganze Kalamität des englisch-amerikanischen Streites. Die Amerikaner haben es satt zu schuften und doch Bettler zu bleiben. Sie kennen den Reichtum ihres Landes, der ihnen alles bietet, was sie brauchen. Aber das ist es gerade, was England verhüten muß; daß sie in Amerika selbst Fabriken bauen. Die Amerikaner sollen nur alle ihre Rohprodukte hergeben, fabrizieren wird allein England und deshalb muß jetzt die bereits vergessene Navitationsakte des alten Cromwell von 1651 aus der Schublade heraus.

Amerika denkt nicht an Unabhängigkeit
Sie wollen aber auch nicht Bürger zweiter Klasse sein

Aus England, 7. Dezember 1764

Da auch die Kolonien in Amerika benachrichtigt wurden, daß man in Ansehung ihrer Einstellung neue Vorkehrungen treffen dürfte, so ist, unstreitig auf ihr Anstiften, eine Schrift in London bekannt gemacht worden, die den Titel führt: „Rechte der Britischen Kolonier in ihr wahres Licht gestellt und gerechtfertigt." Diese Schrift hat zur Absicht, die Gefahr zu erkennen zu geben, in die man sich setzen würde, wenn man diese Kolonien dadurch ruinieren wollte, indem man ihnen mehr Auflagen zumutet, als sie zu tragen imstande wären. Diese Schrift ist mit viel Beurteilungskraft geschrieben und läßt die

Wichtigkeit begreifen, die der Handel Amerikas mit England hat. Man protestiert jedoch stark wider alle Veränderung in der Regierungsform und sucht die Absicht zu verscheuchen, die man den Kolonisten zuschreibt, wonach sie die Neigung hätten, das britische Joch abzuschütteln und sich unabhängig zu machen.

Obige Schrift dürfte aus der Feder Benjamin Franklins stammen, der als Agent der Kolonien gerade zum zweiten Male nach London gekommen war und sich hier auch rege als anonymer Schriftsteller für die amerikanische Sache betätigte.

Leipzig, 9. März 1765

Die in der gegenwärtigen Sitzung des Parlaments in England vorkommenden Sachen werden immer häufiger und die dahin gehörigen Gegenstände entwickeln sich nach und nach deutlicher. Zur Zeit ist es bei den meisten besprochenen Geschäften noch nicht zu sehr heftigen Debatten gekommen; es scheint, als wolle sich alles zum Wunsche des Hofes entwickeln. Nur die amerikanischen Agenten sind mit den ihretwegen getroffenen Anordnungen nicht zufrieden. Sie machen eifrige Vorstellungen dagegen und beklagen sich heftig darüber, daß man den freien britischen Untertanen in den Kolonien nicht erlauben wolle ebenfalls ihre Mitglieder im Parlament zu London zu haben. Es wird ihnen aber entgegnet, daß die meisten britischen amerikanischen Einwohner nichts anderes als Quäker, Herrenhuter, Methodisten etc. sind, denen man, den englischen Fundamentalgesetzen zufolge, dergleichen Rechte nicht zugestehen könne. Indessen sind die vornehmsten Einwohner von Virginien bereits so weit gegangen, daß sie sich bei 500 Pfund Sterling Geldstrafe dahin verbanden, keine Waren von englischen Manufakturen mehr einzuführen, es sei denn, daß man sie mit Auflagen verschone.

England beschließt die Stempelakte
Kampfansage Amerikas

Aus England, 19. Juni 1765

Da wir versichert worden, daß nachstehender Auszug aus einem Schreiben aus New-York vom 11. April nichts Falsches in sich birgt, so wollen wir denen zum Gefallen, die gern Parallelen mit Nationen, also auch mit ganz Amerika und Europa machen, diesen Auszug hier veröffentlichen:

„Das Schiff Eduard, das kürzlich aus England hier eintraf, hat uns den Beschluß des Unterhauses des Großbritannischen Parlaments mitgebracht, welcher in 55 Artikeln von den Stempel-Auflagen für Pergament, geschriebene und bedruckte Papiere besteht.

Jedem Amerikaner, der sich vermöge der britischen Konstitution als frei betrachtet, müssen beim Lesen dieser Artikel die Ohren gellen. Sie waren auch kaum bekannt gemacht worden, als man sogleich auf allen Straßen gegen sie schreien hörte und sie in verschiedenen angeschlagenen Blättern mit den Namen der englischen Torheit und des Ruins von Amerika belegt sah. Die Einwohner dieser Kolonie wissen nicht, was sie dabei denken noch vornehmen sollen. Die Handlung liegt ohnehin wegen des großen Geldmangels darnieder; die Läger stecken voll von englischen Waren, allein das Volk hat kein Geld, und muß sich wohl den Appetit zum kaufen vergehen lassen. Wenn es erst durch die Eintreibung der neuen Auflagen gar ausgesaugt wird, so müssen auch die Manufakturen vollends wieder zugrunde gehen, die sich doch kaum erhoben und einen so schönen Anfang genommen haben. Wenn man nur einen Ausweg sehen könnte."

Aus London, 25. Oktober 1765

Die amerikanischen Uneinigkeiten und Unruhen geben unserem Hofe unglaublich viel zu schaffen. Die dortigen Untertanen sind schwerer zu regieren, als die Engländer selbst. Die Gouverneure empfangen ihre Befehle vom Hofe und was neue Verordnungen anbetrifft, so gründen sich diese allezeit auf Beschlüsse des Parlaments. Da sich aber die Assembléen in den Kolonien den englischen Parlamentsbeschlüssen nicht unterwerfen wollen, so sind ihre Gouverneure gegenwärtig gleich Nullen. Das gemeine Volk in Neu-England, einer der volkreichsten Provinzen, tumultiert wegen des Stempelpapiers, obwohl es selbst weder Schaden noch Nutzen davon hat, denn diese Taxe geht eigentlich nur die Kaufleute an, welche Konnossemente, Kontrakte und Bescheinigungen ausstellen.

Ungeachtet dessen, daß nun schon so viele Unruhen deswegen entstanden sind und alle Stempel-Beamte in Amerika ihren Dienst niedergelegt haben, aus Furcht, vom Pöbel zerrissen zu werden, so ist unser Hof doch nicht geneigt, ihnen einfach nachzugeben. Es mögen zwar in der nächsten Parlamentssitzung einige Abänderungen dieses Gesetzes erfolgen, es soll aber keineswegs aufgehoben werden. Unsere Amerikaner, die inzwischen zu mächtigen und reichen Staaten aufgewachsen sind, sollen angehalten werden, ebenfalls etwas in den allgemeinen Schatz beizusteuern.

Es ist indessen merkwürdig, daß, da kein Schiffer sich dazu bequemen will Stempelpapier mit nach Amerika zu nehmen, unser Hof nun genötigt ist, selbst ein Schiff, und zwar die starke Kriegs-Schaluppe „Chatam" fertig zu machen, welche etliche 100 Packen Stempelpapier nach Amerika überführen soll.

Nicht nur in Neu-England, sondern auch in Virginien und Carolina, hat der aufgebrachte Pöbel vielen Schaden angerichtet und nach unseren letzten Briefen aus Boston haben sich die Gouverneure genötigt gesehen, ihre Provinzen unter das sogenannte Martial-Law (Kriegs-Gesetz) zu setzen, d. h. die Miliz zu bewaffnen, um den Unruhen zu steuern.

Am 14. August war es in Boston zu ernsten Unruhen gekommen. Einige Patrioten, die sich „Söhne der Freiheit" nannten, hatten zwei als Stempelbeamte gekleidete Strohpuppen an einer Ulme aufgehängt, und abends unter dem Geschrei: „Freiheit, Eigentum, keine Stempel!" in Prozession durch die Straßen getragen und vor dem Hause des englischen Stempelbeamten Oliver verbrannt. Das Haus dieses Beamten wurde verwüstet. Er selbst entging mit knapper Mühe der Lynchjustiz. Auf Grund dieser Vorkommnisse verhängte der Gouverneur über Boston den Belagerungszustand.

Aus London, 8. November 1765

Der Inhalt aller jüngsten Briefe aus Amerika geht dahin, daß die englischen Einwohner daselbst fortfahren, über die Einführung des Stempelpapiers sehr schwierig zu sein, denn sie hebt — sagen sie — nicht nur die Freiheit der englischen Untertanen und ihre besonderen Privilegien, sondern auch alle Gesetze und sogar das Grundgesetz der Magna Charta auf. Die Gouverneure verlangen den Beistand der Assembléen. Diese aber entschuldigen sich damit, daß keine Adresse an sie aus England ergangen wäre. Das Parlament, welches das Gesetz gemacht habe, möge für die Vollziehung sorgen. Da sich also die Assembléen der Sache nicht annehmen wollen, so wird ihnen von den Gouverneuren die Möglichkeit genommen, sich öffentlich zu beratschlagen, wie denn Herr Barnard, Gouverneur von Neu-England, als kaum die Assembléen zusammengerufen worden waren, dieselben wieder untersagt hat.

Es sind indessen vollständige Berichte von diesen Unruhen bei Hofe angelangt und das Ministerium ist auf abhelfende Mittel bedacht. Daher die vielen Ratsversammlungen der letzten Zeit. Viele sind der Meinung, es würde das beste sein, wenn den amerikanischen Provinzen die Freiheit eingeräumt würde Mitglieder im englischen Parlament zu haben. Die Amerikaner selbst leben in der Hoffnung, daß, da die

Akte des Stempelpapiers unter dem Einfluß des vorigen Ministeriums gemacht wurde, das gegenwärtige Ministerium, von dessen patriotischer Gesinnung man Proben habe, diese verhaßte Akte wieder aufheben werde.

Die Amerikaner vermuteten ganz richtig. Die Stempelakte war selbst in England alles andere als populär. Bald mußte denn auch Georg Grenville, ihr Urheber, sein Amt als Premier an den Amerikafreund Marquis von Rockingham abgeben. Als dieser General Conway zu seinem Staatssekretär ernannte, wußten die Amerikaner ihre Sache in besten Händen.

London, 19. Dezember 1765

Wir erhalten aus Boston in Neu-England folgendes:

„Nachdem die Verfasser der öffentlichen Blätter, welche in dieser Provinz herauskommen, selbige zum 31. Oktober aufgekündigt hatten, erschienen, ohne Benennung des Ortes und des Druckers, Zettel, auf deren einem nichts weiter zu lesen war als die Worte: „N o S t a m p t o b e h a d", das heißt soviel wie: man kann sich nicht mit Stempelpapier versorgen. Auf einem anderen Zettel standen nur die Worte: „A P a t r i o t A d v e r t i s s e m e n t", nämlich: Patriotische Anzeige.

Nunmehr aber haben die hiesigen Zeitungsverfasser sich entschlossen, die gedruckten Nachrichten wieder fortzusetzen, weil sie sich der Wut des Pöbels ausgesetzt sehen, falls sie dem Publikum künftig keine Nachrichten mehr bringen wollen.

Auch Zeitungen mußten, da sie bedrucktes Papier waren, den Stempel zahlen. Jetzt erschienen sie zwar erneut, doch ignorierten sie die verlangte Abgabe.

Ernüchterung in England

Der Hof betrachtet die Unruhen in Amerika als „simple Begebenheiten"
Die Amerikaner noch keine „Rebellen"

London, 20. Dezember 1765

Als die Mitglieder des Oberhauses sich am 17. wegen des Entwurfs der Adresse an den König beratschlagten, verlangten einige Lords, die der Partei des vorigen Ministeriums zugetan sind, man möge in den zweiten Absatz der Adresse folgende Worte einfügen:

„Wir wünschen auch Ew. Majestät bezeugen zu dürfen, wie groß unser Mißvergnügen über die Unruhen und Empörungen ist, die in Ew. Majestät Staaten in Nord Amerika ausgebrochen sind, und die in der augenscheinlichen Verachtung der Rechte des englischen Parlaments, wie auch in der Auflehnung gegen die Gesetze, eine Beleidigung der Krone darstellen. Wir werden mit Vergnügen die allererste in unserer Macht stehende Gelegenheit ergreifen, Ew. Majestät zu versichern, die Hände der Regierung zu unterstützen, um den gesetzmäßigen Gehorsam der Kolonien, sowie deren Abhängigkeit zu erhalten, indem wir davon überzeugt sind, daß die rechtsbegründete Befugnis Großbritanniens, Gesetze zu geben, außer Frage steht."

Dieser Vorschlag wurde nach lebhaften Debatten durch die Mehrheit von 80 gegen 24 Stimmen verworfen.

Aus London, 27. Dezember 1765

Von den Zuständen in Amerika verdiente folgender Auszug aus einem Briefe aus Maryland an einen Kaufmann in London vom 22. Oktober beibehalten zu werden:

„Sie sehen, daß ich in meiner Bestellung verschiedene Dinge auslasse, die wir hier sonst als nötig angesehen haben. Allein, die jetzigen Zeiten erinnern uns daran, daß wir aufhören müssen verschwenderisch zu sein. Unsere Nachbarn können uns alles verschaffen, was wir brauchen, wenn auch nicht in der guten Qualität, als wir es aus London gewohnt sind. Mit einem Worte: alle Amerikaner werden sich befleißigen, das Nötige anzuschaffen, ohne deswegen nach England zu schreiben.

Im bevorstehenden Frühling werde ich ein Arbeitshaus errichten und 9 bis 12 Weibsbilder, die meine Sklavinnen sind, spinnen lassen. In 3 Jahren werde ich imstande sein, mehr Tuch und Leinewand zu verfertigen, als ich nötig habe. Ihre Manufakturen werden alsdann den Verlust empfindlich fühlen. Wir leben hier in großen Unruhen; alle Stempelbeamte waren genötigt zu fliehen oder zu resignieren."

Laut den letzten Nachrichten aus London hat es übrigens in dem Großbritannischen Parlament aus Anlaß der amerikanischen Unruhen, und zwar in beiden Häusern, bereits heftige Debatten gesetzt. Die Anhänger des alten Ministeriums im Oberhaus haben die Amerikaner wegen ihres Widerstandes gegen das Stempelpapier zu Rebellen stempeln wollen; die Hofpartei aber hat sich ihrer angenommen, und indem sie auf eine ganz andere Art von der Sache redet, so hat sie sie als eine s i m p l e B e g e b e n h e i t angesehen. Auch im Unterhaus soll die Hofpartei Meister in dieser wichtigen Debatte geblieben sein, woraus man auf die Dauer des jetzigen Ministeriums schließen will.

Der Ausdruck „simple Begebenheit" dürfte selbst die Zeitung in Erstaunen gesetzt haben, da sie ihn — eine Seltenheit zu damaliger Zeit — in Sperrdruck brachte.

Aus England, 14. Januar 1766

Zu besserer Einsicht in das, was bei den fortdauernden Parlaments-
debatten in Rücksicht auf die amerikanischen Streitigkeiten bereits gesprochen wurde, oder noch gesprochen werden dürfte, ist folgendes
voraus zu schicken unumgänglich nötig:

Kaum war den Anhängern des alten Ministeriums die vermutliche
Entschließung der neuen Minister zu Gehör gekommen, die Stempel-
Akte in den amerikanischen Ländern entweder abzuändern, oder
gar aufzuheben, wurden sie nicht nur allein gegen die Minister entsetzlich aufgebracht, sondern sie erklärten sofort öffentlich, daß dergleichen Einwilligung in die Vorstellungen der Kolonisten zugleich
die Vorrechte der Krone und die Autorität des Großbritannischen
Parlaments in Gefahr setzen würde. Unter anderen Beschwerden, die
sie gegen die Amerikaner anführten, beschuldigten sie diese Völker,
daß sie seit vielen Jahren in den Häfen Europas zum Nachteil Englands Handel getrieben, hingegen in ihre eigenen Häfen immerfort
fremde mit solchen Waren und Manufakturen befrachtete Schiffe,
die sie einzig und allein aus England beziehen sollen, eingelassen
hätten, wobei sie den für das Königreich entstandenen Schaden auf
600 000 Pfund Sterling jährlich berechnen. Sie entrüsten sich gegen
dieses Betragen der Amerikaner mit desto mehr Grund, weil wir
ihnen Prämien auf ihre Produkte bewilligen und Freiheit von Abgaben auf verschiedene Handlungswaren eingestehen, obwohl wir
unter einer Schuldenlast von 140 Millionen seufzen und jährlich
10 Millionen von Auflagen entrichten. Die Amerikaner aber verwei-
gern die Stempel-Abgabe und einige andere Abgaben auf Zucker und
Zuckersyrup, die doch höchstens nicht mehr als 80 000 Pfund jährlich
beibringen würden. Diese Einkünfte sollten überdies auch ausschließlich zur Verteidigung und Aufrechterhaltung der Sicherheit derjenigen Amerikaner verwendet werden, die uns diesen Zins heute vor-
enthalten.

Aus England, 28. Februar 1766

Der Verfasser der neuen Nürnbergischen K. R. O.-Post-Amts-Zei-
tung meint in ihrer No. 12, daß die amerikanischen Streitigkeiten eine
feine Materie zu einer gelehrten und lehrreichen Dissertation aus dem
Jure-gentium und Jure-publico anglicano geben könnten, die gewiß
bei Vernünftigen mehr Beifall finden würde, als manches leere Ge-
schwätz. Sollte nun jemand diesen Streit der amerikanischen Kolonie
pro oder contra auf solche Art ausführen wollen, so würde gewiß die

nachfolgende Stelle, die in einem der neuesten und besten englischen Wochenblättern befindlich, und nicht ohne judico publico politico geschrieben ist, darinnen Platz finden müssen:

„Keine Abgabe, sagt dieser Engländer, hätten die Kolonien leichter annehmen sollen, als eine Stempel-Akte; denn wenn die Entrichtung des Zolles von einem Schiffe den Stempel nicht wert ist, so ist es auch nicht der Mühe wert gewesen, das Schiff selbst auszurüsten. Ich kann mich nicht erinnern, jemals von einem Engländer klagen gehört zu haben, daß das Parlament den in England gepflanzten Tabak verbot und doch war dies wohl ein Zwang, der die Freiheit eines jeden Lehn-Besitzers in England nicht wenig hemmte. Er wurde kraft dieses Verbotes außer Stand gesetzt seinen eigenen Grund und Boden nach Wohlgefallen und Belieben zu bebauen. Es gibt bei uns leere Felder genug, aus denen man schon einigen Nutzen ziehen könnte, aber das Verbot ist allein zum Vorteil der Kolonien und zur Beförderung der beiderseitigen Handlung getroffen worden. Wenn wir wegen Amerika nichts anderes als Kosten und Mühe haben sollen um sie zu verteidigen, so wollte ich wünschen, daß man sie, falls es wieder Krieg geben sollte, sich selbst überlassen möchte."

Aus England, 28. Februar 1766

Auf das, was in dem vorigen Artikel ein Engländer den Briten in Amerika vorwirft, antwortet nun dieser seinem Mitbürger in England wie folgt:

„Haben wir Britischen Einwohner in Amerika euch nicht beigestanden Cartgagena einzunehmen? Sendeten wir nicht 4000 Mann, welche dort alle umgekommen sind? Habt ihr schon vergessen, daß wir euch im Jahre 1745 den Frieden gaben, weil wir Cap-Breton eroberten und folglich euch von euren Feinden befreiten? Das ist wohl noch zu neu und unvergeßlich, daß wir euch auch Martinique einzunehmen halfen. Wären wir Nord-Amerikaner nicht noch zur rechten Stunde vor Havanna angelangt, so hättet ihr, wie leicht zu vermuten ist, diesen Platz ohne uns unmöglich erobern können, weil eine ansteckende Krankheit eure Völker schwächte. Ihr habt freilich, wie wir, mit vereinten Kräften Quebeck eingenommen; in diesem Feldzuge hatten wir 15 000 Mann bei euch. Jetzt aber rühmt ihr euch, daß ihr selbst nur uns zum Vorteil Kanada erobert hättet. Aber ihr selbst wißt es weit besser. Ihr wißt, daß ihr das nicht unseretwegen, sondern um eurer selbst willen getan habt.

Das alles taten wir für euch, ihr aber belohnt unsere Dienste mit unerträglichen Steuern. Großbritannien, unsere Mutter, hat uns in unserer Jugend zärtlich gepflegt; ihr aber, unsere Brüder, wollt nun allem Vorwurf einer Zärtlichkeit ausweichen und habt uns der Gnade für wert befunden, euch auf uns zu säubern. Ihr leert eure Gefängnisse und sendet uns dies unnütze Gesindel, diese Räuber, diese Mörder, in die neue Welt, damit sie es bei uns noch ärger treiben. Die Landstraßen von hier nach Philadelphia und nach Neu-Jersey sind viel gefährlicher als das ärgste Raubnest bei euch. Fünfzehn von diesen Unglücklichen, womit ihr uns kürzlich beschenkt habt, sind zu unserem Glück in Henkers Hand gefallen. Das ist nun der kostbare Dank, den diese unsere zärtliche Mutter uns für unsere so wichtigen Dienste erwiesen hat."

Am 18. März mußte der König unter dem Druck der Opposition im Parlament die Stempelakte widerrufen.

Während die Stempelakte fällt, holt der König zum vernichtenden Schlage aus

Aller Jubel erstickt in dem neuen Gesetz, das die völlige Abhängigkeit Amerikas unterstreicht

Leipzig, 15. Februar 1766

In Rücksicht auf das in England zur Zeit noch beratende Parlament nur soviel heute, daß Herr Pitt neuerdings fleißig dabei zugegen ist. Wie die meisten Blätter glauben machen wollen, soll seine Rede bei Eröffnung der Sitzung eine solche Wirkung auf die Zuhörer gehabt haben, daß dadurch die vorgefaßte Meinung des Hofes, des Ministeriums, der Rechtsgelehrten und Mitglieder des Parlaments, gänzlich geändert wurde. Herr Pitt behauptete nämlich, das Britische Parlament habe kein Recht die Kolonien zu besteuern, solange ihre Privilegien gültig wären. Es sei denn, sie selbst gäben ihre Einwilligung dazu. Die Taxierung sei daher zu einer Unzeit vorgenommen und gereiche dem Staate zu großem Schaden.

William Pitt sagte noch mehr: „Die Amerikaner sind die Söhne und nicht die Bastarde Englands! Man fragt, wie und wann ist Amerika frei geworden? Ich aber frage: Wie und wann ist es versklavt worden!

England, 31. Januar 1766

Unter den vielen Schriften, die jetzt hier zum Vorschein kommen, hat sich der North-Briton in seinem Blatte vom 27. Januar der Kolonien besonders angenommen, die gegenwärtigen Kalamitäten dem alten Ministerium aufgebürdet, das gegenwärtige gelobt und alle Engländer aufgemuntert, das Wohl ihres Vaterlandes und des Handels im Auge zu behalten. Er bewies, daß der amerikanische Handel zum Nutzen Großbritanniens ausfalle und daß man einem Volke und jedem, der etwas erwerben wolle, auch die nötige Freiheit lassen müsse. Der Handel dulde keinen Zwang und keine Unterdrückung, daß aber Freiheit und sicherer Besitz dessen, was man erworben habe, die Seele des Handels seien. Er führte treffliche Stellen aus des berühmten Looks Schrift: „Essai du Gouvernement" an und schloß, daß eine Steuer, die sich lediglich auf die Begründung des Königs stütze und englische Fregatten und Schaluppen in Amerika zu rasenden Drachen gemacht habe, nur Schaden anrichten könne. Anstatt, daß die Briten aus einer wohlüberlegten Behandlung goldene Äpfel geerntet hätten, wären diese ihnen aus den Händen gefallen und Franzosen und Holländer hätten sie aufgehoben.

Wir haben bereits eingangs erwähnt, daß der „North-Briton" von John Wilkes verfaßt wurde. Dieser Wilkes war wohl der zur Zeit populärste Mann in England, wenn nicht gar in Europa. Seine Gunst beim Volke verschaffte ihm trotz aller Widerstände des Adels bald den Eintritt ins Parlament und später die Würde eines Lordmayors, durch die der eingefleischte Republikaner hoffähig wurde.

Leipzig, 1. März 1766

Mit Bezug auf die häufigen Debatten im englischen Parlament ist für dieses Mal soviel zu sagen, daß sowohl der Hof, wie auch das Parlament noch immer in der größten Verwirrung über die Frage gewesen: ob man die Stempelakte aufheben, oder die Kolonien zur Beobachtung derselben zwingen solle, um die Ehre Englands zu behaupten.

Hitzige Köpfe haben den Ernst angeraten, Lord Temple aber hat im Oberhause mit wenigen Worten seine Meinung wie folgt geäußert: Er glaube, es wäre dienlich, die Amerikaner nicht so weit zu treiben, daß sie ihre Stärke versuchen müßten. Viele behaupten, die Kolonien könnten wohl ohne England leben, sich aber nicht gegen eine fremde Macht behaupten; England hingegen sei ohne den Reichtum der Kolonien, der ihm zufließe, schwach und mit einer Schuldenlast von 140 000 000 Pfund Sterling beschwert. Ohne die blühende amerikanische Handlung sei man nicht im Stande, große Flotten auszurüsten und die Zinsen der Nationalschulden zu bezahlen. Man sagt: obwohl das Parlament recht habe alles zu tun, so gestatte die Staatsklugheit dennoch nicht, sich dieser Macht zu bedienen, wenn gefährliche Folgen daraus entstehen könnten.

Unterdeß sollen, den letzten Nachrichten zufolge, die Kolonien entschlossen bleiben, keine englischen Manufakturen weiter einzuführen so lange die Stempelakte bleibt. Daraus folgert man hier, daß sich vielleicht über 100 000 Menschen nach Amerika begeben werden, um daselbst, zum Schaden Englands, Manufakturen anzulegen.

Aus London, Ende Februar 1766

Der einzige Gegenstand unserer Stadtgespräche ist seit etlichen Tagen die Widerrufung der amerikanischen Stempelakte, die am 21. Februar mit vieler Heftigkeit durchgesetzt worden ist.

Ungeachtet eines podagrischen Anfalls ließ sich Herr Pitt nicht abhalten, an diesem Tage im Parlament zu erscheinen. Seine Bedienten führten ihn unter beiden Armen in die Kammer, wo er bei seiner Ankunft nicht nur vom Volke, sondern auch von den angesehensten und reichsten Kaufleuten, welche die Entscheidung in dieser Sache mit um so größerer Ungeduld, da ihr Interesse besonders angehend, erwarteten, mit freudigen Zurufen empfangen wurde. Nachdem er Sitz genommen hatte und die Hauptgründe der amerikanischen Unruhen näher in Erwägung gezogen worden waren, geschah der Vorschlag zu einem Gesetz: die vom vergangenen Ministerium getroffene Akte, wonach den Britischen Kolonien und Pflanz-Örtern in Amerika gewisse Stempelsteuern auferlegt waren, wiederum aufzuheben.

Nach langen Beratungen, ob man statt des Wortes „widerrufen" nicht besser das Wort „verbessern" setzen solle, kam es zum Votieren, wobei 275 Stimmen gegen 167 für das Wort: widerrufen den Ausschlag gaben.

Diese Kammer, welche 442 Mitglieder zählt, war in drei Lager geteilt. Das erste bestand schlechterdings auf Vollzug der Stempelakte, so, wie sie anfänglich beschlossen war und meinte, daß der Widerruf derselben Ehre und Würde der Krone verletze, die gesetzgeberische Gewalt des Großbritannischen Parlaments in Gefahr bringe und die wirkliche Abhängigkeit der Kolonien dadurch vernichtet würde. Das zweite war geneigt, die Akte zu mildern und den Kolonien ihren Vollzug erträglicher zu machen und zwar dergestalt, daß die Mittel und die Wahl der Erhebung der Steuern ihnen selbst überlassen bleiben solle. Die dritte Meinung ging dahin, daß die Stempelakte ihrem

Ursprung nach, wie auch in ihrer Wirkung, der Verfassung des Staates zuwider laufe und zur Unterdrückung der Völker abziele. Man habe mit dieser Akte den Handel des Vaterlandes mit dem der Kolonien in gefährliche und traurige Umstände verwickelt und das einzige, noch übrig bleibende Mittel, die Sache wieder in gute Bahnen zu lenken, und die Gemüter wieder zu besänftigen, sei der bedingungslose Widerruf dieser Akte.

Eben dieser Meinung war Herr Pitt und mit ihm die Mehrheit der Mitglieder. Er führte das Wort anderthalb Stunden lang und in allem, was er anführte, fand er Beistand und Unterstützung durch die Mehrheit. Die Kammer ist bis 2 Uhr morgens mit diesem Gegenstand beschäftigt gewesen.

Einige bemerkenswerte Aussprüche aus dieser Sitzung, die uns die Zeitung unterschlägt, mögen hier folgen:

Lord Grenville, Gegner des Widerrufs, sprach u. a.: „Und du, amerikanisches Volk, du undankbares Volk, lohnst du so die Sorgen und die Güte deiner alten Mutter? Möge der Himmel die bewundernswerte Duldsamkeit unserer Minister segnen! Aber ich fürchte sehr, daß wir davon schrecklich bittre Früchte einernten werden. Wollt ihr alle Springfedern der Regierung brechen? Nehmt das Gesetz zurück und ihr werdet die katastrophalen Folgen alsbald an euch selbst spüren.“

Pitt, sein Gegner, äußerte noch folgende Worte: „Ich höre sagen, Amerika leiste uns Widerstand und stehe in Aufruhr. Wohl! Ich freue mich, preise mich glücklich ob dieses Widerstandes. Drei Millionen Menschen, die jedes Gefühl der Freiheit verloren, sich freiwillig und geduldig der Sklaverei unterworfen hätten, wären taugliche Werkzeuge geworden, uns selbst zu Sklaven zu machen. Das ehrenwerte Mitglied hat ferner behauptet, weil es voll von bittern Worten ist, Amerika sei undankbar und hat Englands Großmut gegen dasselbe' bis zum Himmel erhoben; aber diese Großmut, hatte sie nicht vor allem Englands Vorteil im Auge?“.

Aus England, 19. März 1766

Der gestrige Tag, der 18. März, ist ein Tag der Freude in ganz England und also auch in London gewesen. Die Glocken läuteten den ganzen Tag, die Gassen ertönten von Freudengeschrei, vor öffentlichen Häusern waren Fahnen aufgesteckt. Denn gestern ist der König im Parlament gewesen und hat seine Unterschrift zu folgenden Gesetzen gegeben: 1. zum Gesetz, die Stempelakte aufzuheben; 2. zum Gesetz, die Abhängigkeit der Britischen Kolonien in Amerika von der Krone und dem Parlament von Großbritannien zu versichern; 3. zu dem Gesetz, die Cyderakte in der jetzigen Form aufzuheben und die Steuer nicht durch Zolldiener einzufordern, sondern sie auf die Verkäufer zu legen und durch die ordentlichen Diener jedes Kirchspiels erheben zu lassen; 4. das Gesetz, Sr. Majestät eine Beihilfe zum Dienst des jetztlaufenden Jahres zu bewilligen, wie auch zu verschiedenen Verordnungen, welche Privatpersonen betreffen.

Auch in Amerika wurde der Widerruf der Stempelakte freudig begrüßt. In Virginien wurde Geld zu einem Denkmal des Königs gesammelt. Besonders Pitt war Gegenstand großer Verehrung. — Als man wenig später aber von dem Gesetz der Abhängigkeit Amerikas erfuhr, wußte man, daß nichts gewonnen war; jeden Augenblick konnten aus diesem Gesetz neue Widersetzlichkeiten entstehen.

Was die Amerikaner damals noch nicht wußten, war, daß in der gleichen Nacht, als die Stempelakte fiel, im englischen Parlament ein Gesetz angenommen wurde, das die Truppeneinquartierung in den Kolonien neu regelte, und gerade dieses Gesetz sollte den Widerstand neu schüren und versteifen.

Amerika läßt sich nicht täuschen
Englands Nachgeben hat viele Gemüter auf den Regierungsbänken verletzt und hier liegt die Gefahr neuer Verwicklungen

London, 7. April 1766

Die Stempelakte ist zwar widerrufen und in ein Nichts verwandelt worden, aber daß die Sache mit der Einmütigkeit hergegangen, wie es wohl zu wünschen wäre, können wir unmöglich behaupten. Es gab Widerspruch in beiden, besonders aber in der oberen Kammer. Diese leider! noch immer fortdauernden Unstimmigkeiten unter den vornehmsten Gliedern unseres Staates, hat bei einem Patrioten folgenden Gedanken erweckt: „Es ist eine Grundregel in der Staatswissenschaft sowohl als im Kriege, daß wir niemals das tun sollen, was unsere Feinde wünschen das wir tun möchten." Ich will die eifrigsten Verfechter des Betragens des vorigen Ministeriums und auch die erbittertsten Widersacher des gegenwärtigen ersuchen, sie möchten doch nur diese kurze und einfältige Frage an sich selbst tun: „Was ist es wohl, was Frankreich, Spanien und sogar unsere guten Bundesgenossen, die Holländer, bei dem augenblicklichen Zustande Europas wünschen, das uns begegnen möchte? Werden sie nicht wünschen, daß die

Zwietracht ihr tödtliches Gift über die Britischen Kolonien und das Vaterland je länger je mehr ausbreite?"

Aus England, 7. April 1766

Ist jemals über die Konstitution der Großbritannischen Staats-Verfassung und über das Betragen der Minister gestritten worden, so ist es gewiß jetzt bei Gelegenheit der Stempel-Akte geschehen. „Britannus", eine periodische Schrift, die unter diesem Titel erscheint und nicht übel geschrieben ist, ist mit dem Ausgange, den diese Akte genommen hat, ebensowenig, wie die Lords im Oberhause zufrieden. Zwei Hauptpunkte sind es, von welchen er glaubt, daß man sie, sozusagen, nicht auf die leichte Schulter nehmen dürfte. Der erste und wesentlichste Punkt davon ist, daß alle Provinzialversammlungen in Amerika dahin gebracht werden sollen, die oberste Gewalt des Britischen Parlaments mit klaren und eindeutigen Worten anzuerkennen und daß dieses Parlament Fug und Recht habe, in diesem Lande Auflagen auszuschreiben. Der zweite ist die gänzliche Ersetzung des verbrannten und zu Grunde gerichteten Stempelpapiers, nicht weniger des Schadens, welchen verschiedene Personen bloß dadurch erlitten haben, weil sie ihre Pflicht getan und ihrem Oberherrn treu gewesen sind. Da die Königliche Gewalt und das Ansehen des Parlaments in beiden Fällen gleichmäßig verletzt worden sind, ist es unumgänglich nötig, auf eine vollkommene und unmittelbare Genugtuung zu dringen. Alle anderen Maßregeln beseitigen die Krankheit nicht von Grund auf, sondern lindern sie nur, gleich einem in der Eile zugeheilten Schaden, der wieder aufbricht und aus einem leichten Geschwür in einen unheilbaren Krebs ausartet. Die Freiheit, fährt er fort, ist ohne Zweifel ein köstlicher Schatz, aber was kann gefährlicher sein, als eben sie, wenn sie sich wider Gehorsam und Unterwerfung sträubt. Man versteht die große Kunst zu regieren, wenn man zwischen einer wohlgeordneten Freiheit und einem ungezügelten Eigendünkel das Mittel zu finden weiß und das Verhältnis zwischen dem Regenten und seinen Untertanen so ordnet, daß diese weder Sklaven, noch gesetzlose Freiherren werden. Lasset die Amerikaner alle Annehmlichkeiten einer gesetzmäßigen Freiheit genießen, laßt sie ihren Handel so weit ausbreiten, als es die billigsten Einschränkungen gestatten, aber wenn sie sich beikommen lassen, die Grundfeste unserer Konstitution durch Errichtung zwanzig verschiedener Parlamente zu untergraben, wenn sie einem jeden von diesen die oberste Gewalt beimessen und dadurch Zerrüttung und Herrschlosigkeit hervorrufen, dann ist es Zeit, es sie wissen zu lassen, daß solch ein verwegenes Ermessen nicht ungestraft bleiben könne.

Gerade um diese Repräsentantenhäuser, die überall in Amerika jetzt in jeder größeren Stadt errichtet wurden, um die Verbindung mit dem ganzen Lande zu sichern, ging es England. Diese Gemeinschaft war die große Gefahr einer Kollektivhandlung, die man auf jeden Fall verhindern mußte.

Leipzig, 7. März 1767
New York weigert sich, der Parlamentsakte in Absicht auf die Einquartierung der Königlichen Truppen zu gehorchen. Der Hof dürfte diesmal einer einzigen Provinz nicht nachgeben, weil viele der Meinung sind, daß, wenn man nicht Ernst gebrauche, die Kolonien sich zuviel Freiheit herausnehmen und sich bei jeder Gelegenheit dem englischen Parlament widersetzen würden.

Als dem Londoner Parlament der Bericht des Gouverneurs von New York vorgelegt wurde, ging ein Gesetz durch, das die Repräsentantenhäuser in Amerika suspendierte. Auf diese Verordnung hin rüstete man sich in Amerika zum allgemeinen Widerstand.

Die Metamorphose des großen Pitt
„Es hängt von Ihnen ab, Mylord, sich zu rechtfertigen"
„Das Volk kann gegen Sie einen Ekel bekommen"

London, 15. August 1766
Der Rat, welchen man dem Herrn Pitt, Grafen von Chatham, in Form eines Briefes von einem Bürger und Kaufmann gibt, um das allgemeine Geschrei gegen sich zu stillen, lautet wie folgt:
„Jetzt, Mylord, sind die Augen des Publikums auf Sie gerichtet. Der vernünftige und unparteiische Teil Ihrer Mitbürger zieht den schlechten Zustand Ihrer Gesundheit durchaus in Betracht. Sie sind überzeugt, daß Sie nicht mehr imstande sind die Beschwerlichkeiten zu ertragen, die Sie so lange als Mitglied im Unterhause ausgestanden haben und betrachten Sie als einen geschickten Ratgeber eines Fürsten, der ein Vater seines ganzen Volkes ist. In dieser Situation haben Sie Gelegenheit, dem Strome des Verderbnisses, das bei uns eingerissen ist, Einhalt zu tun. Sie kennen die großen Talente, womit der Urheber der Natur Sie so reichlich begabt hat, um zur Ausfindung der Mittel und Wege beizutragen, durch die unsere ungeheure National-

schuld verringert werden könnte. Sie können die Handlung fördern, wenn Sie ihr alle Erleichterungen verschaffen, die ein geschickter Staatsmann ihr zu schaffen imstande ist. Um zu diesem großen Zwecke zu gelangen, müssen Sie einen Plan entwerfen, wie der außerordentliche Preis der Lebensmittel erniedrigt werden könne. Sie müssen jenen niederträchtigen Haufen ausrotten, welchem man heutigen Tages zur Schande der Menschlichkeit erlaubt, alles, was zum Lebensunterhalt notwendig ist, durch Monopolien zu verteuern. Wenn Sie diesen Weg einschlagen, Mylord, so werden Sie den Seidenhandel, diesen Hauptzweig unserer Manufakturen, von dem Verfall und Untergang retten, womit er bedroht ist. Unsere Nebenbuhler, die Franzosen, tun uns in diesen Stücken allenthalben, wo in Europa Handlung getrieben wird, Abbruch und werden hiermit so lange fortfahren, als mit Lebensmitteln ein Monopol getrieben wird und der Seidenhandel allein auf diese Stadt beschränkt ist. Mit einem Worte, Mylord, wir erwarten, Sie werden für die Nachwelt sorgen, welche unsere Nationalschuld bezahlen soll, sofern sie jemals wird bezahlt werden! Sie werden alle Bemühungen anwenden, daß alle Teile unserer Konstitution ihre alte Gestalt und Schönheit wieder bekommen.

Ich habe niemals von dem Brote der Bestechung gegessen; also, Mylord, kann man nicht ohne Ungerechtigkeit glauben, daß ich jemanden schmeichle, es sei auch, wer es wolle. Ich will mich bemühen, diesen irrigen Urteilen, diesem voreiligen Geschrei, das sich mit so vieler Heftigkeit gegen Sie erhebt, Einhalt zu tun, weil ich glaube, daß Sie über alle Bestechung erhaben sind. Dächte ich anders, so würde ich mir gewiß die Freiheit nehmen, meine Meinung zu sagen, weil ich leicht einen Weg finden würde, sie bekannt zu machen. Allein, Mylord, wir erwarten alle diese Dinge nicht von Ihnen allein; wir verlangen nichts, als Ihren guten Rat und Ihre Bemühungen, zur Beförderung des allgemeinen Besten, worin Ihnen zweifellos einige derjenigen, die jetzt an der Regierung Teil nehmen, behilflich sein werden. Es hängt von Ihnen ab, Mylord, sich wegen der Ihnen aufgebürdeten Beschuldigungen zu rechtfertigen. Wenn Sie fortfahren Ihre großen Talente zum Dienst des Vaterlandes mit derjenigen standhaften und unverletzlichen Zuneigung, die Sie bisher in Absicht auf desselben Wohl und Glückseligkeit bewiesen haben, anwenden, so wird man, so lange England seine Freiheit genießt, mit Bewunderung und Dankbarkeit von dem Grafen von Chatham reden. Ich bin, usw. (gezeichnet) ein Bürger und Kaufmann."

Sowohl einige ausländische Blätter als auch Privatschreiben ver-schiedener Leute aus London versichern, daß schon in dem neuen Ministerium Mißhelligkeiten obwalten, welche daher rühren sollen, daß einige von den neuen Ministern nicht zu den Beratschlagungen gezogen wurden und wegen dieser Hintenansetzung dermaßen beleidigt, um ihre Entlassung nachgesucht hätten. Man sei überaus unwillig darüber, daß der Graf von Chatham alles nach seinem Kopfe eingerichtet haben wolle.

Aus einem britischen Blatte wollen wir das Folgende beibehalten, weil es eine gute Moral in sich schließt:

„Die erhabenen Gedanken einer seligen Ewigkeit sollten billig bei jedem vernünftigen Wesen die Flamme des Ehrgeizes erlöschen. Wenn wir nach höheren Ehren zielen, so werden wir oftmals vor den Menschen zur Schande. Man zeige mir den Mann, der seine Handlungen nur auf das allgemeine Beste und nicht auf den Beifall der Menschen einrichtet. Man zeige mir den aufrichtigen Freund des menschlichen Geschlechts, der sich nicht nur darum bestrebt, ein Patriot zu erscheinen, damit er bei dem Volke beliebt sein möge: Ich will ihn hochschätzen, ehren und lieben. Es soll das gewesene berühmte große Mitglied vom Unterhaus, der Schmeichelei der Freunde und der Boßheit der Feinde ungeachtet, seine eigene Aufführung untersuchen. Kann er mit gutem Gewissen seine Hand auf sein Herz legen, und sagen, daß die Liebe zum Ruhm nur ein Nebensporn zu allen seinen edlen Verrichtungen gewesen sei? Kann er getreulich sagen, daß er niemals aus Seltsamkeit, oder aus Stolz, irgend eine Maßregel zu hintertreiben gesucht? Wenn er alles dieses mit Ja beantwortet, so muß solches allerdings viele in die größte Verwunderung setzen. Die Tugend allein kann einen Redner begeistern, ja ich zweifle sogar bei mir selbst, ob ein boßhafter Mann ein rechtschaffener Redner sein könne; und ein wahrer Patriot muß ein Mann sein von wesentlichen Verdiensten, ein sanftmütiger Mann, nicht aber ein Mann, Mylord, der nach hohen Ehren trachtet, und die Tugend zur Kupplerin macht! Hochmut ist eben sowohl eine Zugabe zu hohen Würden, als die irdische Glückseligkeit es bei den Monarchien ist. Wenn Sie, Mylord, nach höheren Dingen, nach höheren Würden streben, so stellen Sie sich doch in Gedanken den Zustand aller, oder der meisten von den großen Patrioten vor, die vorhergegangen sind, wie sie den höchsten Gipfel ihrer Hoffnungen erreicht haben. Sie können ja, wie diese, vom Gipfel wieder herunterstürzen. Das Volk kann gegen Sie einen Ekel bekommen; es kann seinen einmal vergötterten Herrn Pitt vergessen. Aber, Mylord Chatham, bleiben Sie bei Ihren alten Gesinnungen. Denken Sie mehr an Ihr Vaterland, als auf Reichtum und Ehre. Halten Sie die besten Eigenschaften des Sully sich vor Augen, so wird Ihr Name bei unseren Nachkommen gesegneter sein, als der des herrschsüchtigen Herzogs von Buckingham."

Das amerikafreundliche Ministerium Rockingham hatte nur knapp anderthalb Jahre regiert. Der König berief Ende Juli 1766 die Konservativen (Tories) und die Liberalen (Whigs) ans Ruder der Regierung und setzte an ihre Spitze den Herzog von Graston, der als Gegner der amerikanischen Bestrebungen Gesetze über Gesetze gegen dieselben durchdrückte, bekannt unter den berüchtigten Townshend-Gesetzen, durch welche die revolutionäre Welle in Amerika mächtig vorangetrieben wurde.

Die Popularität William Pitts fürchtend, berief der König diesen in das Oberhaus und machte ihn zum Grafen von Chatham. Seine Feinde frohlockten über diesen Schachzug des Königs, während das Volk, seine Freunde, sich weinend von ihrem Liebling abkehrten.

Leipzig, 9. Mai 1767

Die gegenwärtige Sitzung des englischen Parlaments ist eine der längsten. Die amerikanischen Kolonien dürften diesmal schwerlich frei ausgehen. Der Lord Chatham hat auch, wie man sagt, seine Meinung in Absicht derselben geändert und der großen Ehrerbietung ungeachtet die sie wegen Befreiung von der verhaßten Stempelakte für ihn hegen, soll er doch jetzt finden, daß sie von den allgemeinen Lasten auch einen Teil übernehmen. — Soviel ist gewiß, daß die Anstalten, die seit Kurzem in einigen amerikanischen Kolonien getroffen werden, das Ministerium sehr gegen diese eingenommen hat.

Amerika rüstet zum passiven Widerstand
Kongresse in Amerika unerwünscht — Amerika wird sich den neuen Parlamentsakten niemals fügen, sagt Franklin

London, 17. März 1767

Gestern war eine Privat-Audienz bei Hofe in Gegenwart des Königs, an der auch der Graf von Chatham teilnahm.

Die amerikanischen Angelegenheiten erfordern Klugheit und Aufmerksamkeit. Den Nachrichten zufolge, welche der Hof gestern aus Neu-England erhalten hat, haben alle Kolonien im Monat Mai einen

Kongreß nach New York einberufen, um die Interessen ihres Handels in Erwägung zu ziehen. Man sieht diese Anstalten als ein der Konstitution des Staates nachteiliges Unternehmen an, da alle Kolonien den Gesetzen unterworfen sein müssen, die auch in Großbritannien Gültigkeit haben. Da nur allein der König autorisiert ist Versammlungen über öffentliche Angelegenheiten einzuberufen, so können die amerikanischen Kolonien derartige Zusammenkünfte aus eigener Machtvollkommenheit nicht vornehmen, wenn sie nicht die Grundgesetze des Staates umstoßen wollen. So stellen die öffentlichen Blätter die Sache dar.

Leipzig, 5. September 1767

Herr Franklin, ein geborener Amerikaner und Philosoph, der in den amerikanischen Angelegenheiten vor dem Ministerium verhört wurde, soll rundheraus erklärt haben: Die amerikanischen Kolonien würden sich die Parlamentsakten, die ihnen ohne ihren Beitritt Steuern auferlegten, niemals gefallen lassen.

Leipzig, 12. Dezember 1767

Großbritannien empfindet den Verfall der Handlung desto stärker. je mehr es derselben seinen ganzen Wohlstand verdankt. Die amerikanischen Kolonien, welche sich bei der Gelegenheit der berüchtigten Stempelakte erst so recht kennen lernten, schneiden den englischen Kaufleuten einen Zweig der Handlung nach dem anderen ab, weil sie es für besser halten, diese Waren selbst anzufertigen, als sie mit großem Verlust aus England, ihrer Mutter, zu beziehen, die sie so oft auf stiefmütterlichen Gesinnungen erwischt zu haben glauben. Man rechnet, daß dieser Handel jährlich an die 5 Millionen Pfund Sterling wert ist und 30 000 Matrosen erfordert. England würde also mit dieser Handlung gewiß mehr als eine Kleinigkeit verlieren. — In Boston haben sie auf einer großen Versammlung am 28. Oktober beschlossen, sehr viele und nur der Üppigkeit dienende Dinge abzuschaffen, besonders sich aber aller ausländischen Fabrikwaren gänzlich zu enthalten und dagegen den Fleiß und die gute Haushaltung in der Provinz selbst aufzumuntern. Ein Beschluß, der viele englische Kaufleute zitternd macht. Das schöne Geschlecht ist diesmal mit einem guten Beispiel vorangegangen und hat mit patriotischer Herzhaftigkeit bereits allen Bändern entsagt, welche bisher einen ansehnlichen Punkt in ihren Ausgaben darstellten. Überdies hat man in dieser Provinz ein Kraut entdeckt, welches Labrador genannt wird und schon fleißig angebaut sein soll. Man wird sich desselben an Stelle des Tees bedienen. Es ist nicht allein von angenehmem Geschmack, sondern auch sehr gesund.

Das Kraut heißt nicht Labrador, sondern Hyperin und wird auf Labrador gepflanzt. Übrigens interessant, daß hier schon von der Absage an den Tee der Ostindischen Kompagnie die Rede ist, noch ehe die Kraftprobe darauf seitens Englands gestartet wird.

Alles blickt auf Boston
Zentralpunkt des Widerstandes — Kriegsschiffe sollen die Ordnung herstellen

Boston, 15. August 1767

Gestern versammelte sich eine Anzahl bemittelter Einwohner unter ihrem, wie sie es nennen, Baume der Freiheit (Liberty Tree). Nach den gewöhnlichen Gesundheiten auf den König usw. trank man auch die folgenden: 1. auf die Repräsentantenkammer in Amerika und daß sie immer standhaft verteidige, was sie wohlweislich beschlossen hat! 2. auf die Einigkeit, Treue und Beständigkeit unter den Söhnen der Freiheit in Amerika! 3. darauf, jedermann, der im Falle der Not das Beste des Landes nicht verteidige, als Gegenstand der Verachtung bei allen Söhnen der Tugend und der Freiheit zu erklären! 4. auf den Tag, der als der letzte Amerikas angesehen werden solle, an dem Amerika sich unter das Joch begeben würde.

London, 2. Januar 1768

In einem der öffentlichen Blätter dieser Stadt liest man folgendes: „Da die Einwohner von Boston seit einigen Tagen mit dem Namen der Schelme und Bösewichter so freigibig belegt werden und das Publikum die Ursache dieser grausamen Behandlung wissen soll, so macht man sie ihm hierdurch bekannt: Weil die Einwohner aus Mangel des Geldes in beklemmten Umständen leben und überzeugt sind, daß die auswärtige Handlung, die nur den Aufwand zum Gegenstand hat, die Ursache ihrer Armut und ihres Ruins ist, so haben sie beschlossen:

1. Dieser schändlichen Handlung Einhalt zu tun und nicht zu gestatten, daß fertige Männer- und Weiber-Kleidung eingeführt wird, da sie selbst Schneider in Mengen haben;

2. Keine goldene, silberne oder zwirnene Spitzen zu tragen, da sie selbige nicht bezahlen können;

3. Auch keine goldenen Steine, oder

4. andere Jouvelierarbeit; ihre Armut ist so groß, daß manche unter ihnen noch niemals eine Guinee gesehen haben. Ist es also
nicht ein löblicher Entschluß, die Einfuhr von Diamanten zu verbieten?

5. Weder Schnupftabak noch Senf einzuführen, da beides auf ihren
Feldern wächst. Müssen wir also böse auf sie sein, weil sie sich
dessen bedienen?

6. Keine Uhren und Schlaguhren, weil sie selbige eben so gut, als
wir, verfertigen. Will man ihnen etwa den Gebrauch ihrer Hände
verbieten?

7. Keine Muffen und Pelze. Will man es ihnen etwa verwehren,
wenn sie einen Bären getötet haben, sich seiner Haut zu bedienen?

8. Keine Galanteriewaren. Wird man auch das Frauenzimmer für
Rebellen halten, weil es sich seinen Kopfputz selbst verfertigt?

9. Kein chinesisches Porzellan. Es würde England zur Ehre gereichen, wenn man ihrem Beispiele in diesem Stücke folgen wollte.

10. Kein Leinöl. Ihre Felder bringen reichlich Flachs hervor. Will
man es ihnen verwehren, Öl zu ihrem eigenen Gebrauch zu pressen?

11. Keine feine Leinewand noch Kammertuch. Sie verdienen Dank,
daß sie die Manufakturen unserer Feinde verbieten, deren sich
die Engländer, den Gesetzen zum Trotz, bedienen.

12. Keine kostbaren Leichenbegängnisse. Haben sie hierin nicht recht?

13. Kein Tuch, das die Elle über 10 Schilling kostet. Welcher Engländer kann sie tadeln, daß sie kein Tuch zu 20 Schilling die Elle
tragen wollen, da sie es nicht bezahlen können?

Endlich haben sie auch beschlossen, die Aufnahme ihrer Leinewand-
fabriken zu fördern. Dieses gereicht England so wenig zum Nachteil,
daß ich, ein Leinewandhändler, mich darüber freue. Man sollte darauf
ebenso wie in Irland einen Preis darauf setzen. Denn wenn Neu-England Leinewand nach England schicken könnte, so wäre dieses eine
gute Rimesse für unsere Wollwaren und wir brauchten unsere Leinewand künftig nicht aus Österreich, Holland, Hamburg und Rußland
kommen lassen.

Nord-Carolina, 24. Oktober 1767

Der Mangel an Papiergeld bringt uns in hiesiger Nord-Amerika-
nischen Kolonie in die bedauernswertesten Umstände. Verschiedene
angesehene Pächter haben bereits das Schicksal gehabt, daß ihnen ihre

Güter vom Sheriff zur Hälfte oder gar zum Drittel ihres Wertes taxiert wurden und zu diesen Werten in die Hände der Gläubiger gelangten.

Dies hat verschiedene Leute veranlaßt, einen feierlichen Vertrag
einzugehen, um sich derartigen Veräußerungen zu widersetzen, so daß
die Sheriffs sich nicht mehr unterstehen ihre Amtsverrichtung vorzunehmen. Einer unter ihnen, der herzhafter oder verwegener als seine
Amtsbrüder waren, hat sich jüngst einer Probe aussetzen wollen,
allein, sie ist ihm übel bekommen. Als Früchte seiner Dreistigkeit hat
er einen verrenkten Arm und 3 im Leibe zerbrochener Rippen davongetragen. Hätten seine Freunde ihn nicht noch rechtzeitig aus den
Händen derjenigen gezogen, die ihn so übel zurichteten, so würde er
vielleicht haben ins Gras beißen müssen.

Der Sheriff war die höchste Gerichtsbarkeit in einem bestimmten Distrikt
und ein Angriff auf ihn war gleichbedeutend mit einem Angriff auf England selbst.

Leipzig, 11. April 1768

In Minden und anderen Städten Westfalens haben sich die vornehmsten Frauenzimmer rühmlichst entschlossen, das patriotische Nordamerikanische Frauenzimmer nachzuahmen und sich aller ausländischen Seltenheiten, so viel wie möglich, zu enthalten. Den Anfang
haben sie damit gemacht, daß sie sich einmütig beredeten, bei Besuchen keinen anderen als patriotischen Kaffee, und zwar unvermischt,
vorzusetzen. Man hofft, daß dieser Entschluß zur Ehre des schönen Geschlechts auch an anderen Orten nachgeahmt werde.

Philadelphia in Pensilvanien, 8. Januar 1768

Im vergangenen Herbst sind wieder 5 bis 6 Schiffe voll deutscher
Emigranten vor Philadelphia angekommen, davon noch ein großer
Teil auf dem Wasser liegt, weil nicht allein ihre Frachten sehr hoch
gestiegen sind, sondern auch ein allgemeiner Geldmangel obwaltet, so
daß sie nicht, wie in voriger Zeit, verkauft werden können und sozusagen, in ihrem Elend umkommen müssen, denn die bei diesem Men-
schenhandel interessierten Herren wollen das Geld ihrer Fracht haben.
Wenn aber keine Käufer da sind, dann behalten sie ihre Ware und
lassen sie lieber verderben, als daß sie solche verschenken sollten. Das
Land ist mit unbrauchbaren, verschuldeten, verarmten, veralteten
und kranken Menschen ohnedies schon überladen und kann daher so
viele hundert neue Ankömmlinge nicht aufnehmen und versorgen.

Einige Hundert sind im Armenhaus einquartiert, können weder leben noch sterben und gehen wie die Gespenster herum betteln. Es ist ein großer Jammer, wenn man seine betrogenen armen Mitgeschöpfe so im Elend sieht und ihnen nicht recht helfen kann.

London, 25. Februar 1768

Wilkes gibt noch immer zu allerhand lächerlichen Auftritten unter uns Gelegenheit. Zwei hiesige Bürger haben sich verschworen, sich nicht eher barbieren zu lassen, bis Herr Wilkes seinen Sitz im Parlament hat. Das Frauenzimmer in der Grafschaft Middleser hat sich vereinigt, dem König eine Bittschrift für Herrn Wilkes zu überreichen und sich, wenn sie vor dem Könige erscheinen werden, in weißen Atlas mit blauen Bändern zu kleiden. Als neulich ein Herr, der vom Lande angekommen war, seine Stiefel putzen ließ und eben einer seiner Bekannten vorbei ging, fingen sie an, von Wilkes Absetzung zu sprechen.

„Das ist mir angenehm" sagte der Herr, der sich die Stiefel putzen ließ.

„So?" sprach der Junge, der eben mit dem einen Stiefel fertig geworden war, „so putzen Sie den anderen Stiefel selbst, denn so ein armer Kerl ich auch bin, so werde ich mich doch nicht so weit erniedrigen, einem Manne die Stiefel zu putzen, der es nicht gut mit der Freiheit meint."

Boston gibt das Signal zum Kampf, am 5. März 1770 knallen die ersten Schüsse im amerikanischen Freiheitskriege

London, 22. Juli 1768

In Amerika werden die Dinge immer verwickelter. Der Hof hat neulich aus Boston in Neu-England die Nachricht erhalten, wie daselbst ein Schiff in den Hafen angekommen und von den Zollbedienten in gewohnter Weise durchsucht wurde; der Pöbel sich plötzlich zusammen gerottet und alle Zollkommissare aus der Stadt gejagt und ihre Häuser geplündert und beschädigt habe. Die Beamten mußten sich auf einer Königlichen Fregatte im Hafen in Sicherheit bringen.

Zufolge dieser Meldung erhielt der in Amerika kommandierende englische General Gage aus London den Befehl, wenn nötig, mehrere Regimenter in Boston einrücken zu lassen, um die Ordnung aufrechtzuerhalten. Gage ließ die Soldaten einmarschieren. Die Bürger Bostons beriefen die Versammlung der Repräsentanten, Gage verbot diese, worauf die Bürger-

schaft am 13. September die Bevölkerung zum bewaffneten Widerstand auf-
rief und ein allgemeiner Konvent für alle Provinzen zum 21. September
einberufen wurde.

Leipzig, 13. August 1768

Der Königliche Hof von Großbritannien hat endlich am 27. Juli
den Entschluß gefaßt, Truppen und Kriegsschiffe nach Nord-Amerika
zu schicken, um die widerspenstigen Kolonien, in welchen sich alles zu
einer verderblichen Anarchie vereinigt, zu Paaren zu treiben und die
Ausführung der Königlichen Befehle, sowie die Beschlüsse des Parlaments zu erzwingen.

Dieser Entschluß erweckt eine große Bestürzung unter den Kaufleuten, welche — und vielleicht mit Recht — befürchten, daß durch
diese Art zu verfahren, ihre Bezahlungen verzögert und die ohnedies
schon geschwächte Handlung gänzlich zu Grunde gerichtet wird.

Es ist auch den Agenten der Kolonien das Mißvergnügen Sr. Majestät über die Aufführung der Amerikaner bereits mitgeteilt worden, wobei man ihnen nicht verschwiegen hat, welche Maßregeln der
Hof für gut befand, um sie zur Rückkehr ihrer Pflichten zu nötigen.

Es mag in den Kolonien sehr verwirrt aussehen. Weil sie sich dort
nicht allein der neuen Zollordnung widersetzt, sondern auch alle Zollbeamten aus den Städten gejagt haben, so haben die Gouverneure,
sowohl in Neu-England, als auch in verschiedenen anderen Provinzen,
die Generalversammlungen aufgehoben, wodurch allen gesetzlichen
Verordnungen ein Ende gemacht wurde und dem Pöbel und allen, die
zu ihm gehören, freie Gewalt eingeräumt worden ist, nun nach eige-
nem Gutdünken zu handeln. Ob aber dieser vom Hofe gefaßte Beschluß die mächtigen Kolonien nicht völlig in Harnisch bringen und
England bei so bedenklichen Umständen von außen nicht in einen
offenbaren Krieg mit seinen Kolonien verwickeln könnte, mag die
Zeit lehren und der Entscheidung anderer überlassen bleiben.

London, 20. Juli 1768

An eben dem Tage, an welchem der Pöbel die Zollbeamten zu
Boston in Neu-England mißhandelte, hielten die Bürger eine Versammlung ab, in welcher sie beschlossen, Abgeordnete an ihren Statt-
halter zu schicken und demselben vorzustellen:

1. Daß die Einwohner von Amerika freie britische Untertanen wären
und eben dieselben Freiheiten besäßen, die ihren Mitbürgern in
England zugestanden würden; daß sie keinen anderen Gesetzen ge-

horchten als denen, die sie selbst machten und daß sie sich keine
Auflagen ohne ihre Einwilligung aufdrängen ließen. Diese Grundsätze seien vom Hof und vom Parlament überschritten worden. Sie
hätten zwar ihre Klagen vor den Thron gebracht, wären aber keiner Antwort gewürdigt worden.

2. Der Gedanke, mit England um die beiderseitigen Rechte zu streiten, sei ihnen zwar unangenehm, allein, sich dem Joche freiwillig
zu unterwerfen und sich und ihre Nachkommen aller ihrer Freiheiten stillschweigend berauben zu lassen, wäre schimpflich und
abscheulich. Die Zollhäuser seien ohne ihre Einwilligung angelegt
worden und daher müßten sie auch ohne Aufschub abgeschafft
werden.

Dies sind die einzigen und wahren Streitpunkte zwischen uns und
unseren Kolonien, worüber sich unsere Minister jetzt mehr denn je
die Köpfe zerbrechen. Wir müssen entweder den Amerikanern ihren
Willen lassen, oder Gewalt brauchen. Der Hof scheint zu dem letzteren
bereit zu sein und läßt bereits alle Anstalten dazu machen. Selbst der
Graf von Chatham ist der Meinung, nur dringt er darauf, daß man
mit Mäßigung dabei zu Werke gehen solle. Allein, Gewalt bleibt doch
Gewalt und der Erfolg ist zweifelhaft. Indessen fallen die Börsen-
kurse und die hiesigen Kaufleute zittern um ihre abgeschickten Waren.

Leipzig, 3. September 1768

Hamburger Briefe melden, man sähe es allda als etwas ganz Außerordentliches an, daß englische Offiziere dort angelangt seien, die sowohl Soldaten, als auch Matrosen anwerben. Man wisse nicht, was
man davon denken solle. Der natürliche Gedanke möge der sein, daß
man im Sinn hat, wider die englischen Kolonien Gewalt zu gebrauchen und daß fremde Völker sich leichter zur Befolgung gewisser Maßregeln gebrauchen lassen werden als freie Engländer gegen andere
Engländer, die eben das gleiche Recht haben und nun fordern, nicht
anders, als nach der Magna Charta behandelt zu werden und die, obgleich sie in Amerika wohnen, deswegen nicht aufhören, Engländer zu
sein.

Weitere Nachrichten aus London über Zuspitzung der Lage:

23. August 1768

Einer Entschließung der Provinzialversammlung zufolge, sagen die
Schiffsleute, die neulich von Boston hier und an anderen Orten ange-

kommen sind, wären bei ihrer Abreise an die 16 000 Mann, sämtlich standhafte Bürger, daselbst unter Waffen gewesen, mit dem festen Entschluß, sich mit aller Macht zu widersetzen, wenn die neuen Regimenter aus England und Irrland an Land kommen sollten.

6. September 1768

Niemand unter uns ist so kühn zu glauben, daß Amerika, wenn es sich uns erst einmal ernstlich widersetzt, uns nicht genug zu schaffen machen könnte. Da es voller Wälder und Gebirge ist, so kann darin eine kleine Anzahl entschlossener Leute sich gegen ein weit überlegenes Korps Truppen allezeit verteidigen. In 4 Provinzen von Neu-England werden über 200 000 Mann gezählt, welche die Waffen zu führen, geschickt sind.

24. September 1768

An Lord Chatham wird wenig mehr gedacht. Er hat die Liebe des Volkes und fast den ganzen Kredit bei Hofe verloren. Der Kanzler Lord Cambden, welcher beständig der Meinung war, daß die Amerikaner selbst das Recht hätten sich zu besteuern, dürfte sein Amt niederlegen. Das neue Ministerium wird sich größtenteils aus Mitgliedern zusammensetzen, die den Weg der Güte gegen die Amerikaner verwerfen.

12. November 1768

Seit dem 27. Oktober befürchtet ganz London einen Krieg zwischen England und den amerikanischen Kolonien, weswegen auch eine halbe Stunde nach Ankunft eines Schiffes aus Boston die Kurse um 1½% gefallen sind.

Ursache der Aufregung war, daß der Gouverneur Francis Bernard in Neu-England davon Mitteilung machte, daß Boston alle Milizen unter Gewehr gerufen habe und alle übrigen Kolonien mit Boston im Bunde seien.

10. November 1768

Am 8. November sprach der König im Parlament. Zur amerikanischen Frage äußerte er sich wie folgt: „Mit vieler Bekümmernis habe ich sehen müssen, daß der Parteigeist, den ich fast ausgelöscht glaubte, von neuem in einigen meiner Nordamerikanischen Kolonien ausgebrochen ist und in einer derselben solche Handlungen der Gewalttätigkeit und Widerspenstigkeit gegen die Gesetze hervorgebracht hat, so daß die Hauptstadt dieser Provinz, nach den letzten Nachrichten, Gesetz und Regierung nicht mehr achten will. Man hat sich nicht einmal gescheut Maßregeln zu ergreifen, die die ganze Konstitution umwerfen und dies unter Begleitung von Umständen, die klar beweisen, sich von der Abhängigkeit Großbritanniens gänzlich loszureißen. ... Sie können sich darauf verlassen, daß ich standhaft alle Maßregeln treffen werde — und mit Ihrer Unterstützung und Beihilfe hoffe ich dazu imstande zu sein — alle die schädlichen Absichten der aufrührerischen und verwirrungsstiftenden Personen zu vereiteln."

22. November 1768

Gestern erhielt der Hof die Nachricht, daß zu Boston alles ruhig sei. In New York hingegen habe man aufrührerische Zettel angeschlagen worin alle diejenigen, welche Schiffe oder Fahrzeuge zum Dienst des Königs vermieten würden, mit gänzlicher Verwüstung bedroht werden.

23. November 1768

Es wird stark davon geredet, daß man einige Personen, denen man die Schuld gibt, daß sie die Häupter der Unruhen in Amerika sind, gefangen nach England bringen werde. Unter diesen sind die vornehmsten die Herren Otis und Hancock, vormals Mitglieder der Provinzialversammlung und die von dem Gouverneur Francis Bernard als die eifrigsten bezeichnet worden sind. Hauptsächlich aber gibt der Hof dem Grafen von Chatham die Schuld aller dieser Unordnungen, weil er im letzten Parlament, da er noch Herr Pitt war, die Partei der Amerikaner vertreten habe und in einer langen Rede behauptete, daß alle Taxen englischer Untertanen eine freie Gabe wären, die man ihnen, ohne ihre Bewilligung, nicht auferlegen könne, das heißt, nicht ohne Einwilligung der Parlamentsmitglieder und daß, da die Amerikaner keine Mitglieder im englischen Parlament besitzen, eben nur die Kongresse (in Amerika) dieses Schätzungsrecht hätten.

29. November 1768

Zwischen dem Gouverneur und den Einwohnern von Boston herrschen Streitigkeiten wegen Verlegung der Truppen in die Stadt. Der Gouverneur und General Gage, der von New York angekommen war, ließen in der Stadt Kasernen bauen. Von den Kaufmannsschiffen im Hafen hat man viele Matrosen zum Dienst gepreßt. Mit einem Worte, die Ursachen zu Zwistigkeiten haben sich daselbst bei Abgang der Briefe am 20. Oktober sehr vermehrt.

12. November 1769

Zu Boston hat der Pöbel die Zollbedienten auf öffentlicher Straße insultiert, so daß sie sich genötigt sahen, in das Hauptquartier der Garnison zu flüchten.

16. März 1770

In New York haben sich die Uneinigkeiten in Tätlichkeiten geäußert. Es ist daselbst, nachdem die Soldaten den sogenannten Liberty Pole oder die Säule der Freiheit, niedergerissen haben, zwischen denselben und den Einwohnern, auf deren Seite die Matrosen traten, am 19. und 20. Januar zu zwei blutigen Scharmützeln gekommen, wobei 2 Personen geblieben sind. Die Soldaten aber schließlich gezwungen wurden, sich auf ihre Schiffe zu retirieren.

2. März 1770

Unser gegenwärtiger Minister, Lord North, sinnt auf minder beschwerliche Mittel, die verschiedenen Gattungen von Auflagen auf die Waren in dem Königreiche wieder aufzuheben und dagegen diejenigen Artikel, die nur die Üppigkeit zum Gegenstande haben, mit weiteren Auflagen zu belasten. Der Staatsrat ist über die amerikanischen Angelegenheiten noch nicht entschlossen. Morgen wird hierüber großer Rat sein. Der Chevalier Bernard erscheint öfter im Verhör. Etwas mehr Klugheit von seiner Seite und etwas mehr Nachgeben seitens der Nation, würden die Unannehmlichkeiten die entstanden sind gewiß verhindert haben.

Lord North, der das Unglück haben sollte, daß unter seiner Regierung der Krieg gegen Amerika ausbricht und durch seine Halbheiten verloren werden soll, hatte zu Beginn seiner Amtsperiode tatsächlich im Sinn, einen milden Kurs gegen die aufständischen Kolonisten zu steuern. Er schaffte alle seit 1767 geschaffenen Steuern gegen Amerika ab und ließ nur eine einzige, diejenige auf den Tee, bestehen, gleichsam, um durch sie das Autoritätsrecht der Krone zu dokumentieren. Aber gerade durch diese unscheinbare Steuer sollte in Kürze der Brand in den Kolonien lodernd aufflammen.

Boston, 10. März 1770

Das Feuer, welches bei uns so lange unter der Asche geglimmt hat, ist nunmehr ausgebrochen. Am 5. März gerieten drei junge Bürger mit 3 Soldaten von unserer Garnison in einen heftigen Streit und wurden handgemein. Nachdem einer der Soldaten überwunden war, nahmen die beiden anderen die Flucht. Als die Bürger durch den gemeinen Haufen, die Soldaten aber durch einige ihrer Mitbrüder, die mit Säbeln versehen waren, verstärkt wurden, brach der Kampf erneut aus. Die Soldaten wurden abermals in die Flucht geschlagen. Als sie sich vom Pöbel verfolgt sahen, machten sie jedoch plötzlich Front und begannen scharf zu schießen, wodurch 4 Mann getötet und 8 schwer verwundet wurden. Der Magistrat ließ den Offizier von der Hauptwache, der beschuldigt war den Befehl zum Scharfschießen gegeben zu haben — was er jedoch abstritt — nebst den Soldaten, die geschossen hatten, in Haft bringen. Allein, da der Vorfall bei den Einwohnern der Stadt einen so ungewöhnlichen Haß gegen die Soldaten auslöste, so, daß sie sich unter Eid miteinander verbanden, die ganze Garnison, 2 Regimenter, innerhalb 24 Stunden aufzureiben, so fand es dieselbe für geraten, sich nach dem eine Meile von hiesiger Stadt entfernten Fort William zu begeben, um dort Posto zu fassen.

In die Geschichte ist dieser Vorfall als „Das Blutbad von Boston" eingegangen. — Am 24. Mai meldet die Zeitung, daß noch ein fünfter Bürger seinen Verletzungen erlag. — Das Militärgericht fällte übrigens später ein mildes Urteil. Von den acht verhafteten Soldaten wurden sechs freigesprochen und zwei von ihnen, welche „die Tat zufällig" begangen hatten, wurden mit einem glühenden Eisen an der einen Hand gebrandmarkt.

Aus London, 27. April 1770

Die neuliche Aufführung der Bostonianer zeigte, daß es gefährlich ist, die Amerikaner mit Soldaten zwingen zu wollen und daß der Hof viel besser tun würde, wenn er gelindere Mittel gebrauchte.

London, 15. Mai 1770

Das Ministerium hat in den amerikanischen Angelegenheiten dieser Tage neue Maßregeln ergriffen. Man verspricht sich davon einen guten Erfolg. Der Lord Mansfield hatte deshalb vorher mit den Chefs der Opposition Rücksprache genommen. Die neuen Maßregeln sollen dem Parlament vorgelegt werden und bis dasselbe seine Verfügungen getroffen haben und man die Wirkungen davon sehen wird, will der Hof alle anderen Verfahren gegen die Amerikaner aussetzen.

Es kam jedoch zu keinen neuen Maßnahmen. Die Schüsse von Boston hatten beide Seiten erschreckt und es trat eine Art Waffenruhe ein, die über zwei Jahre währen sollte. Die deutschen Zeitungen, die sich bisher so eifrig mit diesem Streit beschäftigt hatten, konnten ihren Lesern lange

Zeit nichts von Bedeutung mehr melden. Bis zu Beginn des Jahres 1773 die Ostindische Kompanie den Stein erneut, und diesmal gründlich, ins Rollen brachte.

In den Magazinen dieser Kompanie lagen für 17 Millionen Pfund Tee, für die kein Abnehmer zu finden war. Da auch die Kassen der Kompanie leer waren und die Gesellschafter auf Absatz drängten, verfiel man auf den unglücklichen Gedanken, den Amerikanern den Tee aufzwingen zu wollen. Es war ja, Gott sei Dank, noch die Teesteuer aus der Townshend-Ära übriggeblieben und das Parlament auch gleich bereit, die Einziehung dieser Steuer in Amerika durchzuführen. Sie sollte die berühmte „Tea Party" auslösen.

London, 19. Januar 1773

Die neuesten Nachrichten vom festen Amerika sind nicht angenehm. Der Geist der Unabhängigkeit lebt daselbst wieder auf, besonders in Neu-England, wie auch in den übrigen Provinzen und wird immer stärker.

London, 19. Februar 1773

Man schreibt von Boston, daß der Admiral Montagu im Begriff stehe, von dort mit seinem Geschwader nach der Insel Rhode abzusegeln, um die dortigen Inselbewohner, welche eine an der Küste dieser Insel zur Steuerung des Schleichhandels kreuzende Königliche Schaluppe, die Gaspee genannt, verbrannt haben, zu züchtigen. Ihrerseits haben die Bewohner von Boston Vorkehrungen getroffen, um diese Absicht des Admirals rückgängig zu machen und die Provinzialversammlung hat eine Akte verfaßt, durch welche die Königliche Kommission für unrechtmäßig erklärt und denjenigen, die sich der Vollstreckung derselben widersetzen, Schadloshaltung zugesagt wird.

London, 16. Juli 1773

Mit den letzten Briefen von New York hat man eine bedenkliche Nachricht erhalten. Es ist nämlich zwischen den Provinzialversammlungen aller Nordamerikanischen Kolonien eine ordentliche Korrespondenz errichtet worden zu dem Zwecke, sich über alles, was das Großbritannische Parlament der Kolonien wegen vornimmt, miteinander zu beraten.

Der Teeskandal
Kisten mit Tee fliegen ins Meer — England verliert die Geduld

London, 14. Dezember 1773

Nach Briefen aus New York ist in einer Versammlung der dortigen angesehenen Einwohner beschlossen worden, den Schiffern, die sich geweigert haben, für Rechnung der Ostindischen Kompanie Tee zu laden, um diesen in den Kolonien zu verkaufen, wegen des hierdurch bewiesenen patriotischen Eifer den Dank durch eine förmliche Adresse auszusprechen.

London, 14. Dezember 1773

Der Schritt, den die Einwohner von New York in Absicht des Tees getan haben, ist von allen Kolonien nachgeahmt worden und der Hof sowohl, als die Ostindische Kompanie wurden dadurch in eine arge Verlegenheit versetzt. Beide hatten gehofft vermittelst des Tees eine ansehnliche Summe Geldes aus den Kolonien zu ziehen. Jetzt muß ein anderer Kanal gesucht werden diese Ware abzusetzen, oder es muß das Geld, welches man dadurch zu erhalten hoffte, durch andere Mittel eingebracht werden.

London, 21. Januar 1774

Es ist ein Expresser nach dem Hafen Gasport mit dem Befehl gesandt worden, 15 Kriegsschiffe in den Stand zu setzen, damit selbige in erforderlichem Falle in Bereitschaft sind.

Die bisherigen Parlamentssitzungen liefern noch nichts besonderes für die Ausländer. Inzwischen geht aus den Amerikanischen Kolonien eine verdrießliche Nachricht nach der anderen ein. Sie betreffen die Tee-Akte, gegen welche Boston, Philadelphia und andere Provinzen opponieren. Die Briefe aus Boston vom 20. Dezember melden, daß bei der Ankunft dreier Schiffe aus London, welche eine ansehnliche Menge Tee an Bord hatten, die Einwohner zusammengetreten wären, um die Zollbedienten zu zwingen, daß sie die Schiffe nach London zurücksenden sollten. Da nun das Gesuch nicht sogleich erfüllt wurde, versammelte sich das Volk und in weniger als in 4 Stunden warfen die Mißvergnügten 342 Kisten Tee ins Meer, beschädigten aber weder die übrigen Waren, noch das Schiff. Zu Philadelphia und zu New York ist man schlüssig, auf gleiche Weise zu verfahren. Die dortigen Einwohner sind davon überzeugt, daß, wenn sie diesen Tee kaufen, sie die Auflage des Parlaments zu 3 Stüber vom Pfund entrichten müssen und damit anerkennen würden, daß das Parlament das Recht habe, sie so oft es will, mit Abgaben zu belegen.

Paris, 25. Januar 1774

Die Nachrichten, die man hier von den Gesinnungen der Einwohner in dem englischen Amerika erhalten hat, erwecken viel Aufmerksamkeit. Unser Hof steht, wie man versichert, in einem ziemlich guten Vernehmen mit dem englischen. Es ist also kein Krieg zu befürchten. Wäre es aber an dem, so würden uns die Umstände sehr zu statten kommen. Wir vernehmen, daß die Neu-Engländer sich nach den Entschließungen der Einwohner zu Philadelphia gerichtet haben, von welchen Entschließungen der vornehmste Inhalt dieser ist: „Derjenige, welcher mittel- oder unmittelbar überführt sein wird den von der Indischen Kompanie übersandten Tee, solange derselbe einer Taxe in Amerika unterworfen ist, auszuladen, abzunehmen oder zu verkaufen, soll als Feind von Amerika angesehen werden." Fast alle übrigen Kolonien haben eben diesen Satz zur Richtschnur angenommen und ist deshalb, unseren Nachrichten zufolge, keine Sicherheit mehr für solche Einwohner, die demselben nicht anhängen, oder in einiger Verbindung mit der Regierung oder mit der indischen Kompanie stehen.

Charles Town in Süd-Carolina, 6. Dezember 1773

Am Donnerstag ankerte vor der Stadt das Schiff London des Schiffers Alexander Curling aus London mit 257 Kisten Tee, welche von der Ostindischen Kompanie ausgeschifft und an die hiesigen Kaufleute Roger Smith Esq. und Herrn Leger und Greenwood konsigniert waren. Die Einwohner kamen zusammen und beschlossen einmütig, keinen Gebrauch davon zu machen. Verschiedene andere Beschlüsse, wie sie bei dieser Gelegenheit zu Werke gehen wollten, wurden gleichfalls angenommen. Es wurde sodann der Kapitän des Schiffes durch eine Botschaft von diesen Beschlüssen unterrichtet und ihm angesagt, sich nicht zu unterstehen, den Tee an Land zu bringen, weil die Folgen davon schrecklich sein würden. Bei dieser Entschlossenheit der vornehmsten Einwohner des Platzes fand er dann nicht für klug, die Ladung und die Mannschaft in Gefahr zu bringen. Er segelte aus dem Hafen und nach London zurück.

London, 15. Februar 1774

Aus Amerika sind neue Nachrichten eingegangen, die nicht erfreulicher sind als die vorigen und von der Hartnäckigkeit der Amerikaner in ihren alten Grundsätzen neue Beweise liefern. Sie melden, daß das Betragen derjenigen, welche den Tee ins Meer geworfen haben, in allen benachbarten Kolonien gebilligt worden sei. Dieselben haben auch fest beschlossen, die Ausschiffung dieser Ware bei ihnen nicht zuzulassen, sondern die Schiffe, die solche an Bord haben, mit Lebensmitteln zu versehen und nach England zurück gehen zu lassen. Das Volk war überall auf der Hut und die Gouverneure erwarten neue Instruktionen. Alle Personen weiblichen Geschlechts in Boston haben förmlich geschworen, keinen Tee mehr zu trinken. Diesem Beispiel sind alle anderen Kolonien gefolgt.

Wie man versichert, ist die einzige Provinz Neu-England in der Lage, 80 000 streitbare Leute aufzustellen.

London, 15. Februar 1774

Die Einwohner von Charles-Town im Südlichen Carolina haben zwar ein Teeschiff aus England zugelassen, aber die Ladung ist in Verwahrung genommen worden. Hierauf hielten die Bewohner eine Versammlung und beschlossen, nicht nur keinen Tee zu kaufen, oder unter sich zu gebrauchen, sondern auch allen Tee, der in der Stadt, in Krämerläden und Privathäusern gefunden würde, auf den Markt zu bringen und ihn dort öffentlich zu verbrennen. Man dachte erst, dieser Entschluß würde unter den Frauenzimmern einiges Murren hervorrufen; allein, sie waren die ersten, welche sich willig bezeigten. Aller Tee wurde nun auf dem großen Marktplatz auf einen Haufen geschüttet und verbrannt.

London, 1. März 1774

Die Einwohner zu Boston in Neu-England haben eine lange und ausführliche Entschuldigung an die Ostindische Kompanie übersandt wegen des ins Meer geworfenen Tees. Sie gestehen, daß es ihre Absicht gewesen wäre, ihn sicher und unverletzt nach England zurück zu schicken und messen die Schuld allein dem Gouverneur, den Zollbeamten und den beiden Kaufleuten zu, an die der Tee konsigniert worden war. Letztere hatten sich geweigert ihre Kommission aufzugeben, obgleich ihnen der Beschluß der Einwohner bekannt war. Die Entschuldigung verweist darauf, daß, wenn die Kompanie eine Entschädigung verlange, sie sich an diejenigen wenden müsse, die den Schaden hätten verhüten können.

1774—1775

AMERIKA STELLT SEINE MÜNDIGKEIT UNTER BEWEIS

Vom Ausbruch des Kampfes

Zehn Jahre sind vergangen seit jenem Tage, an dem in Boston die ersten Steine in die Fenster der englischen Zöllner prasselten. Eine lange Zeit, um einen Brandherd restlos austreten zu können. Eine lange Zeit aber auch, um über ein Gebiet von 1200 Seemeilen viele neue Brandherde anzulegen. England hat in diesen zehn Jahren die amerikanische Frage auf die leichte Schulter genommen, im Vertrauen auf sein historisches Recht. Die entschlossenen Männer in Philadelphia hingegen haben diese Zeit genüßt, um den Begriff vom natürlichen Recht in die entlegendsten Winkel der 13 Kolonien zu tragen. Einmalig in der Geschichte der Völker haben sie durch eine kühne These dreieinhalb Millionen Menschen einen Glauben eingeimpft, dessen Stärke in der Tat Berge zu verseßen vermag. Am 5. September 1774 wird dieses Glaubensbekenntnis auf dem Kongreß in Philadelphia bereits skizziert, das später den Grundton in der Unabhängigkeitserklärung bilden sollte: „Alle Menschen sind auf gleiche Weise frei geboren; sie besißen gewisse natürliche Rechte, die sie auf keine Art ihren Nachkommen entziehen können."

England aber spricht nur vom Undank verblendeter Untertanen, summiert die Ballen verbrannten Stempelpapiers, zählt den Wert der ins Meer geworfenen Kisten mit kostbarem Tee, überrechnet den stetig ansteigenden Verlust, den das Feiern Tausender englischer Industriearbeiter verursacht und rüffelt seinen Gouverneur in Massachusset, General Gage, der sich eine Widerseßlichkeit nach der anderen von den Bostonern gefallen läßt. Immerhin aber hat England eingesehen, daß nun etwas geschehen muß, um dem Freiheitsgeschrei jenseits des Atlantiks Einhalt zu gebieten. Man kann die Dinge einfach nicht so weiterlaufen lassen, ohne sich dem Gelächter der Umwelt auszuliefern. Was aber wird England tun?

England tut nie das, was seine Feinde wünschen daß es tun möge! Gewiß, es wäre in der Lage, mit Hilfe seiner gewaltigen Flotte die Küsten seiner Kolonien zu blockieren. Es könnte mit einer ansehnlichen Truppenmacht die wichtigsten Brandzentren besetzen, die Rädelsführer beim Schopfe nehmen und den irregeführten Gemütern wie unartigen Kindern die strafende, aber am Ende doch wohlwollende Hand der alles verzeihenden Mutter fühlen lassen. Alles dies könnte England tun, wenn sie in Paris und Madrid seit Ausbruch der amerikanischen Unruhen nicht so unmißverständlich ihrem Schmerze über Kanada und Gibraltar nachgegangen wären. Nein, den Gefallen durfte Großbritannien seinen Feinden von gestern nicht tun, denn das hieße den Appetit der kontinentalen Mächte zu einer billigen Revanche geradezu herausfordern. England muß daher andere, weniger exponierte Wege finden, um seine Angelegenheit in Amerika zu ordnen. Vorerst einmal soll General Gage größere Vollmachten bekommen. Die vielen Kongresse in den Kolonien, die nichts anderes bezweckten, als eine einheitliche Linie des Widerstandes zu bilden, mußten verschwinden. Einige Regimenter sollen den Gouverneur dabei unterstützen und vor allem Boston, das Zentrum, von dem alles Übel ausgeht, als warnendes Beispiel blockieren.

Zu diesen Beschlüssen zu gelangen, war schwerer, als irgend einer kontinentalen Macht den Krieg zu erklären. In einem solchen Falle nämlich würde jeder Engländer, ohne erst viel zu fragen, sich entschlossen hinter seine Regierung stellen. Bei der Amerikafrage jedoch handelte es sich immerhin um einen Streit innerhalb der Familie, und da waren die Meinungen, wie überall sonst, sehr geteilt. Für ein energisches Zupacken waren alle die, welche um König und Thron gruppiert standen, alle die, welche durch die Lähmung aller Geschäfte langsam aber sicher an den Bettelstab gebracht wurden. Für Milde, oder gar Gewährenlassen, waren alle die, welche bei dem Handel den Verlust der eigenen, durch die Konstitution verbürgte Freiheit, befürchten mußten. Schließlich waren die Amerikaner ja auch Engländer, also Brüder und was man ihnen heute antat, konnte morgen alle Engländer in Fesseln schlagen. Eine Lostrennung der amerikanischen Besitzungen vom Mutterlande wünschten freilich auch sie nicht. Davon war aber auch gar nicht die Rede; hatte doch der greise Benjamin Franklin ihrem großen Pitt erst kürzlich feierlichst erklärt, daß in Amerika niemand, weder wach noch trunken, an eine Trennung von seiner englischen Mutter dächte. Wie hätte Amerika seine Unabhängigkeit wohl auch ohne die Hilfe seiner großen Mutter praktisch verteidigen können? Wer sollte die Kolonien gegen die ewigen Bedrohungen seitens der Indianer aus dem gewaltigen, noch unerforschten Hinterlande schützen? Die Franzosen etwa? Oder gar die Spanier? Ihr Preis würde am Ende doch nur Eroberungen sein.

So denken sie in England und so denkt der deutsche Zeitungsleser auch. Sich gegen seinen Souverän aufzulehnen, ist dem deutschen Beschauer, wie wir eingangs schon sagten, ein gar zu frevelhafter Gedanke. Er kann daher mit den freiheitlichen Ideen der Amerikaner nicht viel anfangen. Viel begeisterter hingegen werden alle Symptome in Frankreich notiert, wo die Köpfe für die revolutionäre Bewegung in den fernen englischen Kolonien bedeutend empfänglicher sind. Ihre Souveräne hatten ihnen ja auch inzwischen einen anderen Begriff vom Gottesgnadentum beigebracht. Sie sahen daher an der Seine in dem glücklichen oder unglücklichen Ausgang des amerikanischen Experiments das Morgenrot oder den schon vor der Geburt erfolgten Untergang einer besseren Zukunft für das eigene Vaterland. Auf sie mußten die Worte, die der Republikaner John Wilkes am 6. Februar 1775 im englischen Unterhaus den Lords entgegendonnerte, prophetischer wirken als auf ihre weniger begeisterungsfähigen Nachbarn jenseits des Rheins:

„Wer will uns versichern, daß die Amerikaner, wenn sie einmal den Degen gezogen haben, die Scheide, nach unserem Beispiel, nicht weit von sich werfen? Und wer weiß, ob sie nicht eines Tages die Revolution von 1775 feiern werden, wie wir die von 1688 feiern? Ich sehe bereits Amerikas Unabhängigkeit Gestalt annehmen und sich bekräftigen; ich sehe dieses Land, gestützt auf seine Freiheit, die Größe der reichsten und mächtigsten Staaten der Welt erreichen."

Doch die Lords gingen über solche kühnen Worte zur Tagesordnung über, sie beschlossen, Gewalt zu gebrauchen, auch trotz eines letzten Appells des müden Pitt, der sich mit von Tränen erstickter Stimme direkt an den König wendet: „Wenn Ew. Majestät fortfahren, solche Ratgeber zu hören, werden Sie nicht nur schlecht beraten, sondern verloren sein. Sie werden Ihre Krone wohl noch tragen, das ist wahr, doch es wird sich nicht mehr lohnen sie zu tragen. Eines so vorzüglichen Kleinodes beraubt, als Amerika es ist, wird sie ihren Glanz verlieren und nicht mehr die Strahlen von sich werfen, die die Stirn der Majestät umleuchten sollten."

Indeß: Wilkes gilt als ein widerlicher Schwätzer und der Große Pitt ist alt und wunderlich geworden! Maßgeblich allein bleibt die Macht der englischen Könige als die Wahrerin des Rechts. Und so wird der

Stab über Boston gebrochen. Englische Truppen nehmen von der Stadt Besitz und General Gage erhält den Schießbefehl, denn Englands König sieht in seinen Kolonisten plötzlich nichts anderes als Rebellen!

Und diese „Rebellen", sie nehmen die Herausforderung auf. Zu Tausenden eilen sie aus dem Lande den bedrängten Brüdern in Boston zu Hilfe. Zwar sind sie völlig unmilitärisch ausgebildet, haben auch wenig Ahnung vom Kampfe gegen wohlexerzierte Soldaten, auch mangelt es ihnen an Waffen und Munition. Nichts bringen sie mit, als den unbändigen Willen, zu siegen oder zu sterben. Nun ihr König sich von ihnen losgesagt hat, wollen sie fortan nur noch einer Majestät dienen . . . . der Freiheit!

Sie ahnen freilich nicht, daß sie hinter sich eben so viele Tausende zurücklassen, denen über den Beschluß des Königs der Schrecken in die Glieder gefahren ist und die bereits bedenklich querschießen. Nun es hart auf hart gehen soll, scheinen sich drüben die Geister zu teilen. Jedenfalls wissen die Londoner Blätter plötzlich von reumütigen Bestrebungen einiger Provinzen, in den Schoß der alten Mutter zurückkehren zu dürfen, zu erzählen und Lord North, der soeben noch die Kriegstrompete geschmettert hat, der aber eben so gern nach jedem sichtbaren friedlichen Ausgleich greift, reißt den Kurs um 180 Grad herum, in der Hoffnung, dadurch aus der Spaltung Nutzen ziehen zu können.

Alle freiheitlichen Geister in Europa senken ob dieser Wendung die Köpfe. Gelingt es, den friedlichen Ausgleich zu schaffen, muß dies das Ende der eben noch so freudig genährten Erwartung sein. Sie geben der Freiheit dieser Tollkühnen keine Chance mehr.

Da, erst zögernd, dann immer glaubwürdiger, bringen Londoner Blätter erste Kunde von einem schier unfaßbaren Geschehen: Am 30. Mai steht es schwarz auf weiß in ihren Zeitungen: Die unsoldatischen, primitiv ausgerüsteten Farmer um Boston haben es gewagt, einer disziplinierten und wohlausgerüsteten Truppe des Königs die Stirn zu bieten und sie in die Flucht zu schlagen!

Ganz England, ganz Europa, hält den Atem an. Es ist, als wären die Gesetze der Macht auf den Kopf gestellt, als habe der Himmel versagt, als er eine solche Beleidigung der von ihm eingesetzten Majestät geschehen ließ! Daß von dieser Stunde an ein neues Kapitel für alle Könige im Verkehr mit ihren Völkern aufgeschlagen wurde, das offenbarte sich Jedem, der sehen wollte. Was aber in Wahrheit geschah, das wissen erst wir heute Lebenden: Die Schüsse von Lexington am 19. April 1775 waren nichts anderes, als die Einleitung eines Kampfes um die Freiheit aller Menschen in der Welt, eines Kampfes, in dem wir heute noch mitten darin stehen.

England ist empört

Kriegsschiffe nach Amerika — Franklin entlassen
Der König ist entschlossen zu handeln

London, 28. Januar 1774

Gestern Abend war der geheime Rat beim Präsidenten, Graf Gower, versammelt, und zwar, wie man wissen will, wegen Depeschen, die einige Stunden vorher der Staatssekretär, Lord Darmouth, vom Gouverneur Hutchinson aus Boston erhalten hatte. Man will es für zuverlässig ausgeben, daß die Regierung entschlossen sei, die Kolonien zum Gehorsam gegen die Gesetze Großbritanniens zu zwingen. Von den 12 Kriegsschiffen, die jetzt ausgerüstet werden, sind 4 nach Nordamerika bestimmt.

London, 4. Februar 1774

Bei Hofe werden beständig viele Ratsversammlungen gehalten, die insonderheit die amerikanischen Sachen betreffen. Der Königliche Notar und der Generalprokurator sind bisher fast immer zugegen gewesen und haben, wie man hört, das Betragen des Gouverneurs von Neu-England gerechtfertigt.

Die Abhörung des Agenten dieser Kolonie, Doktor Franklin, die in ihrer Gegenwart geschehen ist, hat damit geendigt, daß derselbe seiner Dienste als Direktor der Post in Amerika, die ihm die Krone verliehen hatte, entsetzt wurde.

Benjamin Franklin hatte sich in einer mysteriösen Affäre, in der geheime Briefe des englischen Gouverneurs von Boston, Hutchinson, an die Öffentlichkeit gekommen waren, aus staatspolitischen Gründen fälschlich als den Urheber dieser Indiskretion bekannt. Am 11. und 29. Januar wurde er vom Justizbeamten der Krone, Wedderburn, in öffentlicher Sitzung beschimpft und seines Postens enthoben. Er war der Regierung auch sonst lästig geworden, da er überall erklärte: Die Amerikaner würden sich niemals dazu verstehen, sich vom englischen Parlament taxieren zu lassen, ohne im Parlament durch Repräsentanten vertreten zu sein. Viele Engländer waren übrigens der gleichen Meinung.

London, 8. März 1774

Am 4. dieses gaben der Graf von Darmouth und der Lord North, jener dem Oberhause, und dieser dem Unterhause, zu erkennen, daß sie auf Befehl des Königs, am 7., die aus Nordamerika erhaltenen

Papiere, die über den Tee zu Boston und anderwärts entstandenen Unruhen berichten, vorlegen würden. Demzufolge überbrachten gestern die Minister der beiden Häuser eine Botschaft des Königs folgenden Inhalts:

„Georg der König! Auf erhaltene Nachricht von den neuerlich in Amerika geschmiedeten und in Ausübung gebrachten unerträglichen Ränken, und besonders von den in der Stadt und dem Hafen Boston in der Provinz Massachussets-Bay verübten Gewalttätigkeiten, wodurch man dem Handel dieses Königreichs Hindernisse in den Weg zu legen gesucht, und die sich auf Vorwände gründen, welche geradewegs darauf abzielen, die Konstitution desselben über den Haufen zu werfen, hat der König für gut erachtet, die ganze Sache vor die beiden Parlamentshäuser zu bringen, auf deren Eifer zur Erhaltung des Königlichen Ansehens und auf deren Liebe für das allgemeine Beste und die Glückseligkeit aller seiner Staaten er sich vollkommen verläßt, und nicht zweifelt, daß sie ihn nicht nur die zur Stillung der gegenwärtigen Unruhen erforderlichen Maßregeln zu ergreifen in Stand setzen, sondern auch ernstlich in Erwägung ziehen werden, was für weitere Anordnungen zu treffen sein möchten, um eine ununterbrochene und immerwährende Vollstreckung der Gesetze und billige Unterwürfigkeit der Kolonien unter die Krone und das Parlament von Großbritannien zu bewirken. G. R."

Amerika im Aufbruch

Zieht seine Agenten aus London zurück — Kanonen gegen die Aufrührer Schon 240 000 Freiwillige — Pöbel in Salem stürmt die Gefängnisse

London, 14. Januar 1774

Man sagt, die Kolonien hätten beschlossen, ihre Agenten, die sie bei Hofe haben, abzuberufen, weil sie einsehen, daß die Kosten, die sie für ihren Unterhalt verwenden, ihnen gar keinen Nutzen brächten.

Die Nachricht war verfrüht. Die amerikanischen Agenten, es waren ihrer drei; Franklin, Bolland und Arthur Lee, kehrten erst ein Jahr später nach den Staaten zurück.

London, 4. Februar 1774

Mit neuen Nachrichten aus Nordamerika vernimmt man, daß alle Kolonien die Waffen ergriffen haben, um ihre Rechte und Privilegien, sich bloß von ihren eigenen Provinzialversammlungen taxieren zu lassen, zu erhalten. Zu Boston und Philadelphia ermuntert man sich untereinander, alle Gemeinschaft mit England aufzuheben, und zu Boston hat man eine Ermahnung an die Damen mit diesen Worten gemacht:

„Damen! So kaltsinnig Sie auch gegen Ihre Männer gesinnt sein mögen, so ist Ihnen doch daran gelegen, wohl zu erwägen, ob Sie den verfluchten Tee aufgeben, und dadurch Ihr Vaterland und die Nachkommenschaft in Friede und guter Ordnung erhalten, oder ob Sie 25 000 unter Ihnen der Gefahr aussetzen wollen, ihr Blut zur Verteidigung ihrer unschätzbaren Rechte zu vergießen."

Die Gouverneure haben alle möglichen Vorsichtsmaßnahmen für ihre eigene Sicherheit und zur Erhaltung der Ruhe genommen und die wenigen bei der Hand habenden Truppen auf das beste verteilt, den Zusammenrottungen des Volkes vorzubeugen. Sie haben auch einige Artillerie vor ihren Hotels aufstellen lassen und in den Häfen einige Kriegsschiffe stationiert, die Exzesse auch von der Seeseite her zu verhindern.

London, 8. Februar 1774

Ein auf der Themse aus Boston angelangtes Fahrzeug hat die Nachricht mitgebracht, daß bei seiner Abfahrt die Bostonianer, Philadelphianer und Neuyorkianer in öffentlicher Rebellion begriffen gewesen wären, und der Gouverneur zu Boston einen Expressen wegen mehrerer Truppen abgeschickt hätte, die zu den Welschen Füsilieren stoßen sollten, die durch den schweren Dienst bereits sehr abgemattet seien, weil sie beständig unter Waffen stünden.

So außerordentlich stark sind die Einwohner der Kolonien in den letzten 20 Jahren angewachsen, daß ein zuverlässiger Mann, der erst kürzlich von dort gekommen ist und alle Gelegenheit gehabt hat sich zu unterrichten, versichert, daß die Anzahl derer, die auf der Miliz-Rolle der sieben nördlichen Provinzen stehen, 240 000 beträgt.

London, 26. April 1774

Sowohl in Irland als in England sind nun fast alle Truppen, die für Boston bestimmt sind, eingeschifft worden.

Unterdessen vernehmen wir, daß man zu Philadelphia und New York die Entschließung angenommen habe, Postämter unter der Direktion der Provinz anzulegen und dieses Departement der Regierung (in London) zu nehmen. Es wird auch nicht ohne Grund geglaubt, daß die übrigen Kolonien diesem Vorbilde folgen dürften, und man spricht, die Bostoner würden, sobald das Königliche Zollamt von dort genommen würde, selbst eines anlegen. Mit einem Worte: alles läßt sich darnach an, daß die Zwangsmittel, welche hier ergriffen sind, die Neigung der Amerikaner zur Unabhängigkeit vergrößern werden.

London, 31. Mai 1774

Die Briefe von Boston melden die Begebenheit, von welcher der Lord North schon vor einigen Tagen im Unterhause des Parlaments gesprochen hatte. Es ist nämlich ein Schiff mit 28 Kisten Tee von London angekommen. Die ganze Ladung ist wohl aufgenommen worden, nur der Tee nicht. Da aber die Zollbedienten durchaus verlangten, daß entweder alles ausgeschifft, oder alles nach London zurück geschickt werden müßte, so hat der Pöbel, als Wilde verkleidet, den Tee ins Meer geschüttet, und darauf sich hinweggebegeben, ohne sonst den mindesten Unfug zu verüben.

Dieser historische Vorgang hatte am 16. Dezember 1773 im Hafen von Boston stattgefunden.

London, 31. Mai 1774

Aus Boston wird unterm 10. März folgendes geschrieben:

Der deputierte Sheriff von Salem, einer kleinen Stadt in der Provinz, arretierte zu Marblehead auf einem Fischerboote zwei Männer, welche beschuldigt waren, daß sie das Feuer angelegt haben, wodurch das dortige Essex-Hospital niedergebrannt ist. Sie wurden nach Salem in das Gefängnis gebracht. Bald aber kam eine Menge Leute von Marblehead, und umgaben das Gefängnis. Die Obrigkeit tat alles, einen Tumult zu verhüten, und ersuchte den kommandierenden Offizier der Soldaten, die Ruhe erhalten zu helfen. Dieser ließ sogleich die Trommel rühren, um die Soldaten auf den Paradeplatz zu rufen. Sobald die Tumultanten dieses hörten, kamen sie mit Prügeln, mit Steinen, mit Hämmern, Klammern und Brecheisen, zerbrachen in einigen Minuten 4 starke Türen, und setzten die Gefangenen in Freiheit. Sie begaben sich im Triumph nach Marblehead und gingen nachher auseinander.

Auch diese Tat vermehrt den Ernst des Hofes gegen Neu-England, und es ist Befehl nach Irland abgegangen, noch 2 Regimenter nach Amerika abzusenden.

Philadelphia, 4. Mai 1774

Gestern um 4 Uhr nachmittags, wurden hier die Bildnisse von Alexander Wedderburn, der die Amerikanischen Kolonien gelästert, und ihren Agenten, Dr. Franklin, vor Sr. Majestät geheimen Rat wegen des Beobachtens seiner Schuldigkeit verhöhnt haben sollte, und von Thomas Hutchinson, Gouverneur von Massachusset-Bay, welcher Großbritannien gegen seine Kolonien aufhetzt, beide auf einen Karren gesetzt, und durch alle Straßen der Stadt geführt, sodann verschiedene Stunden zur Schau ausgesetzt, hiernächst aufgehängt, und zuletzt, am Abend, in Gegenwart einer großen Menge Volks, welches seine Erbitterung gegen die Originale durch lautestes Geschrei zu erkennen gab, verbrannt.

Wir berichteten über die Maßregelung Franklins bereits oben. Hinzuzufügen bleibt noch, daß Hutchinson in seinen Briefen an die englische Regierung viel Gehässiges über die vornehmsten Häupter der amerikanischen Erhebung gesagt hatte.

Boston soll bestraft werden

Das Maß ist voll — Man wird den Hafen von Boston blockieren und Neu-England in zwei Teile teilen

London, 15. März 1774

Nachdem gestern alle Personen, die nicht Mitglieder des Unterhauses waren, sich aus der Galerie hatten entfernen müssen, und das Haus wieder ruhig geworden war, trat Lord North auf, und sprach sehr umständlich von dem gegenwärtigen Zustande von Nordamerika. Unter anderem sagte er, wäre es seine Meinung, daß alle Schiffahrt nach Boston so lange gesperrt werden müsse, bis die Einwohner wieder zu ihrer Schuldigkeit zurückgekehrt wären, und schloß damit, daß er Anregung tat, es möchte erlaubt werden, eine Bill (Gesetzesvorschlag) einzubringen: „daß alle Königlichen Zollbediente zu Boston sich von dort entfernen sollten, und alles Aus- und Einschiffen von Waren und Kaufmannsgütern in dieser Stadt und ihrem Hafen bis auf Weiteres aufhören solle."

Einige Punkte in der Rede des Lords fanden starken Widerspruch, allein zuletzt war doch einmütig erlaubt, eine solche Bill dem Unterhause vorzulegen.

Am künftigen Freitag wird das Haus in einer Kommission die amerikanischen Angelegenheiten in nähere Erwägung ziehen. Die Entschlüsse des gestern gehaltenen geheimen Rats gegen Boston sind in Ansehung der Handlung eben dieselben; es ward aber darinnen noch überdies ausgemacht, daß der Provinz Neu-England alle ihre Privilegien genommen, diese Provinz in zwei Teile geteilt und halb zu Pensylvanien und halb zu New York geschlagen werden solle.

London, 15. März 1774

Bis auf den 11. dieses waren von dem Lord North dem Unterhause des Parlaments auf 111 Schriften der amerikanischen Sache halber mitgeteilt worden, um darzutun: daß die Stadt Boston an den Verabredungen zur Verhinderung des Tee-Absatzes so vielen Anteil gehabt habe, daß ihr Betragen einer offenen Rebellion gegen die Regierung nicht unähnlich sei; daß die Einwohner solcher Stadt und der gesamten Kolonie Massachussets-Bay sich gegen die rechtmäßige Autorität des Souveräns aufgelehnt haben, und daß ihre Rebellion sich dergestalt zu Tage gelegt habe, daß sie aus eingestandenen Grundsätzen, zu widerstreben und eine Unabhängigkeit zu behaupten, geflossen sei, so daß, wenn die Sachen daselbst in diesen Umständen bleiben sollten, jede gesetzmäßige Regierung über den Haufen geworfen würde.

Diesen Tag ward in dem Hause niemand, der nicht zu demselben gehörte, zugelassen.

Den 14. — bis dahin die amerikanischen Sachen in erwähntem Hause ausgesetzt waren — ward erst eine zeitlang darüber gestritten, ob das Frauenzimmer von der Galerie und andere Fremde entfernt werden sollten. Herr Jenkinson insonderheit behauptete, da solches den Freitag vorher geschehen sei, so müsse solches noch vielmehr jetzt statthaben. Die Mehrzahl des Hauses schien anfangs dieses Verlangen nicht zu genehmigen; jedoch der Sprecher drang darauf und es mußten nun um 4 Uhr nicht allein die Galerie, sondern auch alle Nebenplätze und Zugänge geräumt werden. Sogar der Lord Townshend wurde öffentlich abgewiesen, nachdem er eine halbe Stunde lang vergeblich gewartet hatte.

London, 25. März 1774

Heute ist, wie man hört, im Unterhause des Parlaments die Bill, welche der Stadt Boston in Neu-England, ihre Handlung nimmt, nach der dritten Lesung durchgegangen. An Einreden wider dieselbe hat es nicht gefehlt; aber der Lord North ist des Erfolgs von seinem Schritt im voraus versichert gewesen. Nun kommt es darauf an, was das Oberhaus, an welches diese Bill bereits überschickt worden ist, dazu sagen wird.

Man hat gewiß vermutet, der Lord Chatham (William Pitt) würde zur Stadt kommen, und im Oberhause bei Gelegenheit dieser Bill zum Besten der Bostoner und der übrigen Amerikaner alle seine Beredsamkeit aufwenden; allein wegen seines Podagra kann er nicht vom Bette weg, geschweige zur Stadt kommen.

London, 29. März 1774

Den 25. übergab Herr Bolland, Agent der Provinz von Massachusset-Bay dem Unterhause eine Bittschrift, daß das Unterhaus die Strenge gegen die Kolonien mildern möchte.

Es ward beratschlagt, ob man diese Bittschrift annehmen wollte oder nicht und nach vielen Debatten ward endlich durch eine Mehrheit von 170 gegen 40 Stimmen beschlossen, die Bittschrift abzuweisen.

Zu gleicher Zeit übergab auch der Lord-Major von London eine von einer großen Anzahl Amerikaner, die sich hier etabliert haben, unterzeichnete Bittschrift, darinnen sie für ihre Landsleute den Schutz der Gesetze des Köngreichs, der allen Untertanen dieser Monarchie gewährt werden müsse, reklamieren. Sie bitten, daß sie nicht, ohne sich verteidigt zu haben, verurteilt werden möchten. Sie versichern in ihrer Bittschrift, wie sie mit vielem Leidwesen vernommen hätten, daß das Haus eine Bill passieren wolle, um die Stadt Boston mit einer Strenge ohne Beispiel wegen eines Vergehens zu bestrafen, das unbekannte Personen an den Gütern der Ostindischen Kompanie ausgeübt hätten, ohne daß der Stadt einmal Nachricht von den gegen sie vorgebrachten Beschuldigungen gegeben wäre; daß man mit Grund besorge, eine solche Strenge möge einen starken Eindruck auf die Gemüter ihrer Landsleute machen, und alle Bande der Anhänglichkeit der Kolonien an Großbritannien zerreißen. Man bäte daher, diese Bill in kein Gesetz zu verwandeln.

Das Haus beschloß, diese Bittschrift zurückzulegen und passierte die Bill dennoch.

Als dieser Versuch bei dem Unterhaus umsonst war, wendeten sich die Amerikaner an das Oberhaus und baten, die mehrgedachte Bill in kein Gesetz zu verwandeln. Das Oberhaus gab gleichfalls Befehl, diese Bittschrift zurückzulegen, und ging fort in der Untersuchung der amerikanischen Papiere und Angelegenheiten. Einige Glieder erklärten sich zwar laut zum Vorteil der Kolonien, indessen konnten sie doch nichts erreichen, und die Untersuchung dieser Sache ward auf einen anderen Tag ausgesetzt.

Wenig später wurde das Gesetz gegen Boston verkündet.

Die Reaktion

Das Gesetz gegen Boston mit Trauerrand verkündet
Ganz Amerika mit Boston einig

London, 17. Juni 1774

Neuere Nachrichten von Boston in Neu-England, die über New York angekommen sind, melden:

„Sobald man zu Boston die scharfen Maßregeln des Britischen Parlaments gegen die Stadt vernommen, habe der zusammengelaufene Pöbel die gröbsten Ausschweifungen gegen die Königlichen Bedienten sowohl, als gegen die anders denkenden Einwohner verübt; nachdem aber letztere diesem Pöbel die traurigen Folgen seines gewaltsamen Verfahrens vorgestellt, und daneben, daß die Strafe, die man verfügt, auch, sobald diese Unterwerfung in England bekannt, und der in das Wasser geschüttete Tee vergütet sein würde, der Hafen wieder geöffnet werden sollte, so hätte sich der Pöbel wieder beruhigt."

Andere Nachrichten geben folgendes:

„Den 15. Mai empfing man zu Boston Abschrift von der Parlamentsakte, welcher dem Hafen in der Stadt die Handlung nimmt. Der erste Schritt, der hierauf erfolgte, war, daß diese Bill in den Gazetten von Boston und York auf Trauerpapier mit schwarzem Rande, und mit voraufgesetzten Worten, welche die Ungerechtigkeit dieses Gesetzes, nebst dem Unwillen der Amerikaner über diese Härte enthielten, gedruckt wurde. In der ersten großen Hitze schrie auch der große Haufen laut Rache. Allein die Klügsten und Gesetztesten bemühten sich, das Ungestüm des Volkes zu besänftigen und suchten es mit Vorstellungen dahin zu bringen, daß man weder zu Boston, noch zu York, einigen Beschluß nehmen möchte, ehe nähere Nachrichten aus London eingingen, weil aus Briefen aus London zu ersehen sei, daß andere Bills, die auch schon im Parlament passiert, noch erwogen würden.

Unterdessen wurden Expressen an alle Kolonien des festen Amerikas abgefertigt, um Nachricht von der Verfügung des Parlaments zu geben, und ihren Rat über das Betragen, welches in der Folge zu beobachten sein würde, einzuholen.

Man glaubt, versichert zu sein, daß die erste Entschließung der Kolonien eine allgemeine Vereinbarung sein wird, alle Einfuhr englischer Kaufmannsgüter aufzuheben; daß die Provinzial-Versammlung zu Boston sich nicht dazu verstehen werde, mit der neuen Ratskammer in Angelegenheiten der Kolonien zu arbeiten, und überhaupt befürchtet man sehr unangenehme Nachrichten von den Wirkungen der Schärfe gegen die Bostoner, obgleich auf Seiten der Freunde des (englischen) Ministeriums noch erwartet wird, daß die Amerikaner sich ohne Widerstreben den Anordnungen des Parlaments unterwerfen werden. Eine kurze Zeit wird mehr Licht geben.

Bei den neuen Ratskammern handelt es sich um ministerielle Einrichtungen, um mit den amerikanischen Stellen die vom engl. Parlament beabsichtigte Neuordnung in den Kolonien zu besprechen.

Der 1. Juni
Allgemeiner Trauertag — Kirchenglocken, in Säcke genäht, läuten dumpf „Es wird Blut fließen!"

London, 5. Juli 1774

Nichts beschäftigt jetzt unsere Minister mehr als die Kolonien. Herr Hutchinson hat seit seiner Rückkehr von Boston verschiedene Audienzen beim Könige und häufige Konferenzen mit den Ministern gehabt, worin er vor allem, was bei Gelegenheit der auf den Tee gelegten Taxen vorgefallen ist, umständlichen Bericht erstattet hat.

Die neuesten Nachrichten aus den Kolonien lauten sehr unangenehm. Sie sind nun fast alle einmütig gesonnen, den Handel mit uns und unseren Westindischen Inseln abzubrechen. Zu New York hat man den Bostonern vorgeschlagen, einen Kongreß anzusetzen, auf welchem sich die Deputierten von allen Kolonien versammeln sollen, um sich über die Aufrechterhaltung ihrer Freiheiten zu beratschlagen. Zu Annapolis in Maryland hat man beschlossen, alle anderen Städte der Provinz in eine Verbindung zu ziehen, um den Handel mit uns aufzuheben. Zu Farmington, in Connecticut, hat man die Parlamentsakte, welche den Hafen von Boston zu sperren befiehlt, auf öffentlichem Markte verbrannt. Zu Philadelphia sind sehr viele einig geworden, am 1. Juni, als an dem Tage, an welchem der Hafen von Boston geschlossen werden soll, und den die Philadelphier als einen Tag ansehen, der in der Nordamerikanischen Geschichte sehr merkwürdig werden dürfte, alle Geschäfte zu schließen. Ja, in Virginien hat die sogenannte Versammlung der Bürger den 1. Juni zu einem Buß- und Bet- und Fastentage angesetzt. An verschiedenen Örtern hat man beschlossen, keinen Tabak mehr zu pflanzen, sondern die Felder zu einem anderen Gebrauche anzuwenden, kurz, sich an Großbritannien auf das empfindlichste zu rächen.

London, 28. Juni 1774

Die meisten Kolonien in Amerika sind schlüssig, mit den Bostonern gleiche Sache zu machen, ihnen allen möglichen Beistand und Hilfe zur Wiedererlangung ihrer Freiheit zu leisten, so, daß aller Anschein vorhanden ist, man werde zu den Zwangsmitteln schreiten müssen, um die Pflanzörter zur Beobachtung des Gehorsams und Abhängigkeit von Großbritannien zu bringen. Unstreitig wird Blut dabei vergossen werden. Überhaupt ist man wider das Ministerium dergestalt aufgebracht, daß bei der künftigen allgemeinen Wahl eines Parlaments kein Kandidat Stimmen erhalten wird, der nicht durch einen Eid beteuert, daß er auf die Widerrufung der Akte, in Betreffs Bostons sowohl, als jener, die Provinz Quebeck betreffend, dringen werde.

Philadelphia, 2. Juni 1774

Gestern, also am Tage, da der Hafen von Boston geschlossen wurde, war ein Stillstand der Geschäfte in unserer Stadt. Dieser Stillstand war feierlich und traurig. Alle Bürger schlossen ihre Läden, ausgenommen die Quäker. Die Glocken wurden geläutet, aber in Säcke eingehüllt, und die Schiffe im Hafen setzten ihre Segel auf Halbmast. Alles dieses wegen des Schicksals der Stadt Boston.

Die Quäker galten als königstreu. Sie beteiligten sich weder mittelbar, noch unmittelbar am Kriege.

London, 22. Juli 1774

Nach den neuesten Briefen aus Boston vom 2. Juni ist der dortige Hafen am Tage vorher durch die Königlichen Fregatten und Schaluppen wirklich gesperrt worden, so, daß kein Schiff weder ein- noch auslaufen kann. In der Stadt selbst liegt ein Teil der Truppen, die übrigen aber haben ein Lager außerhalb der Stadt bezogen, so, daß die Einwohner sich von der Land- und Seeseite gleichsam belagert sehen und dadurch in die betrübtesten Umstände versetzt sind. Die Zollbedienten haben sich nach Salem und anderen Örtern begeben, wohin die Handlung gebracht worden ist.

Auch die Provinzial-Versammlung wurde von General Gage nach Salem verwiesen.

London, 12. Juli 1774

Wir fühlen schon die Wirkung der Konvention welche die Amerikaner gemacht haben, die Handlung mit uns abzubrechen, sehr empfindlich. Von allen unseren Manufakturisten arbeitete bisher der fünfte Mann für die Kolonien. Alle diese Leute müssen nun feiern.

Eine englische Lady schreibt . . .

Virginien, 13. Juli 1774

Die Umstände in Amerika nehmen einen traurigen Verlauf. Was die Mächtigen jenseits des Wassers über uns beschlossen, bringt die Amerikaner zur Verzweiflung und alle Kolonien zu dem Beschluß, für einen Mann zu stehen. Die Einwohner zu Boston haben seit dem 7. Juli angefangen, die Stadt zu räumen und ihre Habseligkeiten in Barschaft umzuwandeln, die sie zur Verfechtung ihrer Freiheit bestimmen. Die von Worchester, in der Provinz Massachussets-Bay, sind auf Vernehmen, daß ein Regiment ausgestellt sei, um alle Verbindung zwischen Boston und dieser Grafschaft abzuschneiden, einmütig schlüssig geworden, unverzüglich 10 000 Mann dahin marschieren zu lassen, um dieses Regiment von seinem Posten zu vertreiben. Fast alle Kolonien sind von gleicher Gesinnung. Denn nur durch Eintracht sehen sie, können sie über ihre Feinde triumphieren. Amerika hat alles, was zu den Bedürfnissen und Bequemlichkeiten des Landes gehört, in sich selbst. Wir haben von England nichts als Näschereien, die wir leicht entbehren können. Wir haben ein schönes, weites und breites Land, das Millionen ernähren kann.

Sie sehen, ich spreche wie eine Amerikanerin, das muß ich aber auch; es ist gegen mich weit milder gewesen als mein Vaterland, und mit Freuden will ich alles aufopfern, was das gemeine Beste erfordert, wäre es auch mein bitterer Schaden.

Aber genug von öffentlichen Affären; ich fürchte, eine Staatskluge zu werden; ein Charakter, den ich stets an einem Frauenzimmer gehaßt habe.

General Gage bekommt einen schweren Stand
Die Konföderation verboten — Wer sie unterschreibt, ist ein offener Feind des Königs — Mehr Truppen erbeten

London, 9. August 1774

Die Nachrichten aus unseren Nordamerikanischen Kolonien lauten sehr unangenehm. Die wichtigsten Orte daselbst, welche einen Kongreß beschlossen hatten, um auf demselben alle nötigen Maßregeln zu verabreden, sind noch weiter gegangen und haben einen Entwurf aufgesetzt, durch welchen ein jeder sich eidlich verbinden soll, die Handlung mit Großbritannien abzubrechen, bis die Akte wegen der Sperrung Bostons widerrufen ist.

Sobald der General Gage von der Beschaffenheit dieser Verbindung unterrichtet ward, ließ er bekannt machen, daß alle Einwohner der Provinz Neu-England, welche dieselbe unterschrieben, für offene Feinde des Königs, des Parlaments und des Reiches von Großbritannien erklärt werden, und als solche sich der äußersten Gefahr aussetzen würden. Seitdem ist noch eine Kompanie Artilleristen mit 8 Feldstücken zu den Truppen gestoßen, die schon bei Boston kampieren, und bei denen nächstens noch ein Regiment erwartet wird.

Alle diese Nachrichten haben den Hof bewogen, einigen Regimentern in Irland den Befehl zum Einschiffen nach Boston zu erteilen. Man versichert auch, daß das Geschwader des Comodore Shuldham, das jetzt den Fischfang bei Terranueva bedeckt, bereits den Befehl erhalten habe, sich mit den schon zu Boston liegenden Kriegsschiffen zu vereinigen. Dieses Geschwader soll auch noch mit 3 Kriegsschiffen, mit deren Ausrüstung man jetzt beschäftigt ist, verstärkt werden.

London, 23. August 1774

Die Verordnung des Generals Gage, durch welche derselbe allen und jeden Kolonial-Einwohner verboten hat, irgend ein Bündnis oder eine Verabredung zu unterzeichnen, ist, nach denselben Nachrichten, mit der größten Verachtung aufgenommen, in Stücke zerrissen und ins Feuer geworfen worden, und anstatt dem Inhalte dieser Verordnung zu gehorchen, hat man sich gleichsam dazu gedrängt, die Konföderation zu unterschreiben.

London, 9. September 1774

Vorgestern brachte eine ausdrücklich von dem General Gage abgefertigte Schaluppe Depeschen von Neu-England, die sogleich dem Könige nach Kew geschickt wurden. Unter dem 15. Juli hat der General allen Ausreißern von seinen Truppen, die vor dem 10. Juli ihre Fahnen verlassen haben, und sich vor dem 10. August wieder bei denselben einfinden würden, Pardon ankündigen lassen. Diese Bekanntmachung ist, so wie alles, was unter des Generals Namen öffentlich erscheint, aus dem Hauptquartier vor Boston datiert.

Unter dem 21. hat der General eine Proklamation bekannt gemacht, worin er alle Einwohner der Provinz ermahnt, Heuchelei, Aufruhr, Ausgelassenheit und andere Unsittlichkeit zu vermeiden und worin er zugleich den Richtern und Magistratspersonen befiehlt, darüber zu wachen; die Prediger aber ersucht, ihnen dabei Hülfe zu leisten. Alles dies aber hat bis jetzt noch nicht gefruchtet. Diejenigen, die dem vorigen Gouverneur, Herrn Hutchinson, bei seiner Abreise eine Adresse, übergaben, sind sehr schlimm daran. Die anderen Einwohner wollen mit ihnen nichts zu tun haben, ja, die Müller wollen ihnen nicht einmal mehr das Korn mahlen!

In unsern öffentlichen Blättern liest man einen Brief, der für eine authentische Abschrift eines Schreibens des Generals Gage an ein Mitglied unseres Ministeriums ausgegeben wird. Der Verfasser desselben sagt darin, die Halsstarrigkeit der Kolonien lasse nicht mehr hoffen, daß gelinde Maßregeln einige Wirkung tun werde; er sei daher entschlossen, einige strenge Exempel zu statuieren, wenn sie die freundschaftlichen Anerbieten, die er ihnen zuletzt getan, nicht annehmen würden; dazu sei aber auch schlechterdings eine beträchtliche Verstärkung von Truppen nötig, die er sich unverzüglich ausbitte.

Amerika will England zwingen

Lebensmittelzufuhr nach Westindien in Gefahr — Die englischen Truppen in Amerika müssen hungern — England greift ins Pulverfaß

London, 9. September 1774

Die Amerikanischen Angelegenheiten scheinen unserem Ministerium viel zu tun zu geben. Es sind jetzt 2 Paketboote mehr als gewöhnlich, die zwischen Boston und England Depeschen fahren.

Den 21. Juli hat die Provinz Neu-England als einen Fast- und Bettag, ihrer kritischen Lage wegen, gefeiert.

Die Nordamerikanischen Kolonien schmeicheln sich, daß das Parlament die gegen Boston ergangenen Akten dadurch zu widerrufen genötigt sein wird, daß die Kolonien alle Handlung mit unseren Westindischen Inseln abbrechen, weil diese letzteren ihre Lebensmittel und andere Notwendigkeiten fast allein aus den Kolonien erhalten. Auf der Insel Antigua sollen die Einwohner wirklich dadurch schon in größte Verlegenheit geraten sein und deshalb hierher appeliert haben.

Auszug eines Briefes von New York, 4. Oktober 1774

Wir sind in diesem Lande und in allen Provinzen sehr begierig zu vernehmen, was der General-Kongreß der Delegation zu Philadelphia beschließen wird. Diese Herren sind sehr geheim, und wollen nichts bekannt werden lassen, bis sie ihre Schlüsse völlig zu Stande gebracht haben. Die Gemüter der Leute etwas zu befriedigen, haben sie bekannt gemacht, daß es der Wille der Delegaten insgesamt sei, keine Waren von Großbritannien und Irland einzuführen, bis die Klagen abgetan sind. Wir können in dieser Absicht sehr lange aushalten, denn wir haben der englischen Waren so viel bei uns, daß wir sobald nicht Mangel daran leiden werden. Auch verlautet ferner, daß die Delegaten von Boston stark darauf dringen, eine amerikanische Armee zusammenzuziehen, und solche in Neu-England als eine Observations-Armee gegen die Königlichen Truppen unter dem General Gage zu lagern. In diesem Punkte sind die Delegaten der anderen Provinzen nicht einig, und glauben, daß ein solcher Schritt eine unmittelbare Ursache zu einem innerlichen verderblichen Kriege sein möchte. Die Delegaten von Boston aber bestehen darauf, daß dieses das einzige Mittel sei, zu zeigen, was Amerika tun könne und wolle, sofern man fortführe, sie zu unterdrücken. Die anderen Delegaten wenden vor, daß einige ihrer Truppen 500 bis 1000 Meilen marschieren müßten, ehe sie Boston erreichen könnten. Daraus machen die Delegaten von Boston den Schluß, daß es dieser Ursachen wegen um so vielmehr nötig wäre, keinen Anstand zu nehmen, eine Armee zu versammeln, dazu eine jede Kolonie ihr Kontingent schicken solle. Die anderen Delegaten haben sich soweit erklärt, daß, wenn die Provinzen von Neu-England eine Armee zusammenziehen wollten, da sie an sich mächtig genug wären, die anderen Kolonien ihr Kontingent in Geld usw. beitragen sollten. Die Delegaten von Boston wenden wieder ein, daß in der gemeinsamen Sache keine Ausnahme gelte; daß es nötig sein würde, von allen Orten hier die Waffen zu ergreifen, und daß ein Kontingent in Geld keine Kompensation wäre, wo Leben und Freiheit zu verlieren wären. Über diesen Punkt sind die Delegaten noch nicht einig geworden.

Wie englische Blätter im Dezember melden, drückten die Bostoner Delegierten alle ihre Wünsche beim General-Kongreß durch.

London, 7. Oktober 1774

Die Fregatte Scarborough ist mit neuen Verhaltungsbefehlen für den General Gage abgegangen. Aller Vorsicht ungeachtet hat man Nachricht von dem traurigen Zustande der Sachen erhalten. Unsere Armee und das Schiffsvolk ist in Gefahr zu verhungern, weil ihnen die Kolonien um keinen Preis Lebensmittel geben wollen. Die Armee ist so schwach, daß sich der General Gage nicht getraut, 1500 Mann anzugreifen, welche die Provinz Connecticut bewaffnet hat.

London, 7. Oktober 1774

Von den Depeschen, welche das nächstens nach Boston zurückgehende Kriegsschiff Scarborough von dort hierher gebracht hat, vernimmt man nun mit ziemlicher Zuverlässigkeit folgendes: Auf Verlangen des Generals Gage war ihm, bei Gelegenheit der Versammlung der Miliz, die der Provinz gehörende Kriegsmunition ausgeliefert worden. Hierauf schickte er bei Nachtzeit zwei Kompanien Soldaten nach einem zu Medford befindlichen Pulvermagazin, worin unter anderem auch Pulver lag, das Privatpersonen gehörte, und ließ das Pulver nach Boston schaffen.

Da das Volk dieses erfuhr, versammelte es sich, einige tausend Mann stark, und würde die Truppen gleich angegriffen und das Pulver wieder weggenommen haben, wenn nicht einige angesehene Leute es noch davon zurückgehalten hätten. Unterdes ging das Volk doch nach den Häusern des Vize-Gouverneurs und verschiedener anderer Beamten, gegen die es Ursache zum Mißvergnügen zu haben glaubten und nötigte einige von ihnen, ihre Ämter niederzulegen; andere hatten sich schon mit der Flucht gerettet. Wodurch das Volk zu Boston und der umliegenden Gegend am meisten aufgebracht worden ist, ist, daß der General Gage den Korrespondenz-Ausschuß zu Salem in Verhaft hat nehmen lassen, weil jener eine Versammlung der Bürger zusammenberufen hatte. Kurzum, in der ganzen Provinz ist alles in der größten Unruhe. Sechsundzwanzig Offiziere von dem zu Boston kampierenden Regimente des Obersten Murray haben ihre Stellen niedergelegt, vermutlich, weil sie gegen die Amerikaner, die sie als ihre Landsleute und als Verteidiger der Freiheit ansehen, nicht fechten wollen. Da die Miliz zu Boston ihr Lager bezogen hat, hat das Volk 400 Zentner Pulver weggenommen und sie 11 000 Mann in Verwahrung gegeben. Sieben Personen vom Konseil (Ratskammer) wurden von dem Volke arretiert und mußten schwören, sich nicht mehr dabei einzufinden. Ein parteiischer Richter mußte aus der Stadt fliehen und selbst der General Gage wurde durch ein Regiment Soldaten eskortiert.

Zu Cambridge, 4 Meilen von Boston, haben sich 8000 Mann versammelt, das Haus des Brigadiers von der Miliz, Brattle, niedergerissen, und sich des Pulvers bemächtigen wollen. Der General Gage bleibt in seinem mit Soldaten umgebenen Hause eingeschlossen, und nach einem neuern Briefe, hat er sich, um seine Person zu retten, an Bord eines Kriegsschiffes die Nacht vorher retiriert, ehe der Brief abging, unter welchem kein Datum steht.

Die Deputierten von ganz Neu-England sind zum Kongreß abgegangen. Man befürchtet, daß sich die Rebellion allgemein ausbreiten werde, weil diese Kolonien sich bei dem ersten Angriffe unserer Truppen widersetzen wollen. Es gehen deshalb vier Schiffe von der Linie von Portsmouth nach Amerika ab. Die Französischen Tuch- und Seiden-Fabriken sollen starke Versendungen nach Amerika gemacht haben, und man wettet bei uns, daß binnen sechs Monaten alle Handlung mit Amerika verloren sein werde.

Aus verschiedenen Briefen aus London
Oktober 1774

Noch den 11. kam eine Post von New York an, die dem Hofe viele Depeschen von den Gouverneurs der Kolonien mitgebracht hat. Die Sachen zu Boston und in unserem ganzen festen Amerika waren in der äußersten Verwirrung. Alle Civilbeamte haben sich geweigert, die Parlamentsakten zur Vollziehung zu bringen und deshalb eine Erklärung gezeichnet. Die Verwaltung der Justiz steht gleichsam still und die Mißvergnügten ermahnen die Einwohner öffentlich und unverholen, sich den Parlamentsakten nicht zu unterwerfen. Mit einem Worte, die Amerikaner, besonders die von Massachussets-Bay, betragen sich nicht anders, als offenbare Rebellen. Die Einwohner zu Boston an einer, und die Truppen auf der anderen Seite, beobachten einander unaufhörlich wie Feinde, und jeder Teil scheint nur auf den ersten Schlag zu warten, um ihren Zwist durch die Gewalt der Waffen auszumachen.

Auch die Einwohner der Westindischen Inseln halten es mit den Amerikanern. Die von Barbados insonderheit haben, anstatt über die Entschließung der Kolonien, die Handlung mit ihnen abzubrechen, betroffen zu sein, erklärt, sie würden lieber alles über sich ergehen lassen, als Amerika in der Sklaverei zu sehen.

Man will hier Nachricht haben, daß zwischen den Königl. Truppen und den Einwohnern von Boston ein leichtes Scharmützel vorgefallen sei; einige von jenen aber hätten auf diese nicht feuern wollen, sondern die Waffen niedergelegt.

Die Leute von einem zu Cork in Irland angekommenen Schiffe erzählen es folgendergestalt: Zu New York sei am 12. September ein Expresser von Boston angelangt, mit der Nachricht, daß ein Teil von der Miliz, welche sich eben in den Waffen geübt hätte, von den Soldaten umzingelt, und ihres Feuergewehrs beraubt worden wäre; hierauf hätte sich eine größere Anzahl der Miliz versammelt, die Soldaten verfolgt, und ihnen das Feuergewehr wieder abgenommen. Dieses hätte die Folge gehabt, daß der General Gage den Kriegsschiffen befohlen, auf die Stadt zu feuern, wodurch dann verschiedene Häuser beschädigt und 6 Mann getödtet worden wären.

Es wird gesagt, nur einen Tagemarsch von Boston wären 30 000 Mann Nationale in Bereitschaft, auf den ersten Wink zur Verteidigung der Amerikanischen Freiheit ins Feld zu rücken.

General Gage hat vieles dadurch verdorben, daß er sich verschiedene Glieder des Ausschusses von Salem versichert, da doch dieselben sich keiner Übeltat schuldig gemacht hatten. Dieses wird ihm als ein ungerechtes despotisches Verfahren ausgelegt, und hat viele Einwohner, die sonst Verehrung für ihn hegten, gänzlich von ihm abwendig gemacht.

November 1774

Als zu Boston der Oberrichter, Peter Oliver, und die übrigen vom Hofe bestellten Glieder des Obergerichts die großen und kleinen Geschworenen für die Provinz bestimmen wollten, haben die dazu ausersehenen Personen sich ernstlich geweigert, diese Stellen zu bekleiden, und als man sie darauf nach der Ursache befragte, erklärt, daß sie diese Ursachen schriftlich niedergelegt hätten.

Das Gericht, und der Herr Oliver insonderheit, haben für die großen Geschworenen die Ablesung dieses Aufsatzes nicht gestatten wollen. Herr Oliver hat hiernächst von einem gewissen Herrn Thomas Chase verlangt, er möchte seine Ursachen für sich mündlich angeben. Herr Chase hat sich darauf nicht lange bedacht und gesagt: Eine seiner Ursachen sei, daß Peter Oliver, Esquire, Oberrichter des Gerichtshofes, unter der Beschuldigung des löblichen Hauses der Repräsentanten der Provinz, in ihrem eigenen und der Provinz Namen, wegen verschiedener hoher Verbrechen und Mißhandlungen stünde.

Neulich hatte der General Gage nach New York Order geschickt, daß man ihm 800 Paar Decken für seine Truppen zukommen lassen möchte. Die dortigen Handelsleute haben aber erwidert, sie hätten Leuten, die als Feinde in das Land geschickt würden, nichts zu liefern. So sind auch diesem General die Transportschiffe, die er zu New York hatte begehren lassen, abgeschlagen worden.

Französische Unterstützung für Amerika
Offiziell will Ludwig XVI. nichts damit zu tun haben

London, 8. November 1774

Eine gewisse Nachricht von Boston, daß eine Französische Fregatte, welche der Stadt Kriegsbedürfnisse hätte zuführen wollen, von dem

Englischen Admiral angegriffen worden, und daß bei dem Gefecht eine Englische Fregatte den Mast verloren habe, ist noch zu sehr eine Privatnachricht, als daß man sie für zuverlässig halten könnte. Daß aber die Bostoner auf den Angriff unserer Truppen gefaßt sind, ja, daß sie ihn wünschen, und daß sie selbst gern den ersten Angriff wagen möchten, bevor unsere Truppen Verstärkung bekommen, darin stimmen mehrere Nachrichten überein.

London, 15. November 1774

Da man Nachricht hat, daß sich vor einiger Zeit 2 Französische Schiffe vor Boston sehen lassen, und befürchtet, daß den Bostonianern Pulver möchte zugeführt werden, womit sie zur Zeit nicht versehen sind, so soll unser Hof dem Französischen die Vorstellung getan haben, dahin zu sehen, daß die Handlung mit Kontrebande nach den Englischen Kolonien eingeschränkt werden möchte.

Paris, 2. Dezember 1774

Man sagt, der Englische Botschafter habe allhier den Antrag getan, so wie es von den zu Madrid und in dem Haag residierenden auch geschehen, daß den Amerikanischen Kolonien während der gegenwärtigen Umstände weder Gewehre noch irgend einige andere Kriegsbedürfnisse zugeführt werden möchten. Man weiß nicht, welche Antwort unser Hof darauf gegeben hat; in dem Haag glaubt man, sie werde zwar willfahrend gewesen sein, allein die See bleibt eine allzu offene Landstraße, als daß man sie gänzlich sperren könnte, und der Gewinn ist zu reizend, daß man nicht versuchen sollte, so gesuchte Waren zu Markt zu bringen. Zu Madrid soll die Antwort gelautet haben, England pflege sonst seinen Handelsleuten den freien Handel zu allen Zeiten zu gestatten.

London, 13. Dezember 1774

Alle handelnden Mächte in Europa sind, wie man versichert, dem Vorbilde des Französischen Hofes gefolgt, und haben, auf Ansuchen des unsrigen, ihren Untertanen verboten, den widersetzlichen Englischen Amerikanern einige Hilfe zu geben, oder ihnen etwas zuzuführen. Es ist aber immer zu glauben, daß den Amerikanern heimlich genug werde zugebracht werden können. Kann man doch den Schleichhandel an den Küsten dieses Königreiches nicht einmal verhindern.

Alles treibt zum Bruch

London, 16. Dezember 1774

Die Versammlung der Provinz Massachussets-Bay in Amerika hat dem General Gage die bittersten Vorwürfe machen lassen, daß er so strenge mit der Stadt Boston verfahre, und feindliche Verschanzungen vor derselben aufwerfen lasse; Zubereitungen, welche auf einen innerlichen Krieg abzielten, und den Grund zu einer gänzlichen Zerrüttung der Kolonien legten. Die Antwort des Generals war: daß wegen der feindseligen Rüstungen der Bostonianer obgedachte kriegerische Zubereitungen allerdings nötig wären, daß sie aber nicht einem einzigen schaden sollten, wenn er nicht selbst Anlaß dazu geben würde. Weder Leben, noch Freiheit, noch Güter der wahren Kolonisten, die Freunde der Krone wären, stünden in Gefahr. Großbritannien begehre niemals das geringste Volk in der Welt in Sklaverei zu stürzen. Es habe auch bisher noch immer nachgegeben, ungeachtet die Kolonien sich schon sehr feindselig bezeigt, indem sie den Königlichen Truppen die benötigten Lebensmittel durchaus abgeschlagen und entzogen hätten. Ein so offenbarer Ungehorsam sei schon ein klares Zeichen von der übrigen Halsstarrigkeit, welche ein für alle mal abgelegt werden müsse, wenn Ruhe und Frieden im Lande erhalten werden wolle.

Auch die Generalversammlung zu Philadelphia hat bekannt machen lassen, daß sie alle Entschließungen der Provinz Massachussets-Bay billige, und die übrigen Kolonien ermahne, ihrem Beispiel nachzufolgen. In Ansehung der Handlung habe sie beschlossen:

1. daß alle Kaufwaren, welche vor dem 1. Februar 1775 aus Großbritannien ankommen würden, verkauft, und das daraus gelöste Geld unter die Armen ausgeteilt,
2. diejenigen aber, welche nach gemeldetem Tage einlaufen, in natura wieder nach England zurückgeschickt werden sollten,
3. von inländischen Produkten und Waren soll nach dem 1. September 1775 weiter nichts als Reis nach England abgeführt werden.

London, 3. Januar 1775

Die von Boston und Salem angekommenen Schiffe haben die Nachricht mitgebracht, daß die Truppen des Generals Gage das Lager bei Boston verlassen, und die Kasernen der Stadt bezogen haben. Es sind in allem 11 Regimenter, nebst einem Artillerie-Korps. Der Magistrat von Boston hat zwar gegen diese Einquartierung protestiert, doch aber auch bekannt gemacht, daß er sich gegen den General so betragen werde, wie sich der General gegen Boston betragen würde.

London, 20. Dezember 1774

Das Schreiben, welches der Generalkongreß zu Philadelphia an das Volk von Großbritannien gerichtet hat, ist vom 5. September datiert. Nachdem darin vorgeschlagen worden ist, die Autorität und Vorteile des alten Vaterlandes mit dem Besten der Kolonien zu vereinbaren, so heißt es darin von dem Falle, da kein Vertrag sollte stattfinden können: „Wenn ihr entschlossen seit, eure Minister auf eine verwegene Art ein Spielwerk mit den Rechten des menschlichen Geschlechts treiben zu lassen; wenn weder die Stimme der Gerechtigkeit, noch der Wille der Gesetze, noch die Grundsätze der Konstitution, noch das innere Gefühl der Menschen fähig ist, zu verhindern, daß ihr das Menschenblut für eine so gottlose Sache vergießt; alsdann, und in diesem äußersten Falle, müssen wir euch erklären: daß wir nimmermehr einwilligen werden, weder die Holzhacker, noch die Wasserträger, irgend eines Ministeriums, von welcher Nation dasselbe auch sein wolle, zu sein."

Was allhier vornehmlich das Ministerium und dessen Freunde am meisten beunruhiget, ist, daß unter allen Kolonien, deren Delegierte auf dem Kongresse gewesen sind, die größte Einigkeit und Harmonie herrscht. Zwar haben sich unter den gedachten Delegierten keine aus Georgien und den beiden Floridas befunden; allein wenn auch diese Kolonien widriger Gesinnungen gewesen sein sollten, so werden sie doch vermöge der Drohung, welche die Konföderationsakte enthält, gezwungen sein, dieser Verbindung beizutreten.

Die Konföderationsakte wurde am 5. September 1774 auf dem ersten Generalkongreß zu Philadelphia beschlossen. Darin versicherten die Kolonien zwar dem Könige und Großbritannien die Treue, sagten aber gleichzeitig dem Britischen Ministerium, das nicht nur die Kolonien, sondern das ganze Britische Reich in die Sklaverei stürzen wolle, den Kampf mit friedlichen Mitteln an.

Amerikakrieg, ein Millionenverlust für England

London, 23. Dezember 1774

Eine Person, die wohl unterrichtet zu sein scheint, gibt über den Zwist mit den Kolonien folgende Aufklärungen: „Da der General Gage mit 10000 Mann nicht imstande ist, offensiv — selbst nicht gegen die einzige Provinz Massachussets-Bay — zu operieren, so kann man für ausgemacht annehmen, daß 20 000 Mann nötig sein werden, alle Kolonien unter das Joch zu bringen. Wir haben daselbst schon 2835 Matrosen. Unsere Handlung daselbst wird auf 4 Millionen Pfund geschätzt. Das davon entspringende Einkommen beträgt wenigstens eine Million. Die Manufakturen, die uns über dem Halse liegen bleiben werden, belaufen sich gewiß auf 8 Millionen. Der Einfluß unserer Einfuhren aus Amerika auf die General-Masse unserer Manufakturen ist unermeßlich groß, und steigt mit der Auswirkung, die davon auf unsere übrige sämtliche Handlung verbreitet wird, höher, als man rechnen mag. Die Rechnung ist diese: 20 000 Soldaten = 800 000 Pfund; die außerordentlichen Kosten der Armee 50 000 Pfund; 2835 Matrosen = 120 000 Pfund; die außerordentlichen Kosten der Marine 30 000 Pfund, Verlust für die Kaufleute 4 000 000 Pfund; Verlust an dem Einkommen 1 000 000 Pfund; Verlust an den Manufakturen, die liegen bleiben, 8 000 000 Pfund. Verlust und Kosten jährlich: 14 Millionen Pfund."

William Pitt:
„Ich fordere die sofortige Zurückziehung der Truppen aus Boston"

London, 31. Januar 1775

Da uns eine authentische Abschrift der Rede, die der Lord Chatham im Oberhause gehalten, mitgeteilt worden, und dieser Verteidiger der Freiheit schon als Pitt als einer der größten Redner bekannt ist, so wollen wir dieselbe ganz liefern:

„Mylords, ich stehe mit dem größten Erstaunen auf, diese Papiere (Die sämtlichen amerikanischen Papiere, die von dem Lord Darmouth auf Befehl Sr. Majestät vorgelegt waren. Die Zeitungsredaktion.) erst jetzt, da es mit dieser Sache schon so weit gekommen ist, auf Ihren Tisch gebracht zu sehen; Papiere, deren Inhalt ganz gewiß nicht nur jedem edlen Lord und diesem Hause, sondern fast jedem Einwohner dieses Königsreichs, der die Amerikanischen Sachen nur im geringsten zu einem Gegenstande seiner Neugierde gemacht hat, bekannt ist. Und nun gerade am Ende des Stücks, wenn die Maßregeln schon längst bestimmt sein sollten, wird uns ein leerer Schwall von Schriften vorgelegt. Und wozu? — — Um uns zu sagen, was die ganze Welt schon längst weiß! — — Daß die Amerikaner, mürbe unter den Beleidigungen und durch das erduldete Unrecht erbittert, ihrer angeborenen Rechte und teuersten Freiheiten beraubt, sich endlich widersetzt und Verbindungen untereinander errichtet haben, um das Gut zu erhalten, welches Leben und Eigentum vergessen läßt. Erlauben Sie mir Sie zu fragen, Mylords, wie diese Verbindungen gemacht sind: Hat die Flut von Bestechungen sich in ihre Wahlen gemischt? Sind die Abgeordneten gestimmt? Oder hat man — wie dies in dieser unserer gerühmten Vaterstadt nur zu oft der Fall ist — Versprechungen, Gewalt und Drohungen gebraucht, um ein ihren Absichten gemäßes Betragen von ihnen zu erzwingen? Nein — — nichts von allem dem hat sich bei ihnen gezeigt. Die Wählenden scheinen von keinem anderen Beweggrunde, als jenem edlen und erhabenen, der Erhaltung ihrer gemeinschaftlichen Freiheiten getrieben zu sein, und dieser Gedanke hat sich bei ihrer Wahl auf Männer geleitet, die einer so großen Unternehmung gewachsen sind, Männer von gesunden und geprüften Grundsätzen, in denen dasselbe Interesse verwickelt, von gleichen Gesinnungen beseelt, und fähig, das Elend des Ganzen zu beherzigen. Mit diesem Rechte, das ihnen die Wahl eines freien Volkes gab, ausgerüstet, haben diese Abgeordneten mit Klugheit, Weisheit und Mut Beratschlagungen gepflogen; und als eine Folge dieser Beratschlagungen haben sie die Gerechtigkeit und Ehre dieses Reichs angerufen. Dies ist ihr Vergehen, dies ist ihr Verbrechen, daß sie um das bitten, ohne welches ein freies Volk aufhören würde frei zu sein, und doch, da sie dieses Gut, dieses eigentümliche Vorrecht der Engländer suchen, werden sie verworfen und mit den Benennungen: Undankbare, Verräter und Rebellen gebrandmarkt. Wäre man frühzeitig genug auf die Lage der Bostonianer aufmerksam gewesen, Mylords, es würde nicht so gekommen sein. — — Aber wir behandelten die ersten Klagen Bostons dem Buchstaben nach, wie das eigensinnige Geschrei eines Kindes, das, wie man sagt, nicht weiß, was ihm fehlt. Sehr wohl, Mylords, sah ich damals, daß dieses Kind, wenn man es nicht zurecht wiese, bald den Mut und die Stimme eines Mannes annehmen würde. — — Die Bostonianer klagten damals nicht über ein geringes oder vorübergehendes Übel, sondern über ein Übel, das die Lebensteile ihrer Verfassung selbst untergrub, und all die großen Glückseligkeiten des Lebens dem Zufalle und der Ungewißheit in die Hände gab. Sehr wohl sah ich, daß die Söhne und Väter, die unter eben der freien Verfassung geboren waren, und einst eben die freie Luft atmeten, wie die Engländer; Väter, die sogar dies Land der Freiheit zu der Zeit, da es das Land der Unterdrückung wurde, verließen, und, um sich den Anschlägen der Bigotterie und den despotischen Maßregeln nicht zu unterwerfen, sich ihren teuersten Verbindungen entrissen, ich sah sehr wohl, sage ich, daß die Söhne solcher Väter mit eben denselben Grundsätzen und bei eben denselben Umständen Widerstand leisten würden.

Nichts desto weniger wurde ausgesprengt, daß die Schlüsse und Bittschriften des Kongresses nicht die wirklichen Schlüsse und Bittschriften des vernünftigen, angesehenen und erhitzten Teils seien, sondern der Hefen und des Auswurfs des Pöbels. Und um diesen Gerüchten mehr Eingang zu verschaffen, werden Briefe von einigen sehr angesehenen Handelsleuten — wie man sie nennt — aus den verschiedenen Provinzen ausgestreut. Aber ich kenne diese Handelsleute: armselige Krämerburschen sind es, Zweipfennighändler, Kontrebandiers, die unter dem Namen „Handlung" alles, was sie haben: Ehre, Treue und Gewissen, verkaufen! Solche Geschöpfe, dies ist das Los der Menschheit, trifft man zu allen Zeiten in jedem Lande an, und ihre Anzahl ist immer dann am größten, wenn das Vaterland auf dem Spiele steht; Leute, die, ohne auf die Folgen und die Gefahr eines allgemeinen Umsturzes Rücksicht zu nehmen, sich vorwärts zu ihrem Ziele, dem Gewinnst hindrängen, und sich zu ihren Vorteilen den kürzesten Weg bahnen. Und solche Leute sind es, die man uns immer als diejenigen vorstellt, die den wahren Zustand des Landes kennen; Leute, die aus den niedrigsten Grundsätzen Kinder der ganzen Welt sind, und keinen gewissen Ort, keine dauerhafte Anhänglichkeit haben, als an den Mammonkasten!

Aber nicht diesen — die Stimme des Pöbels mag immer reden — sondern den Eigentümern und Bebauern des Bodens, diesen, die ein immerwährend natürliches Recht auf den Ort haben, in dem Schoße der Kultur groß gezogen, mit starken und rühmlichen Banden an ihr Vaterland gefesselt, — diesen müssen wir glauben, diese müssen wir hören und bei ihnen unsere Belehrung suchen. Es ist, Mylords, bei diesen Begebenheiten vieles über die Autorität des Parlaments gesagt, und wenn man sich aus Mangel an Gründen nicht weiter zu helfen weiß, so nimmt man hierzu seine letzte Zuflucht. — — „Die Parlamentsakten, sagen ihre Verfechter, sind heilig, und man solle sich ihnen ohne Einschränkung unterwerfen, denn wenn die höchste Gewalt nicht irgendwie kräftig und mit Nachdruck wirkt, so muß alle Gesetzgebung aufhören." — — Diejenigen, die so schließen, oder vielmehr dogmatisieren, übersehen die großen, weisen und wohltätigen Gründe nicht, worauf das Ganze dieser Frage beruht; denn in allen freien Staaten ist die Regierungsverfassung bestimmt, und alle geseßgebende Gewalt, sie mag sich in den Händen eines ganzen Körpers oder einzelner Personen befinden, ist von der Verfassung abhängig, die ihr ihre Richtung gab. Handlungen der Gesetzgebung also, so kräftig und verbindlich sie auch sind, wenn sie dem Geiste dieser Verfassung entsprechen, so greifen sie doch, wenn sie demselben entgegen sind, ihren eigenen Grund an. Denn die Verfassung ist es, und sie allein, die beiden, der Souveränität und dem Gehorsam ihre Grenzen seßt. Diese Lehre, Mylords, ist keine willkührliche, nach einseitigen Absichten erdachte Lehre, sie ist in keine metaphysische Zweifel und Spißfindigkeiten eingehüllt, sondern deutlich, genau und bestimmt; sie ist in allen unsern Gesetzbüchern verzeichnet, sie steht in dem großen Buche der Natur geschrieben; sie ist das wesentliche unveränderliche Recht der Engländer; sie stimmt mit allen Grundsätzen der Gerechtigkeit und bürgerlichen Wohlfahrt überein und weder die bewaffnete Gewalt auf der einen, noch die Nachgebung auf der anderen Seite können solche bei irgend einer Veranlassung vertilgen.

Diese Lehre war es, die die Verfasser unserer Reichs-Konstitutionen zu der Zeit jener rühmlichen Revolution leitete und beseelte. — Männer von der größten Genauigkeit, Weisheit und Rechtschaffenheit, und deren Ruhm bis auf den gegenwärtigen Tag ohne Flecken ist.

Wenig solche Ratgeber sieht man jeßt! — Überdenken Sie, Mylords, einen Augenblick die Gründe, denen diese Männer folgten, und sehen Sie, wie weise, wohltätig und konstitutionsgemäß sie waren. Betrachten Sie sodann ihre Gegner, wie schwach, klein und seicht erscheinen sie? Wenn wir nun unsere Vorfahren segnen, daß sie solche Freiheiten für uns bewirkten, zu einer Zeit, da alle Rechte der Engländer unter die Füße getreten und die Geseße von dem Despotismus errichtet waren: so können wir wahrhaftig den Teil der Freiheit — der so sauer und so rühmlich errungen ist — unsern eigenen Brüdern im Grunde nicht versagen, unsern Brüdern, die einen gemeinschaftlichen Vater haben, und unbezweifelte Erben desselben herrlichen Erbteils sind.

Und bei dieser Lage der Sache, wie ich sie geschildert habe, was hat die Regierung getan? Man hat eine Macht von mehr als 17 000 Mann abgeschickt, die Bostonianer zu dem, was man ihre Pflicht nennt, zu bringen, und um einen Haufen unbedeutenden Pöbels, von Dürstigen und Müßiggängern zu züchtigen, hat man mehr als 30 000 Einwohner in die größte Verlegenheit, Drangsal und Verwirrung verwickelt. Ist das der Weg, Leute zu ihrer Pflicht zurückzuführen und in ihnen die Gesinnungen der Liebe und Britischen Treue wieder zu erwärmen?

Glauben Sie, daß Leute, die ihre Vorteile, ihre Vergnügungen, und den ruhigen Genuß ihrer teuersten Verbindungen, alles der Freiheit wegen, verlassen konnten, sich gleich Sklaven in den Stand der Unterwürfigkeit werden peitschen lassen? Ja, Mylords, dieses Betragen der Regierung ist so seltsam, so schwindlich in der Ausübung, daß es den kühnsten Flug der Poesie weit übersteigt; denn die Poesie hat die Menschen oft wohl belustigt als unterrichtet, und wenn sie gleich zuweilen in Erdichtungen ausschweift, so muß doch diese Erdichtung, wenn sie gefallen soll, auf die Wahrscheinlichkeit gegründet sein. Aber in diesem weisen System hier ist nichts, was der Wahrheit, nichts, was der Staatsklugheit, nichts, was der Gerechtigkeit, Erfahrung oder gesunden Vernunft ähnlich sieht. — Und doch, Mylords, ist die Regierung so weit entfernt, ihre Augen auf die verderbliche Staatskunst und tödtenden Folgen dieses Plans zu richten, daß sie noch immer mehr Truppen hinschickt, und man sagt uns in der Sprache der Drohung, daß wenn 17 000 Mann nichts ausrichten, 50 000 es tun werden! Es ist wahr, Mylords, mit dieser Macht werden Sie das Land verwüsten können, ihr Marsch wird Verheerung und Tod hinter sich lassen: aber werden Sie in einer Strecke von 1700 Meilen ihre Eroberungen behaupten können? Werden sie nicht in einem Lande, das drei Millionen Menschen aufstellen kann, beleidigt und beschimpft wie sie sind, gleich Hydren in jedem Winkel hervor springen und neue Stärke aus neuem Widerstande sammeln? Ja, was können Sie von den Soldaten, diesen unglücklichen Werkzeugen ihres Zorns erwarten? Sie sind Engländer, die notwendig ein Gefühl für die englische Freiheit haben müssen, und daß sie die Musketen und Bajonette tragen, schließt Sie wahrhaftig von den Rechten der bürgerlichen Gesellschaft nicht aus. Glauben Sie, daß diese Leute denn ihre Waffen gegen ihre Brüder kehren werden? Wahrhaftig nicht! — Der Sieg muß ihnen eine Niederlage, Blutvergießen ein Opfer sein. — Aber Mylords, wir haben in diesem unnatürlichen Kampfe nicht bloß mit 3 Millionen Menschen, dem Produkt von Amerika zu streiten; noch viel mehrere, die sich über die Fläche dieses weiten Reichs zerstreut befinden, sind auf ihrer Seite. Jeder Republikaner ist für sie, Irland hält es, bis auf einen Mann mit ihnen. Ja, die Engländer selbst, die vielleicht jetzt auf eine Zeit untätig sind, wenn sie erst zu einem Sinne der Überlegung geweckt sind, wenn sie erst die große Linie des Rechts, für die ihre Brüder in Amerika ihnen vorstreiten, abwiegen werden, so wird das Gefühl ihrer eigenen Gefahr sie treiben, sich auf ihre Seite zu schlagen.

Um des Himmels willen, wer konnte denn diesen Weg anraten? Oder, wer kann noch auf diesem konstitutionswidrigen Wege bestehen. Ich habe nicht die Absicht, hiermit auf einen Mann oder auf eine besondere Klasse von Personen zu zielen. Aber soviel will ich behaupten, daß, wenn Sr. Majestät fortfahren, solche Ratgeber zu hören, Sie nicht allein schlecht beraten, sondern verloren sein werden. Sie werden ihre Krone noch tragen, es ist wahr, aber es wird sich nicht mehr verlohnen, sie zu tragen; eines so vorzüglichen Kleinods, als Amerika, beraubt, wird sie ihren Glanz verlieren, und nicht mehr die Strahlen von sich werfen, die die Stirn der Majestät umleuchten sollten. Was ist alsdann aus diesem stolzen England geworden, daß einst gleich berühmt durch seine Künste und durch seine Waffen war? Was ist aus seiner Verfassung geworden, die bisher der Gegenstand der Bewunderung und des Neides der umliegenden Nationen gewesen ist? Hat es seine bürgerliche Gewalt und seine heilsamen Gesetze mit einem kriegerischen Gesetzbuche vertauscht? Oder hat es den Sitz seines Reichs nach Konstantinopel verlegt? Oder hat dieses Land, das oft sein kostbarstes Blut in dem männlichen Widerstande gegen Despotismus vergossen hat, nun demselben sich nicht allein geduldig unterworfen, sondern sogar sich ruhig niedergesetzt, seine eigenen Ketten zu schmieden?

Aber unsere gegenwärtigen Administratoren denken so wenig hieran, daß man den General Gage, wie ich höre, viel mehr beschuldigt, daß er zu schläfrig in dieser Sache verfahre, daß er nicht schnell genug gewesen sei, Rache auszuüben und das Schwert in die Eingeweide seiner Landsleute zu senken. Ich bedaure in der Tat die unglückliche Situation dieses Mannes, der sich bei vielen Gelegenheiten als ein braver Soldat und menschenfreundlich denkender Mann bewiesen hat; auf der einen Seite die widrige Notwendigkeit seine Pflicht zu tun, auf der anderen Seite seine eigenen Empfindungen von Gerechtigkeit und Staatsklugheit. Was für einen Kampf müssen sie bei ihm erregen!

In dieser verwirrten Krise, bei dieser traurigen Aussicht der Dinge, komme ich, Mylords, so alt und schwach ich bin, nach diesem Hause zu kriechen, um meine Meinung und besten Rat zu geben, und wenn ich den gegeben habe, will ich so lange an die Tür der Administration anpochen, daß sie Gerechtigkeit und gesunde Politik einlasse, bis es sie eingelassen hat. Ich komme, Mylords, mit diesem Papier in meinen Händen (seinem Vorschlag), Ihnen meine besten Einsichten und meinen besten Rat darzubringen, welcher ist: Sr. Majestät zu bitten, daß Sie dem General Gage den schleunigsten Befehl zu erteilen allergnädigst geruhen, seine Truppen von der Stadt Boston wegzuziehen, um den Weg zu einem Vereinigungsplan und zur Aussöhnung zu öffnen."

Benjamin Franklin war in den Weihnachtstagen 1774 in Hayes bei William Pitt, der ihm sagte, daß er gleich nach den Feiertagen im Parlament über Amerika sprechen werde. Hier war es, wo Franklin auf die große Gefahr der Truppen in Boston hinwies und Pitt ihm entgegnete, daß in dem Verlangen, die Soldaten aus dem Gefahrenherd zu entfernen, viel Vernunft läge.

Wir haben die Rede Pitts nicht nur deshalb ausführlich gebracht, weil sie, wie keine andere, den Kern der Amerikanischen Revolution trifft und ein Glanzstück unserer Auslese bildet, sondern auch, weil sie zeitlos ist und die Schwächen des menschlichen Verstandes geiselt, wie sie einst, heute und morgen der Politik aller Länder und Staaten so eigen sind.

Lord North antwortet mit der Kriegserklärung an Amerika

London, 3. Februar 1775

Gestern stiegen die Debatten aufs höchste im Unterhause und das Unterhaus saß darüber bis diesen Morgen um 3 Uhr. Das erste Geschäft war, eine Motion, die Parlamente abzukürzen, damit die Nation imstande sein möchte, das Parlament von unnützen Gliedern zu reinigen. John Wilkes sprach mit sonderlichem Nachdruck in dieser Sache. Die Motion aber wurde mit 194 gegen 104 Stimmen verworfen. Zweitens wurde mit Lesung der Amerikanischen Papiere fortgefahren.

Endlich kam Lord North in das Haus und tat folgenden Vorschlag: Dieses Haus solle den König in einer gehorsamen Adresse ersuchen, die Amerikanischen Akten des letzten Parlaments mit Hilfe der Waffen einzuschärfen; die Einwohner von Massachussets-Bay sollten durch eine Parlamentsakte für Rebellen erklärt werden; das Haus sollte sich erbieten, dem Könige in diesem Streit mit Gut und Blut beizustehen. Dabei sagte er, es wären bereits Maßregeln genommen, wider die Einwohner von Massachussets-Bay; es wären 14 Fregatten beordert, alle ihre Verbindungen mit der See und ihrer Fischerei abzuschneiden, und die Truppen unter dem General Gage um 10 000 Mann zu vermehren. Es würde aber nötig sein, 2000 Seeleute mehr zu bewilligen, als neulich bewilligt worden.

Hierüber entstanden die hitzigsten Streitigkeiten; man fragte, was eine Rebellion sei, und den Namen derselben verdiente; man sprach von dem Blutvergießen eigner Untertanen, und was es nach sich ziehen müßte; man stellte die unnützen großen Kosten, den Ruin der

Handlung, den Abbruch in den Einkünften, die ein bürgerlicher Krieg verursachen würde, vor. Der Minister bestand aber auf seinen Antrag und wollte haben, daß beide Parlamente eine Unterredung mit einander anstellten, um dem Könige vereinigt eine Adresse zu übergeben. Der Minister ist, wenn es zum Votieren kommt, gewiß, die meisten Stimmen zu haben; es ist aber noch zu keinem Votieren in der Sache gekommen.

Am 6. Februar kam es zum Votieren: Zwei Drittel aller Stimmen waren für den Plan North's.

Härte soll den Krieg schnell beenden

Immer mehr Truppen und Kriegsschiffe nach Amerika — Das Matrosenpressen auf Hochtouren — 65 Proviantschiffe werden ausgerüstet

Londoner Meldungen bis zum 14. Februar 1775

Es sind, wie man versichert, noch über 9000 Mann Truppen nach Amerika bestimmt, die teils aus Irland, teils aus Schottland gezogen, zum Teil auch erst geworben werden sollen. Ein Regiment Irländischer Reiter ist auch dabei. Dieses geht ohne Pferde ab, die es erst in Amerika erhalten soll. Woher die Transportschiffe zu all diesen Truppen kommen sollen, weiß man noch nicht.

Inzwischen sind 7 Schaluppen, 2 Fregatten und 4 Schoner in Beschlag genommen worden, um an den Amerikanischen Küsten zu kreuzen und darauf zu sehen, daß die Navigations-Akte gehörig beobachtet wird und keine fremden Waren in die Kolonien eingeführt werden.

Eine Menge Amerikanischer Schiffe ist aus England ohne Ladung nach ihrem Lande zurückgesegelt. Verschiedene von denselben hatten Korn gebracht. Nun werden wir von dieser Ware so wenig als Tabak und andere Amerikanische Produkte erhalten.

Es sind Häuser eröffnet worden, 2000 Seeleute anzuwerben, und im Falle der Not zu pressen. Der Lordmajor aber will das Pressen verhindern, soweit seine Jurisdiktion geht.

Unter Pressen verstand man, junge Männer im wehrfähigen Alter, wo man ihrer habhaft werden konnte, zwangsweise auf die Schiffe zu bringen und zu Matrosen zu machen.

Die Regierung ist entschlossen, 16 000 Mann gegen Amerika zu gebrauchen. England hat jetzt überhaupt 100 Kriegsschiffe in verschiedenen Häfen liegen, wovon ¾ im Stande sind, unverzüglich gebraucht zu werden. Gestern hat die Admiralität Befehl erteilt, noch 4 Schiffe von der Linie nach Amerika in Kommission zu geben.

Seitdem die Adresse der beiden Häuser an den König gelangt ist, werden unaufhörlich Anstalten gemacht, die festgesetzten Maßregeln in Ausübung zu bringen. Seit vorigen Sonnabend sind bloß in diesem Revier 65 Transportschiffe angenommen worden, welche größtenteils bei Deptford angelegt haben, und Provision einnehmen. Man ist mit deren Ausrüstung dermaßen eifrig, daß man vorigen Sonntag den ganzen Tag von dem Viktualien-Amte und dem Tower die Erfordernisse herunter und zu den Schiffen brachte. Von Deptford gehen 2, und von Woolwich gleichfalls 2 Kriegsschiffe mit. Sie gehen zuerst, wenn sie zu Woolwich und Poorfleth Geschütz und Munition eingenommen haben, nach Irland, und nehmen allda Truppen ein. Gestern schloß das Viktualien-Amt Kontrakte für 2000 Ochsen und 4000 Schweine, welche für die Flotte geliefert werden sollen.

Ein plötzlicher Hoffnungsstrahl für England
Spaltung in Amerika

Boston, 22. Dezember 1774

Man konnte es leicht vermuten, daß die Uneinigkeit die Kolonien bald teilen würde, und daß besonders die reichen und wohlhabenden Einwohner das ungestüme Betragen derjenigen, welche nichts zu verlieren haben, mißbilligen würden. Die meisten der erstern sind derjenigen Verbindung beigetreten, welche der General Ruggles für den König und die Königliche Partei errichtet hat. Diese Verbindung lautet so:

„Wir Unterzeichnete sind lebhaft von der Glückseligkeit einer guten Regierung überzeugt, auf der andern Seite auch von den Übeln und Unglücksfällen, welche die Tyrannei begleiten, sie mag von einem oder von vielen ausgeübt werden. Wir haben neulich mit vielem Kummer und Verdruß gesehen, daß man sich bemüht hat, alle Regierung aufzuheben, wodurch unser Leben, Freiheit und Eigentum in Gefahr gesetzt wird, und nicht mehr unter dem Schutze der Gesetze ist. Wir halten es daher für unsere Schuldigkeit, alle gesetzmäßigen Mittel, die in unserer Hand sind, anzuwenden, unsere Personen und Eigentum, gegen alle aufrührerische und ungesetzmäßige Gewalttätigkeit zu verteidigen, und alle unsere Vorteile zu erhalten, die wir von einer guten

Regierung haben. Daher kommen wir in einem Bündnis überein, vereinigen und verbinden uns wie folgt:

1. Wir wollen bei allen Gelegenheiten mit unserm Leben und Gütern einander in der Verteidigung unsers Leben und Eigentums beistehen, so oft einer von uns von einer Partei, die sich aufrührischer Weise unter einem Vorwande, und nicht nach den Gesetzen des Landes, versammelt hat, angegriffen oder in Gefahr gesetzt wird.

2. Wir wollen bei allen Gelegenheiten uns unterstützen, in der freien Übung und Genuß unserer ungezweifelten Rechte zur Freiheit, im Essen, Trinken, Kaufen, Verkaufen, und in allen uns gefälligen und mit den Gesetzen Gottes und des Königs übereinkommenden Handlungen.

3. Wir wollen die angemaßte Autorität eines Kongresses oder eines Korrespondenzausschusses nicht anerkennen, oder uns ihr unterwerfen, wie überhaupt keiner unrechtmäßigen Versammlung, sondern uns mit Gefahr unseres Lebens aller gewaltsamen Ausübung solchen Ansehens widersetzen.

4. Wir wollen aus allen unsern Kräften den Gehorsam gegen das rechtmäßige Ansehen unsers gnädigsten Königs, Georg des Dritten, und gegen seine Gesetze zu befördern, und ihm, wenn es verlangt wird, mit Gewalt zu zwingen suchen.

5. Wenn das Eigentum oder die Person eines unter uns von einem Ausschusse, von dem Pöbel, oder einer ungesetzmäßigen Versammlung angegriffen werden sollte, so wollen wir andern auf die erhaltene Nachricht uns gleich bewaffnet bei der Person und an dem Orte einfinden, wo die Beleidigung vorging, und mit allen Kräften, die Person und ihr Eigentum zu verteidigen suchen, und wenn es nötig ist, Gewalt mit Gewalt vertreiben.

6. Sollte einer von uns unrechtmäßigerweise in seiner Person oder Eigentum beleidigt werden, so wollen wir die Beleidiger zum Ersetzen des Schadens anhalten, und, wenn wir können, zwingen. Fehlen aber die andern Mittel zur Sicherheit, so wollen wir zu dem natürlichen Wiedervergeltungsrecht die Zuflucht nehmen.
Zum Zeugnisse dessen unterschreiben wir hier unsere Namen.

London, 29. Februar 1775

Mit Briefen, welche gestern von New York eingelaufen sind, wird berichtet, daß die Generalversammlung dieser Kolonie gegen das Verfahren des General-Kongresses protestiert hat und entschlossen ist, die Handlung auf den vormaligen Fuß fortzusetzen; sie erkennt die rechtmäßige Gewalt des Britischen Parlaments, und hat sich vom Gouverneur im Falle der Not Schutz ausgebeten.

Die Freunde der Amerikaner sind darüber sehr betroffen. Denn sobald dort Uneinigkeit herrscht, so ist zu vermuten, daß die Einwohner von Massachussets-Bay allein nicht imstande sein werden, sich dem Gouvernement mit Nachdruck zu widersetzen. Die Soldaten werden alsdann aus New York Lebensmittel und alles, was sie nötig haben, bekommen können, und die übrigen Kolonien werden nach und nach genötigt sein, die allgemeine Sache zu verlassen.

London, 3. März 1775

Am Montage kam ein Felleisen von New York an, welches nur 22 Tage unterwegs gewesen war. Der Hof erhielt mit demselben viele Depeschen von dem General Gage und von den Gouverneuren der anderen Kolonien. So viel das Publikum davon vernommen hat, sind die Gesinnungen zu Boston, in Ansehung der bei gegenwärtigen Umständen zu ergreifenden Maßregeln sehr verschieden. Einige wollen sich genau an die Schlüsse des General-Kongresses halten, andere möchten sich nur in Ansehung der Sachen, welche die Handlung betreffen, danach einschränken, und noch andere wollen durchaus zu den Waffen greifen. Kurz, der vernünftigste Teil der Einwohner wünscht, daß diese Unruhen in Güte beigelegt werden möchten. Die Generalversammlung zu York hat dem Gouverneur die stärksten Versicherungen gegeben, daß sie geneigt sei, einen Vergleich zu treffen. Hierauf hat sie gegen die Schlüsse des General-Kongresses protestiert, und vorgeschlagen, den König und das Parlament in einer Bittschrift zu ersuchen, sie von dem Unglücke zu befreien, welches das Betragen einiger Landsleute ihnen zugezogen hat. Es ist wahr, daß die Einwohner von Carolina, Virginien und den übrigen Kolonien im Begriff sind, die Waffen zu ergreifen. Allein man kann leicht voraussehen, daß, sobald einige der größeren Provinzen sich zu gelinden Vorschlägen und Maßregeln bequemen, die übrigen sich werden genötigt sehen, diesem Beispiel zu folgen.

Man will wissen, daß das Ministerium entschlossen sei, sich diese günstigen Aussichten zu Nutze zu machen, und eine angesehene Person nach New York zu schicken, um eine von beiden Teilen so sehr gewünschte Aussöhnung zu vermitteln. Unterdessen hat der Hof seine einmal gefaßte Entschließung nicht aufgegeben, frische Truppen nach Boston zu schicken: denn diejenigen, welche von England dahin abgehen, haben Befehl, sich den 12. dieses Monats einzuschiffen; zuerst nach Irland zu gehen, wo die ganze Flotte den 20. unter Segel gehen wird. Über alle diese Depeschen ist gestern zu St. James eine große Ratsversammlung gehalten worden. Überhaupt bemerkt man, daß die günstigen Nachrichten, welche aus Amerika einlaufen, die sogenannten Patrioten sehr in Verlegenheit setzen, welche künftig weniger Gelegenheit haben dürften, mit ihrer Beredsamkeit in der Nationalversammlung zu schimmern, wo der Minister künftig desto weniger Schwierigkeit finden wird, seine Absichten zu erreichen.

Die Spaltungsbestrebungen beschränkten sich aber nur auf New York selbst, da hier die meisten Einwohner königstreu waren und sich überdies unter dem Schutze des Militärs sicher fühlten.

Lord North packt die Gelegenheit beim Schopfe
Zwischen Zuckerbrot und Peitsche

London, 21. Februar 1775

Gestern hielt der Ausschuß des Unterhauses eine Versammlung ab, welche wegen des Vorschlages, welchen Lord North derselben tat, höchst merkwürdig ist. Es hat nunmehr wirklich das Ansehen, als wenn die Amerikanischen Angelegenheiten bald ein ganz anderes Ansehen gewinnen werden, ob man gleich die Bewegungsgründe nicht zuverlässig melden kann, wodurch das Ministerium bewogen wurde, seine Gesinnung so plötzlich zu ändern.

Der Vorschlag nämlich, welchen Lord North diesem Ausschuß tat, war folgenden Inhalts:

„Wenn der Rat und die Versammlungen der Kolonien darauf antragen würden, nach ihrem Vermögen zu den öffentlichen Kontributionen beizutragen, so sollten die Amerikanischen Akten in Ansehung solcher Kolonien, die sich dazu verstehen würden, suspendiert und ihnen gestattet werden, auf eine Art, die sie für die zuträglichste halten möchten, diese Abgaben aufzubringen. Gegen alle übrigen Kolonien aber, die sich dazu nicht bequemen wollten, sollte die Akte auf das nachdrücklichste vollzogen werden.“

Nichts konnte unerwarteter sein, als dieser Vorschlag von Seiten eines Mannes, der noch vor wenigen Tagen die Adresse veranstaltet hatte, worin der König ersucht wird, die Amerikaner durch Gewalt der Waffen zum Gehorsam zu zwingen, und das Haus sich erbietet, Sr. Majestät mit Gut und Blut beizustehen.

Die Öffentlichkeit konnte diese plötzliche Sinnesänderung auch nicht verstehen, weil sie am 21. Februar noch nichts von den Spaltungen in Amerika wußte.

London, 29. Februar 1775

Die am verwichenen Montage verlesene Vergleichs-Bill des Lord North wurde am 14. im Unterhause zum zweiten Male verlesen. Seine Freunde halten sie für ein Meisterstück, welches eben so viel Politik als wahre Menschenliebe zum Grunde habe; weil sie nicht nur den von dem Lord Chatham vorgeschlagenen Plan in sich fasse, sondern auch auf der anderen Seite den Rechten der Oberherrschaft nichts dadurch vergeben werde; weil sie den Kolonien eine anständige Gelegenheit zeige, einen natürlichen Krieg zu vermeiden und weil alle Gründe, deren sich die Opposition bisher bediente, dadurch widerlegt würden.

Die Gegenpartei aber gibt diesem Vorschlage den harten Namen eines Betruges, weil dadurch die letzten Parlaments-Akte gegen Amerika nicht aufgehoben, sondern nur suspendiert werden sollen, solange es dem Parlament belieben wird, und zwar nur in denjenigen Provinzen, welche sich die Bedingung gefallen lassen werden, eine festgesetzte jährliche Summe zu zahlen, und weil derselbe nicht sowohl zur Absicht zu haben scheine, den Frieden und die Ruhe in Amerika wieder herzustellen, als Uneinigkeit unter den Kolonien auszubreiten.

Der König, der auf seinem Minister weder den Makel der Furchtsamkeit, noch der Boshaftigkeit sitzen lassen wollte, ließ am 24. Februar erklären: Die Empörer hätten fortan keine Entschuldigung mehr für ihre Gewaltanwendungen vorzubringen. Man biete ihnen jetzt die Entscheidung zwischen Ölzweig und Degen; sie könnten nun wählen.

Was soll man da glauben?

London, 18. März 1775

Es ist kaum zu glauben, wie viele törichte und ungereimte Nachrichten die hiesigen Anhänger der Amerikaner von dem Zustande der Sachen in Nord-Amerika von Zeit zu Zeit verbreiten. — Bald soll die ganze Armee zu den Amerikanern übergegangen sein, bald soll sie nur eingeschlossen und durch Hunger auf das äußerste gebracht sein, bald soll ganz Nord-Amerika entschlossen sein, für die Verteidigung seiner Freiheit den letzten Blutstropfen aufzuopfern, und was dergleichen erdichtete Zeitungen mehr sind, die, so sehr sie sich auch einander widersprechen, doch, wie wir hören, von auswärtigen öffentlichen Blättern als eben so viele Evangelia nachgeschrieben werden.

Jetzt will man uns glauben machen, die Amerikanischen Damen hätten, wie ehemals die Römerinnen, ihre sämtlichen Juwelen nach Philadelphia geschickt, damit der Kongreß zum Besten der Freiheit darüber disponieren solle. Damens, welche Juwelen haben, wissen sie auf eine bessere Art zu nutzen, und das wissen sie in Amerika so gut als in anderen Weltteilen. Das Ministerium verachtet dergleichen armselige Behelfe einer bösen Sache, und geht seinen Weg gesetzt und ruhig fort, zwar immer geneigt, den Glimpf und die Gelindigkeit vorwalten zu lassen, aber auch fest entschlossen, seine und des Parlaments Gerechtsame durch Ernst und Strenge geltend zu machen, im Falle die Güte nichts fruchten sollte. Doch dahin wird es vermutlich nicht kommen. Der größte Haufen der sogenannten Patrioten, wenigstens alle die, welche am lautesten von Freiheit und Unterdrückung reden, sind so wie anderwärts Leute aus dem Pöbel, welche nichts zu verlieren haben, wohl aber bei einer allgemeinen Verwirrung zu gewinnen hoffen. Der wohlhabendere Teil der Amerikaner, derjenige Teil, der, wenn es zum Äußersten kommen sollte, dabei verlieren kann, denkt ganz anders. Überzeugt, daß nicht der unbändige Patriotismus des großen Haufens, sondern eine regelmäßige und wohlgeordnete Regierung ihn bei dem ruhigen Genusse des Seinigen schützen könne, und weit entfernt, auf Vorrechte Ansprüche zu machen, auf die er kein Recht hat, sieht er die unbesonnenen Schritte seiner geringern Mitbürger mit Unwillen und Verachtung an, und wartet nur auf die Zeit, wo er seine Ergebenheit gegen die rechtmäßige gesetzgebende Gewalt ohne Gefahr an den Tag legen könne. Was von der großen Macht der Amerikaner schon so oft vorgegeben worden, sind Dinge, die hier selbst ihre eifrigsten Anhänger nicht einmal glauben. Man weiß ja schon, wie viel ein zusammengelaufener Haufe ohne Übung, ohne Zucht, und ohne alles das, was zu einem regelmäßigen Kriegsheere gehört, zu bedeuten hat. Die Regierung ist daher überzeugt, daß 12 000 Mann reguläre Truppen vollkommen hinreichend sind, diese vorgegebenen Millionen von Patrioten zur Vernunft und zu ihrer Pflicht zu führen.

Solche Artikel wurden natürlich in der Presse auf dem Kontinent mit Vergnügen und ohne Kürzung nachgedruckt, da sie im Grunde der allgemeinen Denkungsweise in Europa entsprachen.

Wie Amerika seine Revolution aufzieht

Schreiben aus Boston, 7. Januar 1775

Seit meinem ersten Schreiben vom 8. November habe ich eine Reise durch die Kolonien gemacht. Ein schöneres Land ist in der Welt nicht anzutreffen. New York und Philadelphia sind Städte, die an Schönheit mit der besten Stadt in Europa um den Vorzug streiten könnten. Wäre dieses Land in Ruhe geblieben, so wollte ich es allen anderen Ländern zu meiner Wohnung vorgezogen haben. Nun aber haben die Einwohner gleichsam eine Scheu vor den Europäern, so daß kein Mensch von Verstand jetzt wählen würde seine Wohnung unter ihnen zu haben.

Alle Orte dieses festen Landes sind mit Menschen angefüllt, die einerlei denken und die sich alle den Neuerungen des Parlaments widersetzen. Alle Leute, Hohe und Niedrige, Reiche und Arme, in ganz Nord-Amerika sind von der Freiheit ihres Landes begeistert, und sie würden einen mächtigen Widerstand leisten, wenn man sie zwingen wollte. Ich hoffe, es werde kein Versuch geschehen. Gegenwärtig richten sie sich genau nach den Entschlüssen des Kongresses zu Philadelphia und die kleinste Abweichung würde einen gewiß in Lebensgefahr setzen. Die (englische) Armee ist durch ein ansteckendes Fieber sehr verringert, viele sind desertiert. Viele Soldaten sind auch unzufrieden mit dem Dienst gegen ihre Landsleute und Brüder in Amerika.

Beachtenswert ist die in vielen Berichten immer wieder auftretende Ansicht, daß die englischen Soldaten wenig Lust zeigen auf ihre amerikanischen Brüder zu schießen.

Schreiben aus Boston vom 16. Februar 1775

Es sind zuverlässige Nachrichten hier von Maryland, daß alle Einwohner der Provinz in Bewegung sind. Sie approbieren alle Schlüsse des Kongresses, formieren sich in Kompanien, und lernen den Krieg. Alle Einwohner müssen nach ihrem Vermögen etwas hergeben, um Waffen anschaffen zu können. Diese Verordnung datiert vom 1. Februar. Wer nichts geben will, wird für einen Feind des Landes erklärt und sein Name in den Zeitungen bekannt gemacht. Bisher hat sich niemand gefunden, der sich geweigert hätte, sondern alle sind willig, so viel als sie können, zur Erfechtung der Freiheit von Amerika beizutragen. In der Generalversammlung der Provinz sind Delegierte erwählt worden, die auf den neuen Kongreß den 10. Mai nach Philadelphia gehen sollen, und es sind eben diese Männer, die im September diesem Kongreß beiwohnten, nämlich: Stephen Crane, William Livingston, John de Hart und Richard Smith. Ebenso tun auch die Grafschaften Neu-Jersey und Neu-Hampshire, und es ist die stärkste Vereinigung aller Kolonien, die Freiheit zu erfechten, oder mit derselben zu sterben.

London, 11. April 1775

Aus Amerika werden unter andern folgende Neuigkeiten herumgetragen: Die Virginier haben aus ihrer Miliz ein Korps von 15000 Mann gezogen, das völlig formiert ist, und den Namen: „Die Amerikanische Legion" bekommen hat. Die Einwohner in Maryland haben ein gleiches getan, ihre Mannschaft mit Uniformen versehen, und eine Landtaxe zum Unterhalt ihrer Armee aufgelegt. Die Provinz Pensilvanien hat es ebenso gemacht. Die Provinz Connecticut hat 20000 Mann zur Beschützung der Rechte von Amerika angeboten. Bei jedem Regiment Amerikanischer Miliz ist eine Kompanie zu Pferde. Die Provinz Massachusset, die mit ihrer Miliz gleichfalls fertig ist, hat das Gouvernement zu sich genommen und in die Hände einer Kommission von 40 Mann aus dem Volke übergeben.

Es sind Briefe von Offizieren von Ansehen aus Amerika hier, daß die Truppen in Neu-England alle Augenblicke einen Überfall erwarten, daß dieselben aber wenig Lust zeigen, gegen Mituntertanen zu fechten und daß man fürchte, die meiste Mannschaft werde bei der ersten Gelegenheit davonlaufen.

Unterdessen soll der Operationsplan gegen die Amerikaner folgendergestalt entworfen sein: Der General Gage bleibt mit dem Hauptquartier zu Boston, und es werden nur Parteien von 2000 Mann, unter Anführung der Generale Clinton, Howe und Burgoyne, nach Süd-Carolina, Virginien und den anderen am meisten aufsätzigen Kolonien abgeschickt. Dieser Plan gründet sich auf dem Satze, daß 2000 Mann braver regulärer Truppen 20000 irreguläre Leute schlagen können.

Der Berichterstatter war nicht schlecht unterrichtet. Es waren in der Tat die drei Generäle, die bald nach Amerika geschickt wurden und General Gage ablösten. Was den Plan anbetrifft, so war er der erste von zwei Plänen in sich ungleichen Perioden des Krieges. Dieser erste Plan sah vor, die Hudsonlinie zu erobern, um die Wasserwege zu beherrschen und es den Kolonisten unmöglich zu machen, sich über See gegenseitig Hilfe zuführen zu können. Wer den Hudson beherrschte, trennte Neu-England von den übrigen Kolonien ab.

Attentat auf John Hancock mißlingt

Aus dem Britischen Amerika bis Ende März 1775 nach Londoner Gazetten:

Den 16. März feierten die Einwohner zu Boston einen Fast- Buß- und Bettag. Sie beschweren sich, in ihrer Andacht dadurch gestört zu sein, daß einige Mannschaft vom Königlichen Regiment, welche nahe bei der Kirche ein Marketender-Zelt aufgerichtet hatte, daselbst, so lange der Gottesdienst gewährt, mit drei Trommeln und eben so vielen Pfeifen gespielt habe.

Den folgenden Tag haben einige Offiziere von den Königlichen Truppen, welche die Baracken zu Boston verlassen haben, und nun wieder vor der Stadt kampieren, auf einem in der Nähe gelegenen Landsitze des Herrn Hancock verschiedene Ausschweifungen begangen. Herr Hancock ist Oberster bei der Provinzial Miliz und Präsident der Assemblee. General Gage hat die Täter mit Arrest bestraft. Dagegen hat er den Bostonern 18 000 Patronen wegnehmen lassen.

Den 24. hat die gedachte Assemblee den Beschluß genommen, daß alle Einwohner der Provinz sich fertig zu halten haben, für die Freiheit zu fechten. In der Neu-Engländischen Grafschaft Cumberland hat der Pöbel die Richter in Haft genommen. Der General-Kongreß zu Philadelphia hatte in seinen Beschlüssen die Ausführung von Reis frei gelassen. Dieses war zum Vorteile der Kolonie Süd-Carolina geschehen. Diese will aber solche Privatvorteile nicht gelten lassen und hat die Ausführung dieses Produkts nach England verboten.

Wir haben in einem früheren Artikel bereits berichtet, daß an Waren aus Amerika in London ausschließlich nur noch Reis eintraf. Nun sollte England auch diesen nicht mehr aus seinen Kolonien bekommen.

London, 23. Mai 1775

Man will wissen, der Hof habe von dem General Gage die Nachricht erhalten, daß das Vorhaben, sich einiger von den Häuptern der Mißvergnügten zu bemächtigen, bekannt geworden sei. Hierauf hätten die Kolonisten Massachusset, Hampshire und Connecticut 24 000 Mann auf die Beine gebracht, die sich täglich in den Waffen übten, und entschlossen wären, sich einer solchen Aufhebung zu widersetzen. Auf diese Art kann ein geringer Vorfall endlich zu Feindseligkeiten zwischen den Königlichen Truppen und den Kolonisten Anlaß geben.

Amerika zur Unabhängigkeit ungeeignet

London, 16. Mai 1775

Herr Burnaby, Pfarrer-Vicarius zu Greenwich, welcher Virginien, Philadelphia, Neu-Jersey, New York und Rhode-Island ehemals durchreist hat, macht über die gegenwärtige Lage von Amerika folgende sehr merkwürdige Beobachtungen:

Amerika ist geschaffen, um glücklich zu sein, aber nicht um zu herrschen. Auf einer Reise von 1200 Meilen habe ich nicht eine Person angetroffen, die ein Almosen begehrt hätte, aber ich sah unüberwindliche Ursachen einer Schwäche, welche verhindern, daß es jemals ein mächtiger Staat werden wird. Unsere Kolonien können in die südlichen und in die nördlichen abgeteilt werden. Jede haben so wesentliche Ursachen der Schwäche, daß sie nie zu einer wirklichen Stärke gelangen können. Das Klima hat einen mächtigen Einfluß auf sie, um sie nachlässig, untätig und ungeschickt zu Unternehmungen zu machen. Dieses sieht man an jedem Zuge ihres Charakters. Die Mode, alles durch Sklaven verrichten zu lassen, ist eine andere unüberwindliche Ursache der Schwäche. Die Anzahl der Neger ist in den südlichen Kolonien dem ganzen übrigen Teile der Weißen gleich, wo nicht stärker. Sie pflanzen sich auch besser fort und nehmen mehr zu. Ihr Zustand ist mitleidenswürdig, ihre Arbeit äußerst hart, ihre Lebensart armselig und schlecht, ihre Behandlung grausam und unterdrückend. Sie können nicht anders als ein Gegenstand des Schreckens für diejenigen sein, welche sie so sehr tyrannisieren. Die Indianer an den Grenzen sind noch eine andere fürchterliche Ursache der Unterwerfung. Die südlichen Indianer sind zahlreich und in einer besseren Verfassung als ehedem. Sie führen mit den Kolonisten nie Krieg, ohne Schrecken und Verwüstung unter sie zu bringen. Die nördlichen Kolonien haben mit noch nachteiligeren Umständen zu kämpfen. Sie bestehen aus Völkerschaften von verschiedenen Nationen, verschiedenen Sitten, verschiedenen Religionen und verschiedener Sprachen. Sie tragen eine wechselweise Eifersucht gegen einander, die durch Eigennuß, Macht und Übergewicht unterhalten wird. Der Religionseifer brennt zugleich, wie ein loderndes Feuer unter der Asche, heimlich in den Herzen der verschiedenen Sektierer, die sie bewohnen, und wenn er nicht durch Gesetze und obrigkeitliche Gewalt zurückgehalten würde, so würde er bald in Flammen einer allgemeinen Verfolgung ausbrechen. Auch die friedfertigen Quäker streben stark nach Vorzug und zeigen auf das deutlichste, daß die Leidenschaften der Menschen stärker sind als die Grundsätze der Religion. Die Kolonien sind daher, einzeln betrachtet, innerlich schwach. Man könnte glauben, durch Vereinigung würden sie stark und furchtbar werden: aber eine Vereinigung scheint unmöglich! Feuer und Wasser können einander nicht mehr entgegengesetzt sein, als die nördlichen Kolonien. Nichts übertrifft die Eifersucht, die sie gegen einander haben. Die Einwohner von Pensylvanien beneiden den Handel von Jersey. Massachusset-Bay und Rhode-Island sehen nicht weniger scheel über den von Connecticut. Die Westindianer sind ein gemeinschaftlicher Gegenstand der Beneidung von allen. Auch die Grenzen von jeder Kolonie sind eine beständige Quelle des Streits. Mit einem Worte, der Unterschied der Charaktäre, der Sitten, der Religion, des Eigennutzes der verschiedenen Kolonien ist so groß, daß ich denke, wofern ich nicht ganz das menschliche Herz verkenne, wenn sie sich selbst überlassen wären, so würde bald ein bürgerlicher Krieg von einem Ende bis zu dem anderen entstehen: wobei die Indianer und Neger mit mehrem Recht nur auf eine gute Gelegenheit warten, sie alle zusammen auszurotten. Wenn man aber auch zugeben sollte, daß eine standhafte Vereinigung aller Kolonien stattfinden würde, so würde sie doch unwirksam sein und den vermeinten Ausgang nie haben; denn die Küsten, welche die amerikanischen Kolonien einnehmen, sind von einer so weiten Ausdehnung, daß die ohne eine Macht zur See nicht können verteidigt werden. Amerika müßte erst Meister zur See sein, ehe es unabhängig, oder Herr über sich selbst sein könnte. Man setze die Kolonien auch noch so volkreich, man lasse sie 100 000 Mann unter den Waffen haben (eine in allen Stücken ausschweifende Voraussetzung) so würde ein halbes Dutzend Fregatten gar leicht das ganze Land von einem Ende zum anderen verwüsten können, ohne daß es ihm möglich wäre, solches zu verhindern. Das Land ist mit Strömen so durchschnitten, sie sind so groß, daß es unmöglich ist, Brücken darüber zu bauen, so, daß auf diese Art alle Gemeinschaft abgeschnitten ist. Bei solchen Umständen würde ein Kriegsheer wenig ausrichten. Ein großer Teil des Reichtums und der Macht von Amerika hängt ferner von der Fischerei und dem Handel zur See ab. Die Amerikaner können ohne diese nicht bestehen. Es ist aber die reiche Fischerei und der ganze Handel in der Gewalt derjenigen, die Meister zur See sind. Ich Urteile also, daß, solange England seine Oberherrschaft in diesem Stücke behält, es auch die Oberherrschaft in Amerika haben wird. Sobald es aber das eine verliert, so verliert es auch das andere. Käme die Herrschaft zur See in die Hände Frankreichs, Spaniens, oder Hollands, so kann ich im voraus sagen, daß auch Amerika derselben folgen werde.

So und nicht anders dürften die Ratgeber in der amerikanischen Frage um Georg III. ausgesehen haben.

Amerika siegt bei Lexington
Englische Truppen in die Flucht geschlagen
Lähmendes Entsetzen in England — Die Regierung weiß von nichts

London, 30. Mai 1775

Endlich haben die Feindseligkeiten zwischen den Truppen des Königs und den Einwohnern von Boston den Anfang genommen.

Vorgestern Abend langte ein Expresser von dem General Gage an, welcher, wie man öffentlich vernimmt, folgenden Bericht mitgebracht hat: „Ein Detaschement Truppen von 8 bis 900 Mann, unter den Befehlen des Obersten Smith war abgesandt worden, sich einiger Artillerie zu bemächtigen, welche die Einwohner von Concord, einem Platz 18 Meilen von Boston gelegen, zusammen gebracht hatten. Als das Detaschement sich dem Platze bis auf 6 Meilen genähert hatte, traf dasselbe auf ein Kommando von 100 Mann Landmiliz, welche ermahnt wurden, auseinander zu gehen. Wie sie sich nun weigerten, solches zu tun, so gab man Feuer auf sie, wodurch 8 Mann getötet und 9 verwundet wurden. Als die Truppen hierauf etwas weiter vorrückten, stießen dieselben wieder auf 150 Mann Landmiliz, auf welche ebenfalls Feuer gegeben wurde, zur Unterstützung eilte nun aber der Lord Percy, an der Spitze von 900 Mann, herbei, worauf das Gefecht allgemein wurde, bis die Königlichen Truppen endlich für ratsam hielten, sich zurück zu ziehen, und ihre Toten und Verwundeten mitzunehmen. Sie wurden jedoch von der Miliz verfolgt, welche unufhörlich auf dieselben feuerten."

Außer obigem Bericht hat man andere Nachrichten, welche von diesem Vorfalle noch verschiedene besondere Umstände melden, unter andern, daß die Truppen auf ihrem Rückzuge die Häuser geplündert, Türen und Fenster derselben zerschlagen, auch vieles in Brand gesteckt und eingeäschert hätten, so, daß sich überall die schrecklichen Folgen eines bürgerlichen Krieges zeigten, wobei das Volk aus allen umliegenden Orten und Provinzen mit starken Schritten nach Boston eilte.

Obgleich es scheint, daß die vorgedachten Berichte zum Vorteil der Amerikaner vergrößert worden sind, so ist es doch gewiß, daß unsere öffentlichen Fonds sogleich nachher, da diese Nachrichten eingingen, ansehnlich gefallen sind.

London, 30. Mai 1775

Es ist unglaublich, wie großes Aufsehen die Nachrichten von Amerikanischen Tätlichkeiten hier gemacht haben. In allen Gesellschaften, und selbst an der Börse, wird beinahe von nichts anderem gesprochen, und man scheint durchgehends sehr damit zufrieden zu sein, daß die Amerikaner über die Königl. Truppen einige Vorteile erhalten haben. Genau läßt sichs inzwischen aus den Nachrichten, die sich im Publikum befinden, noch nicht bestimmen, wie groß dieselben sowohl, als der Verlust auf beiden Seiten gewesen sein mögen. Die Nachricht, welche am meisten geglaubt wird, und von einem Offizier eines Kriegsschiffes herkommen soll, bestimmt die Anzahl der im Treffen erschossenen regulierten Truppen auf 63, und der See-Soldaten 49, und 103 sollen verwundet sein. Auf Seiten der Amerikaner sollen etwa 100 Mann getötet, und 50 verwundet sein. — Es steht zu vermuten, daß das Ministerium genauere Nachricht von allen Umständen habe, denn man hat den Offizier, welcher diese Neuigkeit gebracht hat, vor die geheime Ratsversammlung fordern lassen, und er ist auch am Sonntage Abend 2 Stunden lang bei dem Lord North gewesen. Allein man sucht, so viel wie möglich, alles geheim zu halten. Bei Abgang dieser Nachrichten aus Amerika hatten sich gegen 40 000 dortige Einwohner gegen Boston zusammengezogen, und die ganze Mannschaft des Generals Gage wurde höchstens kaum auf 2500 Mann geschätzt. Als sich die Truppen unter die Kanonen der Kriegsschiffe gezogen hatten, umringten die Amerikaner Boston, und waren Willens, die Stadt anzuzünden, ließen sich aber doch durch die Vorstellung der Einwohner bewegen, von dem Vorhaben abzustehen. Inzwischen sind die Truppen des Generals Gage so von ihnen eingeschlossen, daß sie sich vermutlich schon auf die Schiffe haben zurückziehen oder ergeben müssen.

London, 2. Juni 1775

Das Ministerium hat in den öffentlichen Blättern folgendes bekannt machen lassen:

„Da sich ein Gerücht verbreitet hat, welches auch durch eine gedruckte Nachricht bekannt gemacht worden ist, als wenn in der Provinz Massachusset-Bay zwischen einigen Einwohnern und den Königlichen Truppen ein Scharmützel vorgefallen sei, so findet man für nötig, dem Publikum hierdurch bekannt zu machen, daß von diesem Vorfalle bis jetzt noch keine Nachricht bei dem Staatssekretär des Amerikanischen Departements eingelaufen ist.

London, 6. Juni 1775

Bis jetzt hat der Hof keine positive Nachricht von dem zwischen den Truppen des Generals Gage und der Neu-Engländischen Miliz vorgegangenen Gefechte erhalten; oder wenn er Nachricht davon hat, so findet er für dienlich, nichts davon bekannt zu machen.

Ein Schiff, das in 30 Tagen von Hampton, in Virginien, zu Bristol angekommen ist, hat unter andern mitgebracht, daß, nachdem man daselbst die bei Boston vorgefallenen Feindseligkeiten vernommen, der General Washington sofort Befehl bekommen habe, aufzubrechen, um zu den Provinzialtruppen bei Boston zu stoßen.

Mit einem anderen Schiffe, das von New York ebenfalls in Bristol angelangt ist, soll die Nachricht eingegangen sein, daß daselbst, auf die Zeitung von dem Vorgange bei Concord, das Volk sich sogleich auf dem Rathause versammelt, wo die Waffen der Truppen in Verwahrung lagen, sich derselben bemächtigt, die Provinzialtruppen von New York den Marsch gegen Boston angetreten hätten, wo man den General Gage, welcher Beacon-Hill, im Herzen der Stadt, befestige, angreifen würde.

Es ist das erste Mal, daß die Leipziger Zeitung den Namen von George Washington im Zusammenhang mit dem Unabhängigkeitskrieg erwähnt. Washington war noch General der Miliz, wurde aber schon am 11. Juni zum Obergeneral aller gegen England operierenden Truppen ernannt. Am 3. Juli traf er in Cambridge, seinem Quartier, ein, von wo er dem Kongreß bereits am 10. schrieb, daß die Miliz um Boston sich in einer trostlosen Verfassung befände, auch mangle es an brauchbaren Ingenieuren, die imstande wären, das Geschütz sachgemäß zu bedienen. Vor allem aber, so schrieb Washington, fehle es an Munition. Die Stärke des Feindes unter General Howe bezeichnete der Feldherr als recht bedeutend. Er forderte deshalb die Anstellung eines Generalkommissars, da bei aller Wichtigkeit der Provinzialkongresse durch die vielen Ausschüsse kaum mit deren zweckmäßigen und dem Kriegsdienst geeigneten Hilfen gerechnet werden dürfte.

London, 10. Juni 1775

Man weiß nicht, woran man mit dem Expressen ist, welchen der General Gage mit der Relation von dem Vorgange am 19. April abgeschickt hat. Jetzt sagt man, das Schiff, worauf derselbe befindlich sei,

habe eine volle Ladung, welches, nebst den seit einiger Zeit anhalten-
den widrigen Winden, wohl die Ursache dieses langen Ausbleibens
sei, wenn es nicht gar gescheitert ist.

London, 13. Juni 1775

Endlich hat der Hof die so oft erwähnten Nachrichten von dem General Gage aus Amerika erhalten, und von dem Vorgange bei Concord
folgendes bekannt gemacht:

„Nachdem der General Gage vernommen hatte, daß eine große
Menge Kriegsmunition zu Concord zusammen gebracht worden, in
der Absicht, ein Korps Miliz gegen die Königlichen Truppen damit zu
versehen, so detaschierte derselbe den 18. Abends die Grenadiere
und die leichte Infanterie seiner Armee, unter den Befehlen des
Oberstleutnants Smith und des Majors von der Marine, Pitcairne, mit
dem Auftrage, diese Munition zu vernichten. Den folgenden Tag
schickte General Gage noch den Lord Percy, an der Spitze eines Detaschements von 24 Kompanien und einige Seetruppen ab, um Oberstleutnant Smith zu unterstützen. Als letzterer einige Meilen vorwärts
gerückt war, hörte er, daß man überall Kanonen abfeuerte und mit
den Glocken läutete, um das Volk zusammen zu bringen. Er ließ
2 Brücken durch 6 Kompanien leichter Infanterie besetzen, welche, indem sie hierauf bis Lexington vorrückten, daselbst eine Gruppe Land-
leute unter den Waffen fanden. Als die Königlichen Truppen nun auf
sie anrückten, um sie nach der Ursache, warum sie zusammengelaufen
wären, zu befragen, zogen sich dieselben in Unordnung zurück, schossen aber hinter einer Mauer und aus den Häusern auf die Königlichen
Truppen, und verwundeten einen Soldaten, desgleichen das Pferd des
Major Pitcairne. Auf diesen Angriff der Rebellen feuerten die Truppen und tödteten verschiedne von ihnen. Hierauf marschierten die
Truppen nach Concord, wo sie dasjenige ausrichteten, warum sie hin-
geschickt waren. Sie machten alle Kanonen unbrauchbar, verbrannten
viele neue Lafetten und eine Menge Karren und Räder, und warfen
eine große Quantität Mehl, Pulver, Kugeln und andere Dinge in den
Fluß. Während dieser Verrichtung kam eine große Anzahl Rebellen
von allen Seiten zusammen, und ein starkes Korps derselben fiel die
an einer der Brücken postierte leichte Infanterie an. Es kam zum Gefecht und es wurden einige getötet und verwundet. Auf dem Rückzuge der Truppen von Concord wurden sie von den Rebellen, die sich
hinter Mauern, Bäumen und Gräben versteckt hielten, stark beunruhigt und viele von ihnen getötet und verwundet. Als aber zu Lexing-

ton die Brigade des Lords Percy, mit zwei Kanonen, zu ihnen gestoßen war, so wurden die Rebellen hier auf eine zeitlang zerstreut;
jedoch, da die Truppen ihren Marsch wieder antraten, feuerten die
Rebellen von neuem auf sie, welches sie während des Marsches von
15 Meilen, den die Truppen zurückzulegen hatten, fortsetzten, wodurch von den letzteren viele getötet und verwundet wurden.

Die Grausamkeit und Barbarei der Rebellen war dabei so groß, daß
sie verschiedenen Verwundeten, die ihnen in die Hände fielen, das
Haupthaar ausrissen und die Ohren abschnitten. Die Anzahl der getöteten und verwundeten Rebellen weiß man nicht, ihr Verlust muß
aber doch ansehnlich sein.

Den Verlust gibt der Bericht auf 65 Tote und 204 Verwundete, alles
Königliche Truppen, bekannt.

Hannover, 30. September 1775

Schreiben eines Kaufmanns in Boston an seinen Freund in St. . . . :

Ihr letzteres habe richtig durch den Kapitän Peterfield erhalten,
und es freuet mich sehr, Ihr Wohlbefinden zu vernehmen. Als ich
Ihnen neulich schrieb, gab ich Ihnen einige Nachricht von dem kläg-
lichen Zustande dieser Provinz: ohne Zweifel erwarten Sie nun von
mir einige Umstände, wie die Sachen hier jetzt stehen. Die Auftritte
der Zerstreuung, Gewalttätigkeit, Aufruhr und Empörung, welche
die letzten zwölf Monate hier vorgefallen, zu schildern, steht nicht in
meinem Vermögen, noch weniger bin ich im Stande, die Schrecknisse
des Krieges zu beschreiben, welche hier seit dem 19ten April ge-
herrscht haben. Das Volk bewaffnete sich im vorigen Jahre, lernte
die Kriegsübungen, legte Magazine an, und sagte immer laut, daß es
für die Freiheit fechten und sterben wollte; aber wenige glaubten,
daß sie fechten würden, ungeachtet ihrer Erklärung, und ich glaube
der General selbst dachte nie, daß sie soweit gehen würden. Aber den
18ten April, da er auf erhaltene Nachricht, daß sie an einem Orte,
Namens Concord, ungefähr 20 englische Meilen von Boston, ihr
Hauptmagazin anlegten, 500 Mann in der Absicht, dieses Magazin zu
zerstören, abschickte, zeigte sichs, daß es ihnen ein Ernst war. Die
Truppen waren kaum über der Fähre, ungefähr eine Meile Weges
weit, als das ganze Land, durch Lösung der Kanonen, Läutung der
Glocken und reitende Postillons in Bewegung gesetzt wurde; dies alles
war schon im voraus so veranstaltet. Die Truppen setzten indessen
ihren Marsch fort: aber noch unterwegs, als der kommandierende Of-

fizier einen Haufen, der auf einer Wiese zunächst am Wege sich zu-
sammengefunden hatte, auseinander gehen hieß, gaben anfänglich
diese, und darauf die Königl. Truppen Feuer, und so fing das Blutvergießen an. Das nicht allzu erheblich befundete Magazin wurde
zwar, indessen daß drei Kompanien eine Brücke, 2 Meilen vom Orte,
damit die Rebellen nicht von dieser Seite kämen, besetzt hielten, zu
Grunde gerichtet, aber ermeldete Kompanien auch bald darauf durch
einen überlegenen Haufen Rebellen von diesem Posten zurück und
zu dem Hauptkorps getrieben, welches nunmehr für gut fand, auf
den Rückzug nach Boston zu denken, der ihnen sauer gemacht wurde.
Sie waren kaum aus der Stadt, als sie ein heftiges Feuer auszuhalten
hatten, indem es von allen Seiten Kugeln auf sie regnete, obwohl sie
keinmal von den Rebellen 6 zugleich beisammen sahen; sie waren
hinter Felsen, Büschen, Bäumen und in allen Häusern, Scheunen und
Ställen verborgen. Ein Adjudant von dem kommandierenden Offizier
kam in die Stadt, die Nachricht zu bringen, daß das ganze Land auf
sei. Der General ließ hierauf 4 Regimenter und 2 Feldschlangen aufbrechen, die um 9 Uhr ausmarschierten, und so wenig sich säumten,
daß sie um 2 Uhr schon auf dem Schlachtfelde, welches 16 Meilen von
Boston war, anlangten. Sie fanden die andern sehr übel dran, auf
allen Seiten in der Enge und fast alle Munition verschossen. Es machte
zwar die angekommene Verstärkung durch ihr groß und klein Gewehr
bald Luft, man entschloß sich aber doch zum Rückmarsch, auf welchem
sie durch eine unzählige, obgedachte Weise versteckte Menge, 16 Meilen weit, sich durchschlagen mußten. Als die Truppen hier ankamen,
war ihre Munition alle, die Mannschaft war so abgemattet, als man
nur erdenken kann, indem sie den ganzen Tag nicht die mindesten
Lebensmittel erhalten hatten. Man hatte zwar bald nach der abge-
gangenen Verstärkung 2 Wagen mit Proviant unter einer Bedeckung
von 14 Mann nachgeschickt, davon aber ward ein Teil getötet, und die
übrigen gefangen genommen, und zu den Truppen gelangte davon
nichts.

Aber das Erstaunen, Entsetzen und die Bestürzung ist unmöglich
zu beschreiben, welche diesen Tag in der Stadt herrschten: alle halbe
Stunden kam eine Nachricht, die Truppen würden alle in Stücke gehauen werden, und fast jeder Einwohner wünschte und betete, daß
dieses geschehen möge. Man erwartete nichts anderes, als, daß das
ganze Land aufstehen und in die Stadt einzudringen versuchen würde,
die damals nicht allzu fest war, und in welcher nur wenige Truppen
sie zu verteidigen liegen. Auch war man nicht ohne Furcht, die Ein-

wohner in derselben, die alle mit Gewehr versehen waren, würden sich aufmachen und die Soldaten mit den wenigen noch darin befindlichen Freunden der Regierung aus dem Wege zu räumen versuchen. Die Nacht verging aber, ohne daß ein Versuch von außen oder ein Ausbruch von innen gemacht wurde. Diese Stadt ist ganz mit Wasser umgeben, bis auf einen schmalen Hals oder Strich Landes. Der Zugang über diesen Weg wurde den andern Tag gesperrt, sodaß niemand erlaubt war, hinaus zu gehen: es wurden Befestigungswerke angefangen, und eiligst Tag und Nacht fortgesetzt, und jetzt sind sie über alle Maßen stark. Die Rebellen zogen über 20000 Mann in wenig Tagen zusammen, und sperren alle Wege und Zugänge vom Lande nach Boston, in der Absicht, uns auszuhungern.

Leipziger Zeitungen

1775—1776

DER KAMPF UM DIE FREIHEIT
Von Lexington bis zur Unabhängigkeitserklärung

Lexington ist die Probe aufs Exempel. Die amerikanischen Idealisten haben sich in der Masse des Volkes nicht geirrt, sie ist bereit, für die Freiheit zu kämpfen. Der erste Schritt vorwärts ist getan, ein Zurück unmöglich! Alles kommt nun darauf an, sich in Bereitschaft für den morgigen Tag zu setzen, an dem weit größere Forderungen an den Opfermut jedes Einzelnen gestellt werden dürften, denn England wird den Schock nicht ungestraft hinnehmen.

Von der kanadischen Seite her droht die erste Gefahr; nur wer im Besitze der Grenzfestungen ist, vermag sie zu bannen. Eine handvoll begeisterter Milizen stürmt Tyconderago und Crown-Point. Ganze 1800 Dollar hatte die Provinzialversammlung von Connecticut dafür bereitgestellt. Die Tollkühnen revanchieren sich mit 120 erbeuteten Kanonen. In Europa wächst der Respekt vor diesen mutigen Männern, während Großbritannien, auf einen solchen Auftakt nicht gefaßt, weitere 10000 Soldaten nach Amerika segeln läßt.

Was vorauszusehen war, trifft übrigens ein: Am 17. Juni müssen die Amerikaner bei Bunkers-Hill erfahren, daß alle Tapferkeit nichts nützt, wenn zum Schluß die Munition ausgeht. Aber noch weitere Mängel stellt der Generalkongreß fest: es fehlt den Kampfwilligen nicht nur an Munition und Waffen, sondern vor allem an einem Oberbefehlshaber, der ihnen bei einem einheitlichen Willen auch Ordnung und Disziplin beibringt. Es ist ein Glück, daß die Wahl des Kongresses, wie wir aus der Zeitung bereits vernehmen konnten, dabei auf George Washington fällt. Das war durchaus nicht so selbstverständlich. Die Generale Gates und Lee, Putnam und Ward, hatten viel ältere Rechte auf diesen Posten. Wenn dennoch Washington gewählt wurde, dann nur, weil die beiden ersteren Engländer von Geburt waren und die beiden letzteren die Provinz Massachusset zur Heimat hatten, also leicht versucht sein konnten Privatinteressen zu hegen. George Washington aber war in Virginien zuhause.

Ein weiteres Glück war es, daß der Kongreß Benjamin Franklin an seine Seite rief. Franklin genießt bereits Weltruf. Er ist zudem ein glänzender Kenner der englischen Verhältnisse und ein unbestechlicher Patriot. Mit 70 Jahren geht er nun daran, seinem Lebenswerk die höchste Weihe zu geben und seinen Namen unsterblich zu machen.

Solche Männer dürfen dem Kongreß in seinen Bestrebungen, Ordnung in das aufgewühlte Chaos des improvisierten Aufbruchs der dreizehn Kolonien zu bringen, wohl Mut einflößen. Es kommt aber noch ein anderer Glücksumstand hinzu: Großbritannien nützt die augenblickliche Verwirrung in den Staaten nicht, es schlägt nicht sofort zu, kann es wohl auch nicht, wie auch der Leser wohl schon aus einigen Berichten festgestellt haben mag: Brüder schießen nicht auf Brüder! Immer deutlicher offenbart sich hier in diesem Streite Englands Achillesferse! Also muß man sich auf der Insel um Soldaten bemühen, die anderen Blutes sind!

Deshalb verhandelt nun das englische Parlament mit einer Anzahl deutscher Fürsten, die, kleinen Sonnenkönigen gleich, immer in Geldverlegenheit sind und daher ihre Söhne für gute englische Pfunde gern verleihen. Sie kommen höchst persönlich nach London um abzuschließen und stören sich auch keineswegs daran, daß ein Lord sie im Parlament als: „die fürstlichen deutschen Schlächter" bezeichnet. Sie werden ein Drittel der gesamten Streitmacht stellen, die Großbritannien nach und nach in die Kolonien schickt.

Aber auch der Streit der Meinungen innerhalb der Glieder der englischen Regierung trägt dazu bei, daß den Kolonisten mehr Zeit als verantwortlich gelassen wird, sich in Verteidigungszustand zu setzen. Premier Lord North hat keinen leichten Stand. Keiner kennt besser als er die von Amerika her drohende Gefahr; keiner sieht schärfer als er, daß Großbritannien vor der schicksalsschwersten Stunde seiner Geschichte steht. Die reichste seiner Kolonien droht abzufallen. Frankreich und Spanien, auch Holland, sie enthüllen immer deutlicher ihr wahres Gesicht und der treffliche Paladin seines Königs kann nur schlecht das schmerzliche Gefühl verbergen, das der Mangel an nationalem Denken bei der Opposition in dieser schweren Stunde in ihm auslöst. Diese Opposition schleudert dem Lord unverblümt die Warnung ins Gesicht, die sich bereits weiteste Kreise im englischen Volke zuraunen: „Das torystische Ministerium bezweckt mit den grausamen Maßregeln gegen die Amerikaner nichts Geringeres, als die Grundlagen der englischen Verfassung umzustoßen und dem britischen Volke seine Privilegien zu nehmen, nachdem man die Rechte der Kolonien mit Füßen getreten hat." Der edle Lord kann auf diese Anklage nur mit Gelassenheit antworten: „Solange ich an dieser Stelle stehe, werde ich mich als Minister in meiner Verantwortung vor dem Parlamente nicht wankend machen lassen." Was ihn besonders schmerzt ist, daß eine plötzlich aufgetretene Flugschrift: „Commune Sense" genannt, die nur ein Machwerk der Amerikaner sein kann und in der die Ziele dieser Untertanen des Königs zum ersten Male freimütig erklärt werden: „Wir können nur zwischen Unterwerfung unter das Joch Englands, oder der durch Waffengewalt zu erringenden Unabhängigkeit wählen", vom englischen Volke mit Begeisterung gelesen wird. Auch Georg III. liest die Schrift und schäumt vor Wut. Er schließt auf Benjamin Franklin als den Verfasser derselben, da sie eine geistreiche Feder verrät. Zwar irrt der König, doch das ändert nichts an der Tatsache, daß er seine Gouverneure anweisen läßt, auch Franklin nächst den anderen beiden „Rädelsführern" John Hancock und Samuel Adams zu verhaften und zur Aburteilung nach England zu schaffen. Noch weiß der König nicht, daß seine Gouverneure in den Kolonien inzwischen selbst zu Verfolgten geworden sind. Als er es erfährt, läßt er den beiden amerikanischen Abgesandten, Richard Penn und Arthur Lee, die sich dem Throne mit einer Ergebenheitsadresse nähern, sagen, daß sie keinerlei Antwort darauf zu erwarten hätten. Aber wenig später antwortet der König doch darauf, indirekt zwar, als er die im Februar vom Parlament bereits beschlossene Rebellenerklärung nun durch Trommelschlag auf Londons Straßen öffentlich verlesen läßt. Jeder Verkehr mit Amerikanern wird von Stund an unter Strafe gestellt.

Noch ehe die Kunde vom endgültigen Riß des Königs zwischen sich und seinen amerikanischen Untertanen in Philadelphia eintrifft, haben die Feindseligkeiten im Lande bereits begonnen. Sie verlaufen in einer Kette von Niederlagen für die Amerikaner, von denen der Fehlschlag auf Quebeck und der Heldentod des Generals Montgommery die schmerzvollste ist. Zwar gelingt es Washington zu Beginn des Jahres 1776 in Boston einzurücken und auf der Insel Providence beträchtliche Mengen an Kriegsmaterial zu erbeuten, doch der tollkühne Arnold hat bei den Cedern und bei Trois-Rivières wenig Glück. Alles läßt erkennen, daß der Weg in die Freiheit ein Weg voller Dornen sein wird.

Ende Juni trifft der englische General Howe in Sandy-Hook ein. Sein Schreiben, das er darüber an die Admiralität in London richtet und das am 13. August in den Londoner Zeitungen veröffentlicht wird, wäre an sich bedeutungslos für unsere Geschichte. Aber es enthält ganz am Schluß einen Satz, der wohl einer der bedeutungsvollsten Sätze in der Weltgeschichte gewesen ist, den hier, wie eine ganz nebensächliche Tatsache, ein englischer General an seine Regierung geschrieben hat: „Verschiedene Personen sind in diesen zwei Tagen nach dieser Insel und an die Schiffe übergekommen, und ich bin unterrichtet, daß der Kontinentalkongreß die vereinigten Kolonien endlich wirklich für freie und unabhängige Staaten erklärt hat."

Lexington bedeutet Krieg

London, 13. Juni 1775

Nach Portsmouth ist Befehl ergangen, ein starkes Geschwader daselbst auszurüsten. Dieses Geschwader, zu welchem auch einige Fregatten und Schaluppen stoßen werden, wird der Admiral Pye kommandieren, und man zweifelt nicht, daß es nach Amerika bestimmt ist.

Der Hof hat auch bereits eine große Menge Waffen von verschiedener Art, und Kriegsbedürfnisse für die Armee unter dem General Gage dahin abgesandt.

Mit einem Worte, alles verkündet einen offenbaren Krieg zwischen Großbritannien und den Amerikanischen Kolonien, und die Schlüsse der Ratsversammlung sowohl, als die genommenen Maßregeln, zeigen deutlich, daß der Hof entschlossen sei, für die Ehre der Krone und die Unterwürfigkeit der Kolonien aus allen Kräften zu streiten.

Dunmores unkluge Reden

London, 16. Juni 1775

In Virginien hat der Gouverneur Dunmore allen Kriegsvorrat, der in dem Magazin zu Williamsburg gewesen ist, auf das dortige Kriegsschiff bringen lassen und gedroht, allen Negern die Freiheit zu schenken.

Dieses hat die Provinzialen so aufgebracht, daß sie sich sehr ausschweifend betragen haben.

Seit dieser Drohung mit den Negern setzte sich der Gouverneur dauernder Verfolgung seitens der Amerikaner aus.

„Sieg der Heiligen"
Lexington im Lichte der Parteien

London, 13. Juni 1775

Ein dissentierender Prediger, wenige Meilen von hiesiger Hauptstadt entfernt, hat am Sonntage für den Sieg, „den die Heiligen über die Truppen des Generals Gage erhalten hatten", eine Dankpredigt gehalten!

Die Relation in der Hofzeitung von den blutigen Vorfällen in Amerika muß in den anderen hiesigen Blättern scharfe Kritik über sich ergehen lassen. Es würde aber unmöglich, auch wohl unnötig sein, alles anzuführen, was über diese Relation geschrieben und gesprochen wird, zumal, da die Parteilichkeit all zu großen Anteil daran nimmt. Nur dieses kann man nicht unangemerkt lassen, daß jedermann sich überzeugt hält, daß die Königlichen Truppen den Kürzeren gezogen haben. Das einzige, was der Hof zu behaupten sucht, ist, daß die Amerikaner die Angreifer gewesen sind.

Alle Freunde der Regierung legen es den Amerikanern teils als Grausamkeit, teils als Zagheit aus, daß sie nur aus Gebüschen und andern Winkeln auf die Königlichen Truppen geschossen haben.

Die Gegenpartei hingegen rühmt öffentlich das Betragen der Provinzialtruppen und besonders ihre Tapferkeit. Sie beruft sich dabei auf die Lobsprüche des Generals Wolfe, welcher im vorigen Kriege in einem Schreiben an das Ministerium sagte: „Ich kann nicht Worte genug finden, den Provinzialtruppen nach ihrem großen Verdienste Gerechtigkeit widerfahren zu lassen. Es ist schwer zu bestimmen, ob ihre Herzhaftigkeit und Standhaftigkeit, oder ihre pflichtschuldige Ergebenheit als Untertanen, am meisten zu rühmen sind."

General Wolfe eroberte 1759 Quebeck in Kanada und fiel in diesem Gefechte.

Gerüchte, nichts als Gerüchte
General Gage gefangen — Boston eingeäschert
Die New Yorker Garnison überrumpelt

London, 13. Juni 1775

Was von einer zweiten Aktion gesprochen wird, bei welcher die Amerikaner 100 Gefangene gemacht hätten, und von einer Unternehmung der Provinzialen auf Boston, das dieselben, nachdem sie

die Stadt von Weibern und Kindern geräumt, selbige in einen Aschenhaufen verwandelt, sind bloße Gerüchte, ebenso, daß sie vorher den
General Gage gezwungen haben sollen, sich mit seinen Leuten zu Gefangenen zu ergeben, sind Vermutungen, aber auch nichts weiter.

Eine Nachricht, daß bei Halifax eine Armee von mehr als 40 000
Mann sich versammelt und verschworen habe, Boston mit stürmender
Hand einzunehmen, verdient noch eine starke Bestätigung.

Gestern Morgen langte ein Felleisen von New York an. Die mitgebrachten Briefe melden, daß die Einwohner von New York die
Waffen ergriffen, sich Meister von der ganzen Besatzung gemacht und
daß die ganzen Amerikanischen Provinzen im Aufstande seien.

Ein anderer Brief meldet, daß das Volk die Regierung des Landes
in seine eigenen Hände genommen und die Truppen genötigt hätte,
an Bord der Schiffe zu gehen, und daß es einen Teil der Soldaten zu
Gefangenen gemacht habe; daß das Zeughaus in den Händen der Aufrührer sei, daß eine Provinzialversammlung errichtet worden, die
das Gouvernement nach dem Willen des großen Amerikanischen Kongresses zu führen angewiesen sei; daß dieser Aufstand durch drohende
Briefe, veranlaßt wäre, die man dort von dem Bostonischen Volke
erhalten habe, und deren Inhalt gewesen sei, daß, wenn die New
Yorker sich nicht mit den Bostoner vereinigten, jene von diesen für
Feinde angesehen werden. Gestern lief auch ein Gerücht, daß General
Gage den Einwohnern der Stadt Boston erlaubt habe, die Stadt zu
verlassen, weil ein Haufe von 15 bis 20 000 Mann Landeseinwohner,
welche die Stadt umgeben hielten, darauf gedrungen hätten; mit dem
Zusatze, die Landeseinwohner hätten dem General Gage bekannt
machen lassen: obgleich es ihnen bei ihrer großen Anzahl ein Leichtes
sei, ihn mit allen seinen Soldaten aufzureiben, so seien sie doch nicht
willens, das Blut derer zu vergießen, die sie bisher als ihre Brüder
betrachteten; im Falle aber der General Gage mit seinen Leuten sich
nicht an Bord der Schiffe begeben würde, so würden sie sich künftig
an all den Folgen unschuldig halten. Es habe sich danach gedachter
General mit seinen Truppen eingeschifft. Ferner hieß es, daß bei dem
Staatssekretär Nachrichten von dem Leutnant, Gouverneur Colden in
New York, eingegangen wären, daß die Einwohner allda, nachdem sie
von dem Vorfalle bei Boston gehört, einen Plan gemacht und auch
ausgeführt haben, sich des dortigen Forts und der Batterien zu bemächtigen; und daß die Besatzung ohne Blutvergießen von ihnen zu
Gefangenen gemacht worden wäre; daß seine, des Gouverneurs Auto-

rität gänzlich am Ende sei, und das Komitee des Volkes alle Dinge nach seinem Sinne betriebe.

Alle diese Nachrichten bedürfen aber noch der Bestätigung, ehe man sie auf Treu und Glauben annehmen kann.

Tatsache war, daß man sich, aus Furcht vor einem Angriff von See her, der Waffen in New York versicherte und daß man Frauen und Kinder aus der Stadt entfernte. Es war auch beschlossen, New York in Flammen aufgehen zu lassen, falls es Gefahr liefe vom Feinde genommen zu werden. Von einer Gefangennahme Gages und seiner Truppen konnte jedoch nicht die Rede sein. Die belagernden Kolonisten hatten weder genügend Waffen noch Munition, um einen solchen Plan auszuführen.

Amerikas Freiheitsruf an die Welt
„Niemals hat der Schöpfer Regierungen dazu eingesetzt, daß sie ihre Untertanen versklaven sollen"

London, 27. Juni 1775

Noch den 24. traf wieder ein Offizier mit Depeschen von dem General Gage ein. Alle Nachrichten aus den Kolonien bestätigen immer mehr und mehr ihre Entschlossenheit, den großen Zwist zwischen ihnen und Großbritannien durch Waffen abzumachen, und die ernstlichen Anstalten, die sie in dieser Absicht vorkehren. Die ersten Schritte des am 10. Mai zu Philadelphia eröffneten General-Kongresses sind dahin gegangen, eine Provinzial-Armee aufzustellen, und Papiergeld zu ihrem Unterhalt in Umlauf zu bringen. Dieser Kongreß stand beim Abgehen der letzten Nachrichten im Begriff, die Zirkularschreiben an die südlichen Kolonien abzusenden, 20 Regimenter Kavallerie, jedes zu 500 Mann, aufzurichten, weil in diesen Kolonien ein großer Überfluß an Pferden ist. Dagegen sollen die nördlichen Kolonien ihre Kontingente an Infanterie, nach Maßgabe ihrer Größe und ihres Vermögens liefern. Zur Besoldung dieser Armee ist die Summe von 500 000 Pfund Sterling von dem General-Kongreß auf das bündigste versichert worden.

Nach diesen Anstalten soll noch ein Manifest erlassen werden, um der Welt die Gründe vor Augen zu legen, welche die Amerikaner bewogen haben, die Waffen zu ergreifen und um gleichzeitig die Europäischen Seemächte einzuladen, die Handlung mit den Kolonien aufzunehmen, sie unter ihren Schutz zu stellen und sich diejenigen Vorteile zu sichern, die bisher die Einwohner von Großbritannien hatten.

„Wenn es Menschen, die irgend Gebrauch von ihrer Vernunft machen, möglich wäre zu glauben, daß der göttliche Urheber unseres Daseins einen Teil unseres Geschlechts dazu bestimmt habe, den anderen zu seinem uneingeschränkten Eigentum zu machen und über ihn, kraft einer gesetzmäßigen Regierung, eine grenzenlose Gewalt auszuüben, der man nicht Widerstand leisten darf, dann würden die Einwohner der Kolonien dahin gebracht werden, von dem Parlamente zu verlangen, ihnen zu zeigen, daß es mit dieser schrecklichen Macht über sie bekleidet sei. Aber sowohl die Ehrerbietung vor unserem großen Schöpfer, als auch die Grundsätze der allgemeinen Menschheit und des gesunden Menschenverstandes müssen alle diejenigen, die an die Vernunft glauben, überzeugen, daß eine Herrschaft nur dazu eingesetzt ist, die Wohlfahrt der Menschen zu fördern und nur zur Erreichung dieses Endzweckes verwaltet werden darf."

Nach diesem stolzen Anfang sagt die Deklaration weiter: daß das Englische Parlament nicht allein gegen diese Grundsätze, sondern auch gegen die Englische Konstitution in Absicht der Kolonien verstoße. Ihre Vorfahren hätten mit Aufopferung ihres Blutes und Lebens in den Wüsten von Amerika ihre Heimstatt gegründet, die jetzt bis zum Erstaunen blühend geworden sind. Ihrem Beistand hätten die Engländer den guten Erfolg des letzten Krieges zu danken, bis es Sr. Majestät gefallen habe, Dero Konseil zu verändern. Von diesem Zeitpunkte an, der sich durch den Verfall des Großbritannischen Glücks auszeichnete, hätte man angefangen, sie zu drücken, und weder die strenge Beobachtung ihrer Pflichten, deren sie sich von Anfang ihrer Kolonisation an rühmen könnten, noch ihre geleisteten Dienste, hätten sie retten können. Dieses suchen sie nun durch abermalige Aufzählung ihrer Beschwerden und der vergeblichen Bemühungen, dieselben zu beheben, zu beweisen. Hier werden abermals alle gegen sie ergangenen Akten, die vielen vergeblichen Adressen, die sie überreicht, die ebenso vergeblichen Bemühungen ihrer Freunde im Parlament und der Stadt London, die Besetzung und Sperrung der Stadt Boston, und endlich der Angriff auf die Amerikaner bei Lexington erwähnt. Auch die Klage wird wiederholt, daß der General Gage den Einwohnern zu Boston versprochen hatte, sie aus der Stadt zu lassen, wenn sie ihm ihre Waffen auslieferten und nachdem sie es getan, ihnen sein Wort gebrochen und sie zurückbehalten hätte. Sie gedenken der Proklamation des Generals Gage, der Affäre bei Bunkers-

Hill, der Bewaffnung der Kanadier durch den Gouverneur Carlton und machen daraus den Schluß, daß ihnen nur die Wahl unter einer gänzlichen Unterwerfung oder der Gegenwehr mit den Waffen in der Hand übrig geblieben sei:

„Unsere Sache ist gerecht (heißt es weiter), unsere Einigkeit vollkommen. Wir haben hinlänglich Hülfsmittel im Innern und sollte es nötig sein, so wird uns auch von auswärts Hilfe nicht versagt sein."

Am Schluß beteuern sie abermals, daß sie nicht die Absicht hätten, sich von Großbritannien zu trennen und sich unabhängig zu machen, sondern allein ihre Freiheit und Rechte zu verteidigen.

Die Erklärung ist unterzeichnet: John Hancock, Präsident und gegengezeichnet: Charles Thomas Thomson, Sekretär. Philadelphia 6. Juli 1775.

Dieses Manifest, es traf in London am 18. August 1775 ein, wurde in den Kolonien überallhin verschickt, von allen Kanzeln und vor allen Truppen verlesen.

Interessant ist, daß die Amerikaner darin noch behaupten, nicht die Absicht zu haben, sich von Großbritannien zu trennen. In der Tat war diese Absicht bei Beginn der Streitigkeiten auch nicht vorgesehen, sie wuchs aber mit dem Steigen der Not und der glücklichen Entdeckung, mit ihr auch ohne Englands Vormundschaft fertig werden zu können.

Amerika wird den Krieg verlieren
Behauptet die englische Regierung

London, 12. Juni 1775

So widrig auch die Nachrichten für Großbritannien lauten, so überzeugt scheint jedoch unser Ministerium zu sein, daß die Kolonien sich niemals einen glücklichen Ausgang des Krieges versprechen können; indem sie weder feste Städte, noch eine regulierte und wohldisziplinierte Armee; weder eine hinlängliche Seemacht um ihre Meere und Flüsse zu bedecken, noch auch genügend Geld und Kredit haben, um den Krieg auf eine längere Dauer führen zu können. Denn man weiß, daß jetzt der Ausschlag eines Krieges weit mehr vom längeren Beutel als von dem längeren Schwerte abhängt.

Die Kolonien haben nicht eine einzige Stadt mit Wällen, nicht ein einziges gut einexerziertes Regiment, nicht ein Kriegsschiff, ja, keinen Fond, auf welchen Kapitalisten nur einen monatlichen Vorschuß tun können. Hingegen hat die Krone Großbritanniens eine alteingeübte Seemacht, welche im letzten Kriege alle Meere der 4 Weltteile beherrschte und keinen Feind mehr fand. Die jährlichen Einkünfte der Kolonien belaufen sich nicht über 75 000 Pfund Sterling, dagegen die Krone im letzten Kriege imstande war, 17 Millionen in einem Jahre aufzubringen.

Alle amerikanischen Städte sind so nahe an tiefen Wassern erbaut, daß sie von Schiffen und Böten nicht nur mit Kanonen, sondern auch mit Pistolenschüssen erreicht werden könnten. Die Landhäuser und Güter liegen gemeiniglich an tiefen Flüssen. Die Küsten können auf den breiten Eingängen von Meerbusen und Mündungen sehr leicht bestrichen werden. In einem einzigen, vielleicht nur halben Sommer, könnten, wenn man wollte, in einem 2000 Meilen großen Strich Landes, welches mit allen Schönheiten der Kunst und Natur bereichert ist, alle Städte, nicht eine ausgenommen, durch unsere Kriegsschiffe in Aschenhaufen verwandelt werden. Alle Landhäuser und Güter können durch geschwinden Lauf der Schaluppen und Boote verheert und geplündert werden. Alsdann würden die so verwegenen Anstifter der Kolonisten zuerst davonlaufen, denn der tapfere Mann ist bescheiden, der unruhige, lärmende hingegen allezeit furchtsam.

Welch Ruhmesblatt flicht England ahnungslos schon vor Beginn der eigentlichen Kampfhandlungen in den Siegeskranz seines so gänzlich kriegsuntüchtigen Gegners! Im übrigen ist der letzte Absatz des Artikels eine wortwörtlich vorweggenommene Schilderung der Verheerungen verschiedener amerikanischer Fuß- und Küstenstädte, wie sie wenige Monate später schon in der Zeitung geschildert werden.

John Hancock und Samuel Adams vogelfrei
Allen übrigen Amerikanern bietet Gage Pardon an

London, 18. Juli 1775

Von Boston hat man einen unterm 12. Juni von dem General Gage erlassenen General-Pardon für die Amerikaner erhalten, welcher aber zugleich für diejenigen, die in den Waffen bleiben, die größte Schärfe androht. Man glaubt daher, daß er die Provinzialen ohne Verzug angreifen wird. Aus diesem Pardon sieht man nicht, daß sich unsere Regierung in einer so großen Verlegenheit befindet, wie die Anhänger der unruhigen Kolonisten uns weißmachen wollen.

Das Manifest lautet:

„Da der große Haufe sich schon lange von bekannten Verführern zu einer abscheulichen Reihe von Verbrechen gegen die rechtmäßige Gewalt hat verleiten lassen, welche nunmehr in einem offenbaren

Aufruhr ausgeartet sind und wodurch die guten Wirkungen, welche man von der Geduld und Gelindigkeit der Königlichen Regierung erwarten konnte, so oft vereitelt wurden, so bleibt denjenigen, welchen die höchste Gewalt anvertraut ist, nun fast nichts mehr übrig, als zu zeigen, daß sie das Schwert der Gerechtigkeit, sowohl zur Bestrafung der Schuldigen, als zum Schutz der Gutgesinnten nicht umsonst führen.

Die Eingriffe, welche man in die geheiligten Rechte der Großbritannischen Nation und Regierung getan hat, sind unzählbar und gar keiner Entschuldigung fähig. Alle unparteiischen Beobachter der letzten Begebenheiten dieser und der benachbarten Provinzen werden auch bei der flüchtigsten Untersuchung Merkmale einer wissentlichen und vorsetzlichen Empörung antreffen, welche die schärfsten Züchtigungen verdienen. Und selbst diejenigen, die nicht genau von allen Sachen unterrichtet sind, können aus den listigen Bemühungen, womit man ihren wahren Zustand zu verbergen, oder von der unrechten Seite vorzustellen gesucht hat, keinen anderen Schluß ziehen. Die Urheber dieser unnatürlichen Empörung können ihr Verfahren weder dem Urteil eines unparteiischen Publikums, noch selbst der kalten Überlegung ihrer eigenen Anhänger unterwerfen, sondern setzen ihr ganzes Vertrauen bloß auf die Unterdrückung der Wahrheit. Man hat die schändlichsten Bemühungen angewendet, den Amerikanern die Augen für ihr eigenes Bestes zu verschließen, man hat ihre Leichtgläubigkeit durch die abgeschmacktesten Lügen und Verleumdungen zu hintergehen gesucht. Man hat sich der edlen Presse-Freiheit zur Ausführung der unedelsten Absichten bedient und jene geistvolle Sprache der alten tugendhafteren Zeiten gemißbraucht, um die Wohlfahrt und Vorrechte des menschlichen Geschlechts, zu deren Unterstützung sie ehedem gebraucht wurde, zu untergraben. Nicht allein in verführerischen Schriften, sondern auch in öffentlichen Reden, hat man das Volk gelehrt, die Sicherheit seines Lebens und seiner Güter in der Verwirrung zu suchen, welche man sich zuletzt nicht gescheut hat, sogar im Namen Gottes von den Kanzeln herab anzupreisen.

Diese nach und nach in den Gemütern erregte Erbitterung hat dann endlich den traurigen Vorfall am 19. April zwischen dieser Nation und den Königlichen Truppen verursacht, welch letztere dieses Gefecht gern vermieden hätten, und sich nur verteidigungsweise dabei verhielten. Seit dieser Zeit haben die stolz gewordenen Rebellen Beleidigungen auf Beleidigungen gehäuft; oftmals aus grobem und kleinem Gewehr auf die Königlichen Truppen Feuer gegeben; der Stadt Boston allen Proviant abgeschnitten, und unsinniger Weise die Armee eingeschlossen, da unterdessen ein Teil ihrer eigenen Leute täglich, ohne Unterschied, ihr Privateigentum angreifen und mit der mutwilligsten Grausamkeit, wohin sie sich auch wenden, Elend und Verwüstung anrichten. Ihr offenbar schändliches Betragen am 19. April leidet gar keine Entschuldigung und die Ruinen von abgebrannten Gebäuden und anderen Gütern, legen das traurigste Zeugnis ab.

Bei dieser Verwickelung unglücklicher Umstände erfordert meine Schuldigkeit, noch den letzten Versuch zu machen, den ferneren Übeln vorzubeugen. Ich kündige also im Namen des Königs allen denjenigen Seiner Majestät gnädigsten Pardon an, die von nun an die Waffen niederlegen und als getreue Untertanen zu ihrer Schuldigkeit zurückkehren wollen,

Von diesem Pardon sind ausgenommen:

Samuel Adams und John Hancock

deren Verbrechen zu abscheulich sind, um einer gerechten Strafe entgehen zu können.

Und damit niemand in der Folge sich mit Unwissenheit entschuldigen könne, so erkläre ich hiermit öffentlich alle diejenigen, wes Standes und Namens sie auch sein mögen, die bisher gegen die Königlichen Truppen die Waffen geführt und selbige vorbesagtermaßen nicht niederlegen werden, oder die noch künftig die Waffen ergreifen, oder anderen in dieser Absicht mit Kriegs- und Vorrat-Unterstützung behilflich sind und in heimliche Unterhandlung mit den Rebellen treten; für Rebellen und Verräter und werde ihnen als solchen begegnen. Da außerdem, solange diese Empörung andauert, die Gerechtigkeit nicht nach den gemeinen bürgerlichen Gesetzen gehandhabt werden kann, die schon seit langer Zeit unwirksam sind, so muß man sich aus Not des Kriegsrechtes bedienen. Somit habe ich laut der mir erteilten Vollmacht für gut befunden, den Gebrauch und die Exerzierung der Kriegsgesetze in der ganzen Provinz einzuführen, solange dies die gegenwärtige traurige Notwendigkeit verlangt. Wonach sich ein jeder, den dies angeht, zu richten, wie auch dafür zu sorgen hat, daß Ruhe und Ordnung unter den friedsamen Einwohnern dieser Provinz herrscht und die oben genannten Rebellen und Verräter zur gebührenden Strafe gezogen werden.

Diesen unvermeidlichen, aber, wie ich hoffe, heilsamen Verordnungen füge ich mit sehr viel Vergnügen die Versicherung des Schutzes und der Unterstützung für alle diejenigen hinzu, welche in einem so entscheidenden Zeitpunkte ihre Treue gegen ihren König an den Tag legen. Es können diejenigen Personen, die während dieser Unruhen

etwa aus ihren Wohnsitzen weggeschreckt sind, sicher zu ihren Berufs-
geschäften zurückkehren und von den Widersachern der Konstitution
sich abgesondert halten, bis Gott nach seiner Barmherzigkeit seinen
Geschöpfen in diesem unglücklichen Lande das System der Glückseligkeit und eine in den Gesetzen gegründete Freiheit wiedergeben wird.

Ein Sturm der Entrüstung war die Antwort. Überall wurden die Plakate
mit diesem Aufruf abgerissen und auf öffentlichem Markte verbrannt. Hancock und Adams aber wurde vom Kongreß angeraten, sich vor den Häschern
zu hüten.

Niederlage bei Bunkers-Hill
Die Engländer greifen mit verstärkten Kräften an

London, 28. Juli 1775

Es ist außer allem Zweifel, daß am 17. Juni eine hitzige Aktion
zwischen den Königlichen Truppen und den Amerikanern unweit
Boston vorgefallen ist, indem der Hof selbst einen von dem General
Gage an den Staatssekretär, Grafen Darmouth, den 25. Juni zu Boston
geschriebenen Brief hat bekannt machen lassen. Der Inhalt desselben
geht kurz dahin: „Am 17. Juni in der Frühe hatten die Rebellen auf
den Höhen der Halbinsel Charles-Town eine Batterie gegen die Stadt
Boston errichtet, und fingen auch bald darauf an zu schießen. Um
nun die Rebellen zu delogieren, wurden 10 Kompanien von dem Grenadier-Korps, 10 von der leichten Infanterie, mit dem 5., 38., 43. und
52. Bataillon, nebst einer hinlänglichen Anzahl Kanonen unter des
Generals Howe und Pigots Befehlen gegen sie beordert. Diese Truppen wurden ohne Widerstand auf erwähnten Halbinsel ausgesetzt, indem das Feuer der Kriegsschiffe die Rebellen nötigte, hinter ihren
Verschanzungen zu bleiben. Die leichte Infanterie formierte den rechten, die Grenadiere aber den linken Flügel. Die Rebellen waren sehr
zahlreich und vorteilhaft postiert. Die Kommandanten der Königlichen Truppen verlangten deshalb noch eine Verstärkung, welche sie
auch erhielten, so daß sie nun ein Korps von 2000 Mann beisammen
hatten. Die Königlichen Truppen avanzierten ganz langsam und die
Atacke fing mit einer heftigen Kanonade an. Die leichte Infanterie
hatte Order, die linke Seite der Retranchements zu forcieren, die Grenadiere aber sollten die Front angreifen. Diese Befehle wurden von
ihnen mit einer außerordentlichen Standhaftigkeit ausgeführt, obgleich die Soldaten eines der heftigsten Feuer der Rebellen auszuhalten hatten. Die Rebellen wurden gezwungen, ihre Verschanzungen

und endlich die Halbinsel zu verlassen, wobei sie 5 Kanonen verloren. Der Verlust der Rebellen muß sehr beträchtlich sein. Er kann aber nicht angegeben werden; denn sie haben ihre meisten Toten und Verwundeten mit fortgeschleppt. Der General Howe gibt den Amerikanern das Lob, daß er noch nie Soldaten mit größerer Bravour habe streiten sehen.

Der Bericht gibt den englischen Verlust mit 1045 Mann an.

London, 2. August 1775

Aus der Relation der Provinzialen von der Aktion bei Charlestown vom 17. Juni, die in der New Yorker Gazette unterm 26. bekannt gemacht worden ist, wird folgendes bemerkt: Die Truppen des General Howe sollen bei dieser Aktion 3000 Mann stark gewesen sein. Kapitän Nolton, der den linken Flügel der Provinzialen kommandierte, hatte Befehl erteilt, nicht eher Feuer zu geben als bis der Feind sich auf 45 Fuß genähert und bis man Feuer! gerufen hätte. Hierdurch ist auch eine große Niederlage unter den Feinden verursacht worden. Als das Gefecht 2 Stunden gewährt hatte, wurden die englischen Truppen auf ihrem rechten Flügel in Unordnung und zum Weichen gebracht. Die Provinzialen, die sie verfolgten, waren im Begriff, sie mit aufgepflanztem Bajonett anzugreifen, als von dem General Pomeroy Befehl kam, daß sie zurückgezogen und durch frische Truppen ausgewechselt werden sollten, weil sie bereits 2 Stunden im Feuer gestanden hatten. Dies ward zu Unrecht als ein Befehl zum Retirieren verstanden worden. Dies geschah auch und darauf war der linke Flügel, obgleich auch dort der Feind zu weichen begann, um nicht zwischen 2 Feuer zu kommen, genötigt, sich zurückzuziehen. Solches geschah mit Eilfertigkeit und auf diesem Rückzuge erlitten die Provinzialen viel durch das Feuer der feindlichen Schiffe. Dem ungeachtet wurde das Gefecht, nachdem die Provinzialen zu Winterhill durch den General Putnam wieder waren verstärkt worden, herzhaft erneuert, und die Engländer wurden bis Bunkers-Hill unter das Geschütz ihrer Schiffe zurückgetrieben; worauf die Provinzialen sich wieder nach Winterhill zogen und sich dort verschanzten.

Der Verlust der Schlacht durch die Amerikaner wurde hervorgerufen durch den Mangel an Munition und durch den Umstand, daß General Clinton dem bedrängten Howe aus Boston zu Hilfe eilte. In dem Kampfe verloren die Amerikaner den tüchtigen Staatsmann und Kämpfer Doktor Warren. — Howe nützte seinen Sieg nicht aus, Washington konnte sich sammeln.

London, 2. August 1775

Zu den mancherlei oft seltsamen Nachrichten, welche man hier von dem Zustande der Sachen in Boston erzählt, gehören auch folgende:

General Putnam, welcher im Lager der Amerikaner das Kommando hat, soll wenige Tage nach dem 17. Juni dem General Gage eine Botschaft geschickt haben, des Inhalts, Gage solle Boston räumen und mit seinen Truppen zu Schiffe gehen, widrigenfalls die Stadt mit 30 000 Mann belagert und in einem solchen Falle keinem seiner Leute Pardon gewährt werden.

Heute wird aufs neue versichert, es sei zwischen den Truppen des General Gage und den Provinzialen ein allgemeines Treffen vorgefallen. Die Kriegsschaluppe „The Wasp", welche gestern Abend von Boston ankam, soll diese Nachricht mitgebracht haben, wovon man die näheren Umstände jedoch nicht erfahren konnte. Es werden verschiedene Wetten angestellt, daß Boston in Asche läge. Ein Brief von Albany meldet, daß man bei Boston ein heftiges kanonieren gehört habe.

Gar nichts war hiervon wahr, wie sich bald herausstellte. — Die Zeitungen waren in dieser Zeit, bei der Leidenschaft, mit der auf beiden Seiten gekämpft wurde, voll von derart unkontrollierbaren Meldungen und ein Zeitungsredakteur hatte es schwer, das Wahre vom Unwahren zu scheiden.

Deutsche an die Front
England verhandelt mit deutschen Fürsten

London, 3. August 1775

Es ist nun gewiß, daß unser Hof mit einem deutschen Fürsten einen Subsidien-Vertrag geschlossen hat, vermöge dessen dieser Fürst 10 000 Mann nach Boston schicken soll. Diese fremden Truppen werden von einem wegen seines Wohlverhaltens in den letzten Kriegen wohlbekannten General von ihrer eigenen Nation kommandiert.

Der erste Transport der von dem Obersten Scheiter, der mit der Werbung von Truppen in Deutschland beauftragt ist, ungefähr 300 Mann, sind unter dem Hauptmann von Grothaus nach Dover eingeschifft worden.

Es handelt sich hier um die ersten Verhandlungen und Werbungen. Wir werden noch sehen, daß diese Werbungen bald größeren Umfang annehmen.

Noch einmal bittet der Kongreß

Richard Penn und Arthur Lee mit einer neuen Bittschrift in London
Antwort wird nicht gegeben

London, 15. August 1775

Man spricht jetzt mit gutem Grunde von einer nahen Aussöhnung mit den Kolonien. Der General-Kongreß zu Philadelphia hat auf eine ehrerbietige Weise neue Vorschläge dazu getan und es sollen dieselben morgen in einer großen Ratsversammlung erwogen werden. Zum voraus will man versichert sein, daß diese Vorschläge bei den meisten Mitgliedern des Rates Beifall finden werden.

Gewiß ist, daß der Schade, welcher aus den bisherigen unglücklichen Zwistigkeiten sowohl für England selbst, als für die Kolonien entsteht, täglich merklicher wird, und es ist zu hoffen, daß die Beherzigung hiervon wirksam sein werde.

'Es ist ferner gewiß, daß Gouverneur Penn, einer der Eigentümer der Kolonie Pensylvanien, ein Quäker von dem größten Ansehen, aus Philadelphia angekommen ist. Er hat die Fahrt von da nach Bristol in 32 Tagen getan, und wie man glaubwürdig vernimmt, so hat er eine Bittschrift des General-Kongresses an den König, nebst einigen näheren Bedingungen zum Vergleiche mitgebracht, damit dem weiteren Blutvergießen vorgebeugt werden möge.

Es war nicht der Gouverneur Penn, sondern dessen Bruder.

London, 18. August 1775

Die vornehmsten Minister haben die vorgedachte Bittschrift in Erwägung gezogen, und heißt es auch, sie hätten die vorgeschlagenen Vergleichsbedingungen der Amerikaner nicht allerdings verwerflich gefunden. Gleichwohl werden hier die Rüstungen immer fortgesetzt und die Vereinigten Kolonien bleiben, auch wenn sie Neigung zum Frieden bezeugen, immer bei ihren Grundsätzen.

Die Amerikaner haben sich mit einer Adresse auch an das englische Volk gewandt. Aus dieser Schrift sieht man gleichfalls noch nicht die mindeste Neigung, sich nach den Absichten des Ministeriums bequemen zu wollen.

London, 30. August 1775

Die Gerüchte von den Entschlüssen der letzten Ratsversammlung sind noch verschieden. Einige sagen, es wäre dem General Gage Befehl zugesendet, mit den Feindseligkeiten so lange inne zu halten, bis man sehen würde, ob die Bedingungen des Kongresses mit der Ehre der Krone bestehen, und angenommen werden könnten; dann aber auch die äußerste Gewalt zu gebrauchen. Nach anderen zuverlässigen Nachrichten aber ist in dem am 25. gehaltenen Rate beschlossen worden, dem General-Kongreß, dessen Rechtmäßigkeit man nicht anerkennen will, gar nicht zu antworten.

Die letzte Nachricht sollte sich bewahrheiten. Die Bittschrift konnte zu keiner ungelegeneren Zeit in die Hände des Königs kommen. Bunkers-Hill hatten seinen längst gefaßten Entschluß nur noch verstärkt; er wollte kein Paktieren mehr mit den aufsässigen Kolonisten.

Georg III.:
„Alle Amerikaner sind Rebellen!"

London, 29. August 1775

Es war heute Mittag um 12 Uhr, da die Königliche Proklamation, durch welche die widerspenstigen Amerikaner für Rebellen erklärt worden, an der Börsen-Türe abgelesen wurde. Bei dieser Gelegenheit war eine außerordentliche Menge Volks versammelt; doch ist, soviel man noch weiß, keine Ausschweifung dabei vorgefallen. Die Ablesung hätte schon eher geschehen sollen, allein der Lord Mayor Wilkes, der diese Bekanntmachung vermöge seines Amtes zu besorgen hatte, war nicht in der Stadt.

Der Antrag auf die Rebellenerklärung war, wie wir bereits wissen, schon am 3. Februar 1775 von Lord North gestellt worden. Nun hatte der König sie offenkundig werden lassen. Er wurde hierzu durch die Machenschaften im Lande getrieben, die nichts anderes im Schilde hatten, als für sich die gleichen Rechte vom König zu verlangen, die die Amerikaner zum Anlaß ihrer Streitigkeiten gemacht hatten. Der König forderte in seiner Proklamation von jedermann die Denunzierung und Aburteilung dieser Umstürzler im Lande und stellte jedwede Verbindung mit den Amerikanern unter Strafe. — Man kann sich denken, wie sauer es dem Republikaner Wilkes wurde, der noch wenig vorher einen Kniefall vor dem König im Interesse der Amerikaner getan hatte, diese Proklamation gegen seine Freunde vor der Börsentüre ablesen zu müssen.

Wollten die Freeholder den König entführen?
Kritik an der Regierungspolitik— Der König in Gefahr
Stephan Sayre im Tower

London, 26. September 1775

Die gestern gehaltene Versammlung der Freeholder von Middleser ist so abgelaufen, wie man es voraus sah, nämlich sehr stürmisch und ungestüm. Der Sheriff Plomer wurde zum Präsidenten gewählt, und eröffnete die Versammlung mit einer Rede, worin er die Mitglieder zur Ordnung, Mäßigkeit und Redlichkeit ermahnte und sie zugleich aufmunterte, bei aller Treue gegen ihren König, nicht zu vergessen, daß sie Engländer seien und Freunde ihres Vaterlandes.

Hierauf nahm Herr Maskall das Wort. Er zeigte zuerst, wie sehr die Grafschaft Middleser in ihrer Wahlgerechtigkeit von dem vorigen Parlamente und von dem jetzigen beeinträchtigt sei. Aber, setzte er hinzu, die Beschwerden, die das ganze Britische Reich drücken, sind von der schrecklichsten Beschaffenheit, und schreien laut zum Himmel um Abänderung. Hierauf führte er an, wie man in Amerika die katholische Religions-Übung eingeführt, die Gerichte der Geschworenen geschmälert, und andere offenbare Eingriffe in die Konstitution getan habe, und schloß endlich mit der Proposition, daß die beiden Repräsentanten der Grafschaft in dem Parlament, der Lordmayor Wilkes und Herr Glynn mit besonderen Instruktionen in Absicht der Amerikanischen Angelegenheiten versehen werden müßten.

Gegen diese Proposition sprach der Richter Pell, Herr Keling und Herr Stapels, ein Seifensieder, welcher letztere hinzu tat, daß es doch jedermann bekannt sei, daß in Amerika eine Rebellion sei. Aber der größte Teil der Versammlung schrie, es sei jedermann bekannt, daß das eine Lüge sei.

In den folgenden eigentlichen Instruktionen wird den Repräsentanten anempfohlen nicht zuzugeben, daß fremde Truppen in Dienst genommen werden, es sei denn, daß irgend ein Versuch gegen Sr. Majestät Person oder Familie durch Torries und Jacobiten gemacht würde, zu verhindern, daß das Blut der unschuldigen Untertanen in Amerika weiterhin vergossen werde und dahin zu wirken daß der dortige unnatürliche und verwüstende Krieg ein baldiges Ende nehme und endlich den Londoner Repräsentanten auf das eifrigste beizustehen, einen jeden Vorschlag, der dazu diente, die Konstitution über den Haufen zu werfen, zurück zu treiben.

London, 24. Oktober 1775

Heute ist die Stadt in großer Bewegung wegen des vormaligen Sheriffs Stephan Sayre, welcher nach dem Tower gebracht wurde. Die Nachrichten von diesem Vorfall sind sehr verschieden. Einige behaupten, daß er mit den Amerikanern einen unerlaubten Briefwechsel unterhalten, und daß verschiedene Briefe von ihm aufgefangen worden.

Andere versichern, daß die vornehmsten Glieder der sogenannten, patriotischen Partei eine allgemeine Verbindung im ganzen Königreiche zu errichten gesucht, und man beschuldigt dieselbe verräterischer Absichten. Es wird für gewiß behauptet, Sayre habe den Adjutanten von des Königs Garde, welcher die Escorte Sr. Majestät am nächsten Donnerstage kommandieren sollte, auf seine Seite zu bringen, und ihn durch Bestechung zu bewegen gesucht, den König zu verlassen und die Mannschaft wegzuschicken, weil man die Absicht gehabt haben soll, sich der Person des Königs zu bemächtigen, den Tower zu besetzen und eine andere Regierung in diesem Königreiche einzuführen.

Diesen Nachrichten zufolge soll der Adjutant dem Staatssekretär Nachricht davon erteilt haben, welcher auch nach dem Herrn Sayre ausgeschickt, und ihn nach einem langen Verhör in den Tower setzen lassen. Man behauptet, daß noch viele vom Adel in den Tower gebracht werden. Es läßt sich noch nicht mutmaßen, wie die Sache enden wird. Doch kann man nicht umhin, zu bemerken, daß seit verschiedenen Tagen die öffentlichen Blätter einige Artikel enthalten haben, welche sich hierauf zu beziehen scheinen, nämlich, daß am künftigen Donnerstag das Volk notwendig den König nach dem Oberhause begleiten, und alsdann entweder seinen Beifall oder sein Mißfallen an den Maßregeln der Regierung an den Tag legen werde. Der Himmel weiß, wann diese Unruhen ein Ende nehmen werden. Nach allen Seehäfen ist Befehl ergangen, niemanden an das Land kommen zu lassen. Heute werden Wetten abgeschlossen, daß Sayre gehangen werde. Auch behauptet man, der Lordmayor, verschiedene Aldermänner und viele vom Adel würden vor Verlauf dreier Tage ihm im Tower Gesellschaft leisten.

Sayre ist einer der reichsten und angesehensten Freeholder in Middleser, aber auch seit langer Zeit der bitterste und unversöhnlichste Feind des Hofes.

Freeholders = das waren Besitzer zinsfreier Güter. Sie hatten das Recht, Abgeordnete für das Parlament zu wählen.

Die Verhaftung Sayres erfolgte wegen Hochverrats. Ein Bericht vom 27. Oktober sagt u. a.: „Als das letzte Paketboot nach Amerika gegangen war, sandte das Ministerium, da es kaum aus dem Hafen war, ein Avisboot nach und ließ das Felleisen zurückfordern. Die in diesem enthaltenen Briefe wurden unverzüglich dem Staatssekretär übergeben, der auch richtig einige Briefe von Sayre an Amerikaner fand, die dann seine Verhaftung herbeiführten.

An bewußtem Donnerstag, dem 26. Oktober, war der König im Parlament. Es war ein riesiges Aufgebot von Polizei und Militär auf den Straßen, um den König zu schützen. Der König sprach im Parlament ausschließlich über die amerikanischen Angelegenheiten. Er sagte u. a.:

„Der rebellische nunmehr erregte Krieg ist allgemeiner geworden, und wird offenbar in der Absicht geführt, ein unabhängiges Reich zu errichten. Ich habe nicht nötig, mich bei den verderblichen Wirkungen von dem Erfolge eines solchen Planes aufzuhalten. Der Gegenstand ist zu wichtig, der Geist der englischen Nation zu groß, und die Hilfsmittel, womit Gott sie gesegnet hat, zu zahlreich, als daß sie so viele Kolonien aufgeben sollte, welche sie mit großem Fleiß errichtet, mit großer Zärtlichkeit genährt, mit mancherlei Handlungsvorteilen aufgemuntert, und mit Aufopferung von Gut und Blut beschützt und verteidigt hat."

Die „Restraining"-Akte

Jeder Verkehr nach Amerika verboten — Amerikanisches Gut fortan gute Prise — Jeder, der auf einem aufgebrachten amerikanischen Schiffe gefaßt wird, muß auf englischen Schiffen dienen

London, 21. November 1775

Gestern schlug Lord North dem Unterhause eine Bill vor, um alle Handlung mit den Kolonien so lange zu verbieten, als die Rebellion in denselben dauern wird. Er zeigte in einer langen Rede die Notwendigkeit, mit den Kolonien während ihrer Rebellion zu brechen. Die Freunde der Amerikaner widersetzten sich dieser Bill. Lord Norths Antrag aber wurde mit 192 Stimmen gegen 64 genehmigt.

London, 1. Dezember 1775

Lord North hat befohlen, ein genaues Verzeichnis von allen im Londoner Hafen liegenden Schiffe zu machen, welche den Vereinigten Amerikanischen Kolonien gehören. Man vermutet, es werde ein Befehl gegeben werden, sich derselben sämtlich zu bemächtigen.

London, 2. Dezember 1775

Da die Kriegsschiffe wirklich schon verschiedene aus den dortigen Häfen ausgelaufene Kauffahrteischiffe weggenommen haben, so legt die Opposition hier dieses so aus, daß sie die von dem Lord North in Vorschlag gebrachte Akte antizipierten, und sie nennt solch einen Fall, identisch dem der Verschickung fremder Truppen, die völlig ohne Einwilligung des Parlaments erfolgten.

Bekanntlich war zu dieser Zeit die Indienststellung ausländischer Truppen von den beiden Parlamentshäusern noch nicht genehmigt worden, obgleich sich bereits fremde Kontingente von England nach Amerika unterwegs befanden. Auch die Wegnahme amerikanischer Schiffe war erst ein Vorschlag, doch noch kein Gesetz.

London, 26. Dezember 1775

Es war am Sonnabend den 23., da eine Kommission mit der neuen Akte gegen die Amerikaner mit dem großen Siegel versehen wurde. Sie war in einer versiegelten Kapsel. Diese wurde in Gegenwart des Lord-Kanzlers geöffnet, und darauf empfing die Akte das Siegel. Sie wurde hiernächst auf dieselbe Weise zurückgeschickt, und ist seitdem nach Portsmouth abgefertigt worden, von da die fertig liegende Boreas-Fregatte damit nach Amerika segeln soll.

Den Tag vorher war auch durch einen Anschlag auf dem Posthause bekannt gemacht worden, daß alle diejenigen, welche Verlangen trügen, die Restraining-Akte (wie man diese durch gewaltsame Mittel alle Gemeinschaft mit der übrigen Welt für die Amerikaner abschneidende Akte nennt) an ihre Korrespondenten in Nordamerika oder Westindien zu senden, solche, mit Beifügung ihrer Namen, zeitig bei dem Staats-Sekretariat einbringen möchten, da sie dann denselben Tag, ohne einige Kosten, abgeschickt werden sollte.

London, 29. Dezember 1775

Daß die Bill, wodurch alle Handlung und Kommunikation mit den Kolonien verboten wird, großen Widerspruch in den Parlamentshäusern gefunden, ist bereits gemeldet worden. Indessen ist bei der gegenwärtigen Lage der Sachen wohl keine Bill notwendiger, als eben die gedachte. Lord Mansfield verteidigte die Notwendigkeit derselben im Oberhause auf folgende merkwürdige Art:

„Ich bin zwar vom Anfange dieses unglücklichen Streits an immer der Meinung gewesen, daß jeder einzelne Einwohner der Kolonien dem Könige und dem Britischen Parlament eben so viel Gehorsam schuldig sei, als sonst ein Untertan in London oder Middlesex; ich glaube auch, daß unsere Nordamerikanischen Kolonien, oder wenigstens ihre Anführer und Anhänger, daselbst schon seit dem letzten Frieden ein Projekt zur Unabhängigkeit verabredet gehabt, welches aus dem Zeugnisse von Montcalms Briefen, die ich nach angestellter Untersuchung für ächt halte, erhellt. Ich halte ferner dafür, daß die deklamatorische Akte (wenn man anders überhaupt eine solche Akte hätte zu machen brauchen), die höchste gesetzliche Gewalt dieses Landes über Amerika klar behauptet; ich billige auch die Maaßregeln, welche seitdem genommen worden sind, die Amerikaner zu zwingen, sich der Autorität des Vaterlandes zu unterwerfen. Ich will aber dieses, Mylords, auf einen Augenblick umkehren, und annehmen, daß dergleichen Projekt zur Unabhängigkeit nicht verabredet worden; daß unser Land eine solche Gewalt über seine Kolonien nicht habe; daß die gedachte Akte von keinem größeren Gewichte sei, als des Königs Ansprüche auf Frankreich; daß alle genommene Maßregeln, sie zum Gehorsam zu bringen, unterdrückend sind; kurz, ich will alles zugeben, was von den Freunden der Amerikaner angeführt, und gegen das Betragen des Ministeriums gesagt worden. Wo sind wir denn jetzt? Mylords, was müssen wir nun anfangen? Wir sind in einen Krieg verwickelt, den wir fortsetzen, oder dem wir entgehen müssen. Das letztere können wir nicht; denn wenn wir nicht die Amerikaner bezwingen, so werden die Amerikaner uns bezwingen. Sie verteidigen sich nicht bloß, sie sind in Kanada eingedrungen und haben es vielleicht, welches Gott nicht wolle! erobert: Allein, die Kanadier waren ihre Feinde nicht; sie wollten nur neutral bleiben. Sie bedrohen Halifax: die Einwohner von Neuschottland haben ihnen nichts zu Leide getan; aber Halifax gehört England, und deswegen wird es von den Amerikanern mit Krieg überzogen. Sie nehmen Irländische Schiffe weg, und sie nennen die Irländer ihre Freunde und Mituntertanen; allein es ist notwendig, England durch diese Freunde eine Wunde beizubringen. Sie bereiten eine Seemacht vor, um offensiv gegen uns zu agieren. Was hat, um Gottes willen! ein ehrlicher Mann, dem Großbritannische Ehre am Herzen liegt, bei dieser Situation der Sachen anzufangen? Sollen wir die Hände in den Schoß legen? weil man uns sagt, dieser Krieg ist ungerecht von unserer Seite? sollen wir so lange stille sitzen, bis sie sich gegen dieses Land zu einer Unternehmung gerüstet haben? Man schrie den Krieg gegen die Holländer unter Karl II. so lange für ungerecht und verderblich aus, bis die Holländer nach Chatham kamen, und unsere Schiffe verbrannten; nun war jedermann in England willig, gegen die Holländer zu fechten. Mir liegt also nichts daran, wer die Händel angefangen, oder durch wen sie bisher unterhalten worden, oder wer Ursache sei, daß sie noch nicht beendet sind; ich rede nur von der jetzigen Lage der Sachen, und aus diesem Gesichtspunkte halte ich die Bill, welche wir passieren wollen, nicht nur für gerecht, sondern auch für notwendig."

Marquis de Montcalm war französischer Heerführer im vorangegangenen englisch-französischen Krieg um Kanada. — Lord Mansfields Sorge um den amerikanischen Einfall in Kanada war berechtigt. Am 18. Oktober hatten die Amerikaner überraschend das Fort von St. John besetzt, von den Kanadiern mit Jubel begrüßt. General Washington beorderte Benedict Arnold die Stadt Quebeck zu nehmen. Auf diese beiden Punkte bezieht sich der Lord in seiner Rede.

Das Rennen um die Indianer

Boston, 12. September 1775

Es ist zwar an dem, daß die Kolonien sich der Freundschaft verschiedener Amerikanischer Stämme rühmen können, einige halten es aber doch mit dem General Carlton. Er hat sich endlich mit den wenigen Truppen, die er zusammenbringen konnte, in Marsch gesetzt, um den General Gage zu unterstützen. Es segelt auf dem Strom ein großes Schiff mit Munition und Lebensmittel vor ihm her.

Der Amerikanische Kongreß hatte zur Besorgung der Angelegenheiten vom 2. August bis zum 5. September verschiedene Ausschüsse ernannt, die bereits wichtige Dinge ausgemacht haben, die nun dem Kongreß vorgelegt werden sollen. Sie haben drei Departements errichtet, die mit den wilden Stämmen Freundschafts-Traktate geschlossen haben.

Die Verwendung der Indianer auf dem Kampffelde war ein sehr zweischneidiges Schwert. Diese wilden Stämme waren unberechenbar; sie ließen sich durch Geschenke auf Verträge ein, was sie aber in der Praxis nachher nicht hinderte, Freund und Feind zu skalpieren. Die Amerikaner zeigten wenig Neigung, sich ihrer im Kampfe gegen England zu bedienen; dennoch aber suchten sie ihre Freundschaft, um sie ständig unter Beobachtung zu halten.

Die Amerikaner bauen sich eine Flotte

London, 1. Dezember 1775

Die letzten Briefe aus Amerika bestätigen die Nachricht, daß die Kolonien schon eine Menge bewaffnete Fahrzeuge auf ihren Flüssen und an ihren Küsten haben, und dieselben täglich vermehren. Sie haben sogar schon eine besondere Flotte, die von einem eigenen Chef kommandiert wird, und ihre Schiffe haben von neuem einige Königliche Fahrzeuge weggenommen. Eine Flotte von 14 Fahrzeugen, unter Kommando eines gewissen Brice, der vormals bei der Königlichen

Marine gedient, hat eine der Königlichen Schaluppen genommen, und zu Philadelphia aufgebracht. Ein Schiff mit 18 000 Fässern und 400 Halbfässern Mehl, das von Bristol für die Armee nach Boston bestimmt war, ist gleichfalls den Amerikanern in die Hände gefallen.

Nervosität um Quebeck

London, 12. Januar 1776

Obgleich der Hof von der Eroberung von Quebeck durch die Amerikaner entweder noch keine sichere Nachricht erhalten, oder wenigstens noch nicht bekannt machen lassen, so hat man doch verschiedene Privatbriefe, welche solche als zuverlässig melden. Sie versichern, besagte Stadt habe am 10. Dezember kapituliert.

Gegen das Ende des vorigen Monats war der General Carlton in einem Gefecht mit den Amerikanern, unter Anführung des Herrn Arnold, unglücklich gewesen, und mit Verlust zurückgeschlagen worden. Arnold besetzte alle Zugänge der Stadt, welche hierauf, da der General Montgommery anlangte, kapitulierte, um sich nicht im Winter den Ungemächlichkeiten einer Belagerung auszusetzen, zumal da sie sich weder halten zu können noch einen Ersatz zu bekommen hoffen konnte. Da die Amerikaner nach diesen Berichten im Besitz von Kanada und von der ganzen Provinz Quebeck sind, so sollen sie willens sein, von da nach Neuschottland vorzurücken, um sich auch dieser Provinz, welche die erste gewesen ist, die ihren Gehorsam gegen den König und das Parlament erklärt hat, zu unterwerfen, sich nachher aller Stämme der Indianer zu versichern, und sich so in den Besitz von ganz Nordamerika zu setzen, wobei sie doch noch wichtige Hindernisse zu überwinden haben dürften. Inzwischen ist es gewiß, daß die Anzahl ihrer Kaper ständig vermehrt, und daß sie schon verschiedene Englische Transportschiffe mit Artillerie, Munition und Uniformen weggenommen haben, dessen Ladung auf 30 000 Pfund Sterling geschätzt wird.

Die Meldung von der Einnahme von Quebeck stimmt nicht, sie kennzeichnet aber die nervöse Stimmung in England, das um den Fall dieser Stadt und den Verlust von Kanada in großer Sorge war. Wir werden noch weitere Berichte aus diesem, für die Amerikaner unglücklichen Feldzug bringen. — Übrigens stellte die Unternehmung Arnolds in Kanada eine Leistung dar, wie sie in der Geschichte nur noch mit Hannibals Zug über die Alpen oder Napoleons Überwindung des St. Bernhard verglichen werden kann.

Der Krieg ohne Gnade
Niederbrennung der Seestädte

London, 22. Dezember 1775

Die Regierung hat nun allen Ernstes beschlossen und deshalb unlängst den Admiralen und Kommandanten der Königlichen Schiffe Befehl erteilt, alle Städte an der Küste, von Boston bis Halifax, und die Seestädte aller übrigen Kolonien in den Grund zu schießen, welche sich weigern, dem Könige den Eid der Treue zu schwören, und die gesetzgebende Macht der Krone und des Britischen Parlaments anzuerkennen.

Am 17. Oktober kamen einige Schiffe bei Falmouth an, und forderten Munition, Geiseln usw. und da sich die Stadt weigerte, ließ man den Einwohnern nur 2 Stunden Zeit, sie zu verlassen. Hierauf machten die Schiffe ein schreckliches Feuer, 3000 Bomben und Karkassen flogen in die Stadt, die in kurzer Zeit ein Aschenhaufen war. Einige ans Land getretenen Truppen steckten die Magazine an. Die Stadt Norfolk in Virginien ist gleichfalls beschossen worden, und keine Stadt an der Küste wird diesem betrübten Schicksal entgehen.

London, 26. Dezember 1775

Wenn die Amerikaner an einer Seite Ursache haben, über die Eroberung von Chamblee und St. John, und vielleicht auch schon über die von Montreal und dem ganzen übrigen Kanada, froh zu sein, so kann es denselben auf der anderen Seite nicht lieb sein, daß verschiedene ihrer Seestädte durch die Königlichen Schiffe in Brand geschossen und eingeäschert wurden; denn obgleich der Hof hiervon noch nichts bekannt werden läßt, auch selbst die Akte, nach welcher man dementsprechend mit den Amerikanern verfahren soll, noch nicht einmal abgeschickt hat, noch hat abgeschickt werden können, so ist doch die Sache selbst außer Zweifel. Verschiedene zuverlässige Berichte bestätigen dieselbe mit vielen Umständen, unter welchen die vornehmsten sind, daß die Befehlshaber der bemeldeten Schiffe, nachdem sie vor diesen Städten erschienen sind, den Einwohnern angezeigt haben, sie hätten Befehl, alle Plätze, die sich weigern würden, dem Könige den Eid der Treue zu schwören, und die gesetzliche Autorität der Krone des Britischen Parlaments zu erkennen, in den Brand zu schießen und dem Erdboden gleich zu machen, und daß sie darauf an den Orten, wo man dem Befehle nicht nachkommen wolle, zum Werk geschritten sind, vorher aber den Einwohnern einige Stunden Zeit gegeben haben, sich mit ihren besten Habseligkeiten hinweg zu begeben.

Der General Washington hat, sobald er dieses Verfahren bei der Armee vernommen, den 24. Oktober einen Expressen nach Philadelphia abgefertigt, den General-Kongreß davon zu benachrichtigen. Der Expresse war am 8. November zu Philadelphia angekommen, und nun wird man bald erfahren müssen, was für Maßregeln der Kongreß darauf genommen hat. Wird Amerika durch Gewalt oder auf eine andere Art wieder mit uns vereint, so kann es nicht fehlen, daß der Schaden der eingeäscherten Städte größtenteils auf uns selbst zurückfallen muß.

London, 19. März 1776

Von der geschehenen Verbrennung der Stadt Norfolk können wir nunmehr folgende umständliche Nachricht mitteilen:

Diese Stadt hatte jederzeit der Partei der Regierung günstig geschienen, als der übrige Teil von Virginien. Aus dieser Ursache hatte der Graf von Dunmore, Gouverneur dieser Provinz, sie zur Station ausersehen. Da er im November Nachricht erhalten, daß die Provinzialen im Marsche wären, um sich derselben zu bemächtigen, so schickte er ein Detaschement von dem 14. Regiment ab, um ein Defilee, durch welches sie kommen mußten, zu besetzen, auch ließ er in dieser Gegend, 18 Meilen von der Stadt Norfolk, ein Fort aufrichten, in welches er eine Besatzung von 25 Soldaten mit einigen Freiwilligen von der Stadt legte. Unterdessen setzten die Provinzialen ihre Unternehmung fort; sie taten verschiedene Angriffe, wurden aber diesmal mit Verlust zurückgetrieben. Endlich erhielt Mylord Dunmore am 8. Dezember Nachricht, daß die Provinzialen das Fort umringt hätten und selbiges von zwei Seiten angreifen wollten. Es ward also nötig erachtet, ihnen zuvor zu kommen, und sich den Vorteil des ersten Feuers durch einen unvermuteten Anfall auf ihr Hauptkorps zu erhalten. Dieser Vorschlag wurde den 9. früh durch 130 Mann von dem 14. Regiment, unter den Befehlen des Kapitäns Leslie, bewerkstelligt. Sie wurden von einer Anzahl Seeleuten und von einigen Freiwilligen von Norfolk und von „Prinzeß Ann", die zusammen 250 Mann ausmachten, unterstützt. Dieses kleine Korps fiel die Provinzialen mit einer Art von Wut an; allein, nachdem es überall Merkmale der Tapferkeit abgelegt hatte, wurde es doch gezwungen, der Überlegenheit zu weichen, indem die Feinde ungefähr 1000 Mann stark, und überdies vorteilhaft postiert und mit Retranchements bedeckt waren. Die Truppen verloren bei dieser Gelegenheit den wackeren Kapitän Fordyce, zwei Leutnants und 15 Soldaten, die getötet wurden, und von 40, die verwundet wurden, wurde ein Leutnant und 14 Soldaten zu Gefangenen gemacht.

Nach diesem Verlust waren die Königlichen genötigt, anfänglich das Fort, und nachher Norfolk zu verlassen, wovon sich die Provinzialen, indem sich jene auf die Schiffe zurückbegaben, Meister machten. Diejenigen von den Einwohnern, welche heimlich die Partei der Amerikaner begünstigten, erklärten sich nun öffentlich, und die Freunde des Hofes sahen sich im Gegenteil großen Unannehmlichkeiten ausgesetzt. Da solchergestalt die Stadt Norfolk aus einer Königlichen eine rebellische Stadt geworden war, so wurde sie von den Schiffen des Königs danach behandelt. Es befanden sich deren drei im Hafen, die Fregatte „Liverpool" von 28 Kanonen, die Schaluppe „Der Fischer", von 10 Kanonen und die Schaluppe „Der Fischotter", von 16 Kanonen. Diese Schiffe schickten gegen Ende des Dezembers ihre Boote ans Land, um frisches Wasser zu begehren, welches ihnen fehlte. Die Virginier hatten sich in der Stadt und in den umliegenden Gegenden gegen 2000 Mann verstärkt, unter welchen sich ein Korps Jäger befand. Diese, welche in den Häusern an dem Hafen postiert waren, wollten der Equipage alle Gemeinschaft mit den Einwohnern abschneiden, und feuerten auf die Boote. Man schickte sie mit zwei Stillstands-Fahnen zurück, und ließ den Provinzialen sagen, daß, wenn sie von ihrem Vorhaben nicht abstünden, man sich gemüßigt sehen würde, die Stadt durch Kanonenfeuer in die Asche zu legen. Die Provinzialen achteten diese Drohung wenig, und trugen so wenig Rücksicht auf diese Stillstands-Flagge, daß sie vielmehr ihre Salven verdoppelten, und die Boote nötigten, die volle See zu gewinnen.

Es wurde also nunmehr zur Verheerung von Norfolk Befehl erteilt, und der erste Tag des neuen Jahres zu deren Bewerkstelligung bestimmt. Den 1. Januar, kurz nach Mittag, näherten sich demnach die drei Schiffe dem Lande, so weit, als es ihnen möglich war, und um 4 Uhr gab der „Liverpool" das Zeichen. Sogleich sah man aus den drei Schiffen eine der heftigsten Kanonaden, welche bis um 7 Uhr dauerte, da die Virginier durch dieses schreckliche Feuer sich genötigt sahen, das Ufer zu verlassen. Hierauf wurden die Boote an das Land geschickt, und die Equipagen steckten, unter dem Schutze der Schiffe, die Häuser in verschiedenen Gegenden in Brand. Die Flammen verbreiteten sich gar bald in die anderen Quartiere, und die ganze Nacht hindurch brannte es sehr heftig in der Stadt.

Da nichts destoweniger einige von dem Flusse entfernten Straßen davon befreit geblieben waren, so kamen die Provinzialen des andern Morgen dahin zurück, und legten daselbst, so wie auch in einigen nicht weit davon gelegenen Landhäusern, in dem Flecken Gosport, in einer Branntweinbrennerei und in den Mühlen von Tucker, weil ihnen allem Ansehen nach die Einwohner dieser Gebäude verdächtig waren, Feuer an, so daß von der ganzen Stadt Norfolk nur 12 Häuser stehen blieben. Dieser Platz, welcher solchergestalt das Opfer der beiderseitigen Verbitterungen geworden ist, war der beträchtlichste von ganz Virginien und hatte viermal mehr Häuser als Williamsburg, die Hauptstadt dieser Provinz.

Wir haben diese Episode so ausführlich gebracht, um mit ihr die Verbitterung aufzuzeigen, mit der in diesem Kriege auf beiden Seiten gefochten wurde.

12 000 Hessen

Eisenach, 6. Januar 1776
Man weiß nunmehr zuverlässig, daß der Englische Gesandte, welcher zu Kassel angekommen ist, des Landgrafen Hochfürstliche Durchlaucht, um 12 000 Hessen in Englischen Sold ersucht hat. Der Landgraf hat hierauf zwar die verlangten 12 000 Mann bewilligt, jedoch nur auf 6 Jahre. Da aber der Herr Gesandte diese Truppe ganz ohne Bestimmung einer Zeit in Sold verlangt, so ist erst deshalb ein Kurier nach London abgefertigt worden. Indessen müssen sich 9 Hessische Regimenter mit allem Nötigen versehen, um täglich marschfertig zu sein.

Lippstadt, 30. Januar 1776
Die 12 000 Hessen, welche nach England und von da weiter segeln sollen, sind bereits in ein Korps formiert, welches der Herr General-Leutnant Heister befehligen wird. Schon im künftigen Monat wird es zum Abmarsch fertig stehen. Es besteht aus den Leibregimentern Sr. Durchlaucht des Prinzen Carl von Wutginau, Dittfurth, von Donopp, von Losberg, von Kniphausen, von Trimbach, von Mirbach, von Rall, von Stein, von Wissenbach, von Huyne, von Bünau. Die Grenadier-Kompanien vom 2. und 3. Bataillon-Garde machen mit den

Grenadier-Kompanien obiger Regimenter ein Korps aus, welches der Herr Oberste von Donop kommandieren wird. Außer diesen marschieren auch noch einige Kompanien Artillerie und Jäger zu Fuß.

Aus Hessen, 18. Februar 1776

Die erste Division der in Englischen Sold getretenen 12 000 Mann Hessen ist unter dem Hauptkommando des Generalleutnants von Heister nunmehr in vollem Marsche. Die erste aus 5 Bataillonen bestehende Brigade brach bereits am 15. Februar von Kassel auf, und rückte über Hannöversch-Münden bis in die Gegend von Dransfeld. Heute folgte die 2. Brigade von 4 Bataillonen eben denselben Weg nach, und am 21. wird die 3. von 3 Bataillonen gleichfalls aufbrechen und unterwegs noch das Regiment von Losberg aus Rinteln an sich ziehen. Der Generalmajor von Stein, von Schmidt und von Mirbach kommandieren diese Brigaden, welche aus den sämtlichen Grenadieren und einer Kompanie Jäger, dann dem Leibregiment, Erbprinz Carl, Mirbach und Dittford, auch Losberg, bestehen, und sämtlich längs der Weser nach der Gegend von Bremen marschieren.

Aus Hessen, 19. Februar 1776

Nach dem erfolgten Abmarsch unserer Truppen langte am 15. ein Kurier aus London an, worauf den Truppen sofort einige Stafetten in das Hannöversche, wohin sie schon über Münden marschiert waren, mit der Order, wieder in ihre Kontonierungs-Quartiere zu rücken, nachgeschickt wurde. Sie sind bereits in dieselben eingerückt; 2 Divisionen liegen um Kassel herum. Man mutmaßt verschiedenes, aber niemand weiß wohl die rechte Ursache. Einige behaupten, Amerika hätte mit England Frieden geschlossen, welches aber wohl nicht wahrscheinlich ist, andere, es wäre Krieg in Deutschland ausgebrochen und die Franzosen wollten über den Rhein gehen, und endlich heißt es auch, das Eis wäre die Ursache. Vielleicht ist die letzte Meinung die Richtige. Denn zu Hannover ist eine Estaffette vom Harz mit der Nachricht angekommen, daß der Schnee in einem warmen Regen aufgehe und auf den Wällen von Hannover erwarte man bereits das ankommende große Wasser, und nach Bremen ist dieselbe Nachricht geschickt worden. Man vermutet, das sich schon türmende Eis werde auf der Weser großen Schaden tun.

Ein späterer Artikel bestätigt dann, daß die Eisschmelze Ursache des Marschaufschubes war, der dann etwas später ohne neue Schwierigkeiten stattfinden konnte.

Amerikas Kriegsflotte im Werden

London, 6. Februar 1776

Wenn einem Briefe von Philadelphia zu trauen ist, so ist die Flotte, welche der General-Kongreß ausgerüstet, von keiner geringen Wichtigkeit. Sie besteht nämlich aus 1 Kriegsschiff von 40 Kanonen, „Die Vereinigten Kolonien" genannt, und 400 Mann, 2 Fregatten und 36 Kanonen, 3 von 32 Kanonen und 1 von 30 Kanonen. Diese Schiffe führen zusammen 238 Kanonen, und 2330 Mann. Herr Brice kommandiert sie mit dem Charakter eines Admirals und seine Flagge ist eben so als die Admirals-Flagge von Großbritannien auf der Union.

Orden und Ehrenzeichen in den Staaten

London, 30. Januar 1776

Ein Herr, welcher dieser Tage mit einem Holländischen Schiffe von New York angekommen ist, berichtet, der Kongreß habe einen ritterlichen Kriegsorden, gleich dem Englischen vom Bade, errichtet, und demselben den Namen: Orden der Freiheit, gegeben. Es soll derselbe aus einem Großmeister und 24 Rittern bestehen, welche aus denen erwählt werden sollen, die sich bei dem gegenwärtigen Streit für die Sache der Freiheit am meisten hervorgetan haben. Der St. Georgen-Tag, welcher auf den 23. April fällt, ist zur Anstellung des Großmeisters, John Hancock, bestimmt, von welchem nachher eine Kommission an die Glieder des General-Kongresses soll ernannt werden, um den Generalen Washington, Putnam und Lee die Ordenszeichen umzuhängen. Das Ordenszeichen besteht in Römischen Bündeln mit der Devise: Congressus Populusque Americanus, rund und prächtig verziert, aus einem Sterne, der auf der Brust, und aus dem Hute der Freiheit, der an einem Bande um den Hals getragen wird. Die See-Offiziere sollen dasselbe an einem roten Bande mit einer blauen Einfassung tragen. Der Mantel des Großmeisters ist sehr prächtig von Karmosinfarbenem Sammt mit Hermelin gefüttert und kostbar gestickt. Der Doktor Smith ist zum Kaplan des Ordens angestellt worden.

Das Neueste von General Washington

Leipzig, 21. September 1775

Man redet in London von neuen Proklamation, die herauskommen sollen, und daß eine Belohnung an solche Personen soll ausgeboten werden, welche die Amerikanischen Generale Washington, Lee und Putnam den Königlichen Truppen in Amerika in die Hände liefern, würden.

London, 9. Februar 1776

Nach dem, was man bei Hofe hört, stand zu Boston am **19. Dezember**, da der Expresser abging, alles gut; bei der Amerikanischen Armee hingegen herrschte viel Mißvergnügen, besonders darüber, daß der General Washington äußerst scharf mit seinen Leuten verfährt und einige Deserteure, davon verschiedene in Boston angekommen waren, hat aufknüpfen lassen.

Washington lag nun schon 6 Monate vor Boston, jeden Augenblick gewärtig, daß Howe ihn angreifen würde. Dies hätte den amerikanischen General in eine verzweifelte Lage bringen müssen. Ein großer Teil der Milizen, deren Dienstzeit zu Ende war, mußten nach Hause entlassen und Neuangeworbene erst ausgebildet werden.

Am 6. Januar hatte Washington an den Kongreß wie folgt geschrieben: „Die Geschichte liefert vielleicht kein Beispiel, wie das unsrige, einen Posten innerhalb eines Flintenschusses vom Feind sechs Monate lang ohne Pulver zu behaupten; in dieser Nähe von einigen zwanzig Regimentern eine Armee zu verabschieden und eine zweite zu errichten, ist mehr, als vielleicht je einmal unternommen wurde.

London, 15. März 1776

Die Amerikanischen Angelegenheiten verursachen im Parlament bei jeder Sitzung heftigen Wortwechsel. Am 14. zeigte der Herzog von Grafton im Oberhause an, daß er zuverlässige Nachricht habe, daß zwei vornehme Franzosen in dem Lager der Amerikaner angekommen wären und daselbst eine Unterredung mit dem General Washington gehabt hätten. Der Amerikanische General habe zwar nichts mit ihnen abgeschlossen, sie aber doch mit ihren Vorschlägen an den General-Kongreß gewiesen, mit welchem sie auch eine Konferenz gehalten hätten. Eben dieser Herzog behauptete noch, daß dieser unglückliche Zwist mit den Kolonien uns noch einen Krieg mit Frankreich zuziehen werde.

Die beiden vornehmen Franzosen waren der Chevalier von Kermovan und Herr von Vermonet, die mit Empfehlungen an Franklin gekommen waren. Etwas später tauchte noch ein Herr Bonvouloir auf, der im direkten Auftrage von Vergennes, dem französischen Kriegsminister gekommen war, um — allerdings ohne irgendwelche schriftlichen Unterlagen vorweisen zu können — mit dem Kongreß über den Beistand Frankreichs verhandeln sollte. Der Kongreß befand sich in einem circulus viciosus. Die Kolonien konnten nicht ihre Unabhängigkeit erklären, ohne der Hilfe Frankreichs sicher zu sein, und sie konnten nicht mit der Hilfe Frankreichs rechnen, bevor sie ihre Unabhängigkeit erklärt hatten.

London, 2. Juli 1776

In der sogenannten Morning Post wird verkündet, der General-Kongreß wäre wegen Uneinigkeiten auseinander gegangen, und diese Uneinigkeiten hätten ihren Ursprung darin, daß der General Washington resignieren wolle.

Amerika, Grundfeste der Freiheit
Brief eines Vaters an seinen Sohn

London, 20. Februar 1776

Seit kurzem liest man hier ein Schreiben eines außer Dienst stehenden Offiziers an seinen Sohn im Parlament, in welchem der Vater den Sohn ermahnt, die Partei der Minister nicht zu verlassen, und ihn von der Rechtmäßigkeit der bisherigen Maßregeln des Parlaments zu überzeugen sucht.

Hier sind ein paar Stellen daraus:

„Bleibe bei Deiner jetzigen Parlaments-Aufführung; stehe auf der Seite derer, die Britanniens Rechte gegen die Anmaßungen von Amerika verteidigen. Vor einigen Jahren erwog ich mit aller Genauigkeit die Natur des Zwistes, der nun durch die Waffen entschieden wird. Ich bin völlig überzeugt, daß die britische gesetzgebende Macht sich über das ganze Reich erstreckt, und ein unbezweifeltes Recht hat, Amerika durch seine Vorschriften zu binden. Selbst das Recht, die Auflagen zu bestimmen, ist beständig in mancherlei Fällen in Ausübung gebracht worden, und es sind Parlamentsbeschlüsse die Menge vorhanden, die Sr. Majestät berechtigen, auf ihre vorzüglich beschützten und allezeit mit Nachsicht behandelten Amerikanischen Untertanen einen Teil der öffentlichen Bürden und Ausgaben der Regierung zu legen. Die einzige gerechte Ursache einer Widersetzlichkeit gegen diese höchste Gewalt wäre der tyrannische Gebrauch derselben. Aber die Kolonisten klagen nicht über unmäßige Taxen, und in der Tat, sie haben auch keine Ursache dazu; sie lehnen geradezu das Recht selbst ab, und verwerfen die mäßigen und nachgebenden Propositionen des

Hauses der Gemeinen vom 20. Februar gegen Kontribuirung eines proportionierlichen Beitrages zur gemeinsamen Verteidigung sich zu taxieren. Diese Anträge wollen die Amerikaner nicht anerkennen; sie schlagen die Oberherrschaft von Großbritannien, auch so gemäßigt sie ist, in den Wind und geben offenbar ihr lange im Schilde geführtes Projekt der Unabhängigkeit an den Tag.

Amerika ist, wenn es einmal unabhängig ist, der Nebenbuhler und Feind von England! Die Vereinigten Kolonien, denn so nennen sie sich selbst, sind durch ihre Lage imstande, den Westindischen Inseln zu gebieten. Mit der Zeit können sie beides, die Inseln, wie das feste Land unter ihre Botmäßigkeit bringen. Ist nicht das — so sagen einige spekulative Köpfe — eine reizende Idee? Welch ein herrliches Schauspiel würde nicht sein, ein neues, auf die Grundfeste der Freiheit gegründetes Reich sich über die schmachtenden und erschöpften Reiche von Europa erheben zu sehen?

Mir ist diese Idee nicht reizend. Das Schauspiel, sollte ichs erleben und sehen, wäre mir ein Greuel. Ich liebe das Land welches mich geboren hat, und bewundere die britische Verfassung. Nie war eine Regierungsform der Wohlfahrt des menschlichen Geschlechts so gemäß. Nie hat Griechenland und Rom ... — aber ich vergesse mich, Beweisgründe sind hier nicht an ihrem Orte.

Männer machen nicht Vernunftsschlüsse in der Sache ihres Landes. Sie empfinden, hoffe ich, für das Beste, für den Ruhm Großbritanniens, und entsetzen sich vor dem Gedanken, seine Größe irgend einem Volke aufzuopfern. Aber, sprichst Du, Männer von Ansehen und Redlichkeit behaupten, wir müßten, wollten wir gerecht handeln, Amerika zu Willen sein und sein Gesuch um Unabhängigkeit zugestehen. Diese Herren gründen, sagst Du, ihre Meinung auf die Grundsätze des natürlichen Rechts und der ursprünglichen Gleichheit der Menschen! Unbestimmte und nicht zu bestimmende Ausdrücke, die auf das gemeine Leben nicht anzuwenden, und selbst schon als Beweisgründe in den Schulen lächerlich sind. Ich denke aber, die Zahl dieser aufrichtigen und metaphysischen Patrioten ist nicht groß. Ein Patriot in Abstracto — ohne Beziehung irgend auf ein Land —, ein Patriot der ganzen Welt, der Freund von Amerika gegen Britannien zu sein, ist eine Art Enthusiasmus, den ich nie empfinde, oder mir vorstellen kann, noch ist irgend ein Beweisgrund vermögend, mich zu überführen, daß ich sollte mit Vergnügen Amerika auf den Ruinen von Britannien sich erheben sehen. Dir, ja der Welt, will ich meine geheimsten Gedanken offenbaren. Ich hielt längst dafür, wir müßten der heranwachsenden Macht Schranken setzen und uns des Gehorsams von Amerika werktätig versichern. Ist dieses nicht der Zweck des gegenwärtigen Krieges, so streiten wir um nichts. Britannien hat, gleich dem Pelikan, seine Jungen mit seinem Herzblut gefüttert; nun sie erzogen sind, machen sie sich auf, und wollen seine Eingeweide fressen. Alle Gründe der Vernunft, Gerechtigkeit und Politik heißen uns alles wagen, um unsere gerechte Oberherrschaft zu behaupten.

Dieser Brief könnte eine indirekte Antwort auf die berühmte amerikanische Schrift: „Commune Sense" sein, auf die wir noch zu sprechen kommen.

„Auch mit Halb-Deutschland besiegt ihr Amerika nicht"
Scharfe Debatte im englischen Parlament

London, 23. Februar 1776

Den 20. war das Unterhaus ungewöhnlich voll, und alle Zugänge befanden sich voller Personen, die Zuhörer von der Motion des Herrn Fox sein wollten. Ehe aber zu einigen Geschäften geschritten wurde, gab der Sprecher Befehl, die Galerien zu säubern, die Türen zu verschließen, und den Schlüssel auf den Tisch zu legen. Nur einigen Mitgliedern von dem anderen Hause, auch einigen von dem Irländischen Parlament und ungefähr 30 Damen ward erlaubt, zu bleiben, die meisten von ihnen blieben den ganzen Abend bis zum folgenden Morgen. Um halb 4 Uhr fing Herr Fox seine Rede an.

„Der ganzen Nation, sagte er, sei daran gelegen, und sie sei auch berechtigt, die Ursachen des unglücklichen Erfolges der Britischen Waffen in Amerika zu wissen. Dieselben lägen zuförderst bloß in der Unwissenheit derer, die den Plan entworfen, und in dem Mangel der Fähigkeit und Rechtschaffenheit derer, die ihn hätten zur Ausführung bringen sollen."

Er rekapitulierte hierauf viele Umstände, seinen Satz zu beweisen, und ließ sich besonders weitläufig über das Betragen der Regierung, in Absehung auf Kanada aus, wobei er verschiedene Gründe in Erinnerung brachte, durch die er zur Zeit, da die Quebeck-Akte passierte, vorher verkündigte, was sich seitdem buchstäblich zugetragen hat. Lord Ossory war der erste, der diese Motion unterstützte. Er glaubte, es könne kein Glied, ausgenommen nur die, welche mit der

Regierung in Verbindung stünden, im Hause sein, welches, wenn es ein anderes Glück zum Amerikanischen Kriege wünsche, gegen die Untersuchung der Ursachen des Unglücks wäre. Wider denselben stand Lord Clare auf. Er berief sich vornehmlich auf die Rede vom Thron, und sodann suchte er die Maßregel wegen der Hannöverschen Truppen durch die Not zu rechtfertigen. Herr T. Townshend griff hiernach das Ministerium sehr heftig an. Er sagte, die jetzige Motion werde ein wahres Zeugnis davon sein, wessen man sich künftig von demselben zu versehen habe; denn wenn es sich widersetze, so werde solches klärlich beweisen, daß es sich durch ein Votum des Hauses gegen den allgemeinen Unwillen zu schützen suche. Lord Mulgrave, der in voriger Zeit gegen das Ministerium gewesen war, verteidigte die Seeoperationen und die Rechtmäßigkeit des Krieges überhaupt. Er wurde von Herrn Fitzpatrick fast Wort für Wort widerlegt. Dieser behauptete auch, die schlimmen Erfolge des Amerikanischen Krieges müßten den Urhebern desselben die verdiente Strafe, oder wenigstens die Entlassung zuziehen. Einige Freunde der Minister gaben zu erkennen, daß, wenn eine Untersuchung geschehen solle, dieselbe erst am Ende des Krieges stattfinden könne. Allein Goverhor Johnstone war der Meinung, daß dieselbe je eher, desto besser, geschähe. Er merkte dabei an, daß, wenn nicht eben sowohl im Anfange der Kriege, und mitten in denselben, Untersuchungen geschehen, die beiden letzten nicht so glücklich ausgefallen wären. Dieses zeigte er durch die Exempel von Lestock, Matthews, Byng etc. Endlich schloß er damit, daß er sagte, er sei versichert, das jetzige Ministerium sei eben so ungeschickt einen Frieden oder eine Versöhnung auf gute Bedingungen zu treffen, als Kriege anzufangen usw. Der Oberste Barré redete gleichfalls sehr heftig und schloß mit der Versicherung, Amerika werde nimmermehr gezwungen werden sich taxieren zu lassen, wenngleich das halbe Deutschland, solches zu bewirken, über den Ozean transportiert werden sollte.

Es heißt, die Glieder von der Opposition im Oberhause hätten beschlossen, gar nicht mehr daselbst zu erscheinen, weil sie sähen, daß alle ihre Bemühungen fruchtlos wären.

Englands größte Sorge war, Kanada wieder zu verlieren, denn mit diesem Verlust wäre das Schicksal der 13 Kolonien sowieso besiegelt. Es kamen daher die Nachrichten von Arnolds Niederlage zur rechten Zeit, um England von einem Alpdruck zu befreien.

Arnolds Niederlage vor Quebeck

Arnold verwundet, Montgommery gefallen
Amerikaner flüchten aus Kanada

London, 23. Februar 1776

Die verschiedenen Nachrichten von Quebeck, welche man teils durch den Admiral Grawes, welcher gestern von Boston hier eingetroffen ist, teils durch einen Expressen des Generals Carlton erhalten hat, kommen alle darin überein, daß die Provinzialen unter dem Kommando des Generals Montgommery und des Obersten Arnold einen beträchtlichen Verlust vor besagter Stadt erlitten haben. Es hatten nämlich am 1. Januar Arnold und Montgommery mit etwa 13 000 Mann die Stadt Quebeck sehr lebhaft angegriffen. Sie hatten Abrede mit einander getroffen, daß, wenn Montgommery mit den Belagerten im hitzigen Gefechte begriffen sein würde, Arnold alsdann von einer anderen Seite angreifen sollte, welches auch geschah. Allein der General Carlton hatte ihr Vorhaben gemerkt, und seine Maßregeln genommen. Er hatte den Major Green, welchen Arnold für seinen Freund hielt, ihm entgegen geschickt, welcher ihn ungehindert in die untere Stadt eindringen ließ. Hierauf aber erfolgte ein sehr hitziges Gefecht, in welchem 200 Mann von den Provinzialen getötet, und eben so viele gefangen genommen wurden. General Montgommery soll getötet, der Oberste Arnold aber gefangen sein. Der General Carlton soll gleichfalls einige Wunden erhalten haben und seine Besatzung soll gegenwärtig aus 1700 Mann bestehen.

Die Zeitung hat sich geirrt. Arnold und Montgommery befehligten vor Quebeck ganze 1300 Mann. — Es stimmt, daß Montgommery getötet wurde und auch, daß Arnold von seinem „Freunde" hintergangen war. Arnold selbst war zwar nicht gefangen worden, doch hat er eine schwere Beinwunde im Gefecht davongetragen. — Carlton ließ den gefallenen Montgommery mit allen Ehren bestatten und in London wurde sein Andenken im Parlament gleichfalls geehrt, obgleich er doch ein Feind Englands gewesen war. — Merkwürdig aber: Die Befreiung Quebecks vom Zugriff der Amerikaner hat das englische Volk, trotz offizieller Berichte der Regierung, lange nicht glauben wollen, so stark war sein Mißtrauen.

Eine mutige Antwort

London, 2. April 1776

Als neulich dem Könige ein gewisser Kapitän vorgestellt wurde, welcher bei Bunkers-Hill ein Bein verloren hatte, waren die Lords welche die Aufwartung hatten, sehr in Verlegenheit, auf welche Weise derselbe sich nähern sollte, um des Königs Hand zu küssen, weil der Kapitän nicht niederknien konnte. Zuletzt ward beliebt, daß er bloß eine Verbeugung machen sollte. Da die Zeremonie des Handkusses vorbei war, fragte ihn der König mit vieler Leutseligkeit, was man für gute Nachrichten aus Amerika hätte. Der Kapitän erwiderte: „Bei Gott, Sire, sie werden uns jeden Zoll breit Landes streitig machen."

Noch einmal die deutschen Fürsten
Wenn jetzt der kontinentale Feind England angreifen würde

London, 12. März 1776

Am verwichenen Donnerstage waren die Prinzen von Hessen, Württemberg und Holstein, im Oberhause gegenwärtig, um die Debatten anzuhören, als eben der Herzog von Richmond sich sehr harter Ausdrücke gegen einige Deutsche Fürsten bediente.

Die Lords von der Gegenpartei, welche eine Adresse an den König aufgesetzt hatten, die zwar dem Hause nicht vorgelegt werden dürfen, bedienen sich darin unter andern folgender merkwürdiger Ausdrücke: „Wir haben große Ursache zu befürchten, daß die Kolonien, wenn sie erfahren, daß Großbritannien Allianzen macht und fremde Truppen zu ihrer Vernichtung in Sold nimmt, sich durch dieses Beispiel für hinlänglich gerechtfertigt halten werden, sich auf gleiche Weise nach Hilfe umzusehen, und daß alsdenn verschiedene Europäische Mächte leicht auf die Gedanken können kommen, sie hätten eben so viel Recht, als Hessen, Braunschweig und Hanau, sich in unsere häuslichen Zwistigkeiten zu mischen. Und wenn alsdann die Flamme des Krieges sich auch in Europa entzünden sollte, welches, wie wir fürchten, nur allzu wahrscheinlich ist, so blicken wir mit Schrecken auf die Verfassung dieses Landes, wenn es unter den gegenwärtigen Umständen sollte aufgefordert werden, sich dem fürchterlichen Angriffe mächtiger Feinde zu widersetzen, welche vielleicht ihre ganze Macht anstrengen werden, zu einer Zeit, wenn die ganze Macht unserer Nation mit einer fruchtlosen Expedition an der anderen Seite der Erde beschäftigt ist."

In dieser Sitzung war es, in der der Herzog von Richmond den deutschen Fürsten das Wort von den „fürstlichen deutschen Schlächtern" entgegen rief.

Aus der Perspektive des kleinen Mannes

Plymouth, 5. April 1776

Ein Braunschweigischer Offizier an Bord der „Pallas" schreibt: „Bis hierher ist unsere Reise noch recht gut gewesen und wir haben das schönste Wetter gehabt. Krank sind wir fast alle etwas von Stade ab bis Pas de Calais gewesen, aber nicht länger als höchstens zwei Tage. Allein die Krankheit ist doch nicht so arg als sie mir geschildert wurde. Auch mit den Unruhen der Provinzialen soll es nicht so schlimm sein, als man versichert. Ich glaube, nach dem, was ich in Plymouth gehört habe, wird die Sache eine ganz andere Gestalt bekommen, sobald unser Korps, welches die kleine Armee heißt, ankommt. Wenn wir von Quebeck Besitz genommen haben, so geht unser Marsch auf Montreal, von da auf die Forts am Lac Chamblain und dann nach Crown-Point, wenn uns die Sache nicht zu schwer gemacht werden wird. Da soll sich dann die Kampagne schließen. Sollte der General Carlton Quebeck nicht mehr haben, so debaquieren wir auf der Insel Neu-Orleans. Die große Armee geht geraden Weges nach Boston und wir suchen ihren rechten Flügel an unserm linken zu stützen, und bis New York wo möglich auszudehnen. Die Einwohner unserer Gegend sind, der Versicherung nach, friedlicher gesinnt, als die in der Bostonschen Gegend.

Man kann sich nur über die Freimütigkeit wundern, mit der hier aus London ein Bericht über die Marschoperation der deutschen Kontingente von einem Offizier, wahrscheinlich an Angehörige in der Heimat, gesandt wird, als ob es keine Feindspionage gab.

Ein großes Ereignis wirft seine Schatten voraus
Will sich Amerika wirklich unabhängig machen?

London, 24. Mai 1776

Man hat noch keine gewisse Zeitung von dem Schicksale von Quebeck. Durch ein am Ende des März von New York weggegangenes Schiff weiß man, daß man damals in New York noch die Nachricht gehabt, daß die Stadt stets in den Händen der Königlichen Partei sei. Von der Bostonischen Armee hat man gar keine Nachricht.

Eine andere sehr wichtige Zeitung aber hat das Schiff von Philadelphia mitgebracht, nämlich, daß auf dem General-Kongreß daselbst die wichtige Sache der Unabhängigkeit der Kolonien von Großbritannien endlich entschieden, und durch die Mehrheit der Stimmen, 7 gegen 5 erklärt sei. Eben die Briefe, die dieses erzählen, fügen hinzu, daß der Kongreß festgesetzt habe, daß man eine Summe von mehr als 3 Millionen Pfund Sterling die man den Engländern schuldig sei, zurück behalte und zur Bestreitung der Unkosten des Krieges verwenden wolle. Zu eben diesem Endzwecke sollten die Güter der Engländer in Amerika, insgleichen die Güter derjenigen, die sich entfernt hätten, eingezogen werden. Diese kühnen Entschließungen zeigen an, daß die Amerikaner zu einer hartnäckigen Gegenwehr fest entschlossen sind. Sie rüsten sich von neuem sowohl zu Lande als zur See mit großer Emsigkeit. Die Provinz Pensylvanien hat allein 2 Eskadrone leichte Kavallerie, 2 Kompanien Rifle-Men, und 2 Kompanien Artillerie gestellt und beschlossen, daß ihre neue Werbung im ganzen auf 6000 Mann gehen soll, die zur eigentlichen Verteidigung des Landes bestimmt sind.

Der Bericht bestätigt, daß im General-Kongreß nicht alle Provinzen für die Unabhängigkeit waren.

„Commune Sense"

London, 4. Juni 1776

Nachrichten von Philadelphia versichern, daß der Kongreß, da er sich einmal für die Unabhängigkeit erklärt habe, alles anwende, das Volk zu bewegen, der Entscheidung gleichfalls beizutreten. Hierzu bedient man sich vornehmlich der bekannten Schrift, der Sensus Communis, die denn auch sehr viel Eindruck auf die Gemüter macht. Da diese Schrift hier in London im öffentlichen Druck erschienen ist, wird sie auch hier ungemein gelesen.

Briefe, die von Lissabon, Madrid und Versailles eingelaufen sind, haben die Nachricht enthalten, daß der Amerikanische General-Kongreß an die drei Reiche und an das ganze Europa, Großbritannien ausgenommen, ein Manifest habe ergehen lassen, durch welches derselbe die Amerikanischen Häfen für alle Nationen frei erklärt und sie einladet, mit den Kolonien Handlung zu treiben.

London, 19. Juli 1776

Der Hof soll besonders durch das Werk, welches in Amerika in Druck gegeben worden und „Der gesunde Menschenverstand" betitelt ist, und den Herren Franklin, Adams und Hancock als Urheber zugeschrieben wird, so aufgebracht sein, daß er willens ist, diesen Leuten auf keinen Fall Gnade widerfahren zu lassen, wenn sie ertappt werden, koste es, was es wolle. Man versichert, daß verschiedene Expressen abgegangen sind, mit besonderen Befehlen, sich dieser Leute zu versichern, wenn dies irgendwie möglich ist. Viele Leute, selbst von der Gegenpartei der Regierung, schütteln über dieses Buch den Kopf.

Mit den Unruhen in Amerika ist es nun so weit, daß die Einwohner daselbst, wenigstens diejenigen, welche eifrige Libertymänner sind, glauben, ihre Republikanische Regierungsform sei völlig eingerichtet. In den meisten Provinzen geht man damit um, die Fürbitten für den König aus den Kirchengebeten abzusetzen und dafür eine Fürbitte für den Amerikanischen Kongreß zu setzen.

Die Schrift, am 10. Januar 1776 in Philadelphia veröffentlicht, war von Thomas Paine, der später in der Französischen Revolution eine Rolle spielte, Mitglied des Nationalkonvents war und ins Gefängnis kam, weil er gegen den Tod Ludwigs XVI. stimmte. Benjamin Franklin hatte an der Schrift, „Commune Sense", großen Anteil.

Das Schlangennest New York
Von der Säuberung Kanadas

Schreiben eines Offiziers aus Montreal, 29. Juni 1776

Mit Vergnügen melde ich Ihnen den glücklichen Erfolg, den wir in dieser Provinz gehabt haben. Seit der Ankunft der „Isis" und der Verstärkungen ist uns alles nach Wunsch gegangen. Vorher hatte man in Quebeck nicht Leute genug, die Stadt gegen die Rebellen zu verteidigen, und jetzt fürchte ich, wir werden zu viele haben. Denn alle Tage stoßen neue Parteien zu uns, und die Kanadier, die vor einigen Monaten so lau waren, sind nunmehr außerordentlich tätig und bieten sich alle an, angeworben zu werden. Die fremden Truppen: Braunschweiger und Hanauer, denn Hessen stehen nicht in der Gegend, halten sich bis zum Erstaunen tapfer. Sie sind stets vorn, als ob es ihre eigene Sache wäre, und als ob sie mehr für das Vaterland, als um Lohn stritten. Ich glaube, wir werden kaum etwas antreffen, das uns aufhält, bis wir New York erreichen, nach welchem Orte wir meines Bedünkens gewiß gehen werden. Vielleicht treffen wir einigen Widerstand in Albany an, welches 170 englische Meilen von hier ist, aber von Crown-Point, Ticonderago und Fort William haben wir nichts zu fürchten. Ich denke, das meiste, für das wir uns zu scheuen haben, ist der Mangel an Proviant. Ungeachtet die größte Sorgfalt beobachtet wird, so wird uns doch die Zufuhr abgeschnitten sein und wir werden uns auf das verlassen müssen, was wir mit uns führen. Indessen hoffe ich doch, daß baar Geld und des Königs Name das papierne Geld der Provinzialen aufwiegen wird. Ich hoffe ferner, daß wir bald imstande sein werden, gute Nachricht aus der Hauptstadt, diesem Schlangennest New York, zu senden. Es ist nur 400 englische Meilen von uns entfernt und der meiste Weg dahin ist gut. Wenn wir von der Ostseite durch ein Debarquement von den Schiffen unterstützt werden, so hoffe ich, unser Marsch von Norden soll ungehemmt bleiben und wir werden nicht viel mehr zu tun haben, als Gefangene zu machen und Pardon anzubieten, denn ich zweifle nicht, daß der größte Teil von ihnen sich unterwerfen wird. Die Jahreszeit ist zwar für eine Expedition schon ziemlich spät, aber ich hoffe, wir werden derselben noch zeitig genug ein Ende machen können. Leben Sie wohl, wir haben gutes Wetter und besten Mut.

Es wurde Herbst 1777, ehe die Engländer nach New York kamen.

Die Unabhängigkeit erklärt

Ein gewöhnlicher Rapport mit einer Randbemerkung von weltgeschichtlichem Ausmaße

London, 13. August 1776

Endlich hat der Hof positive Nachrichten von dem General Howe erhalten und bekannt gemacht, und mit eben derselben Gelegenheit haben auch viele Privatpersonen Briefe aus dieser Gegend erhalten. Sie sind insgesamt vom 7. und 8. Juli, und es erhellt daraus unter andern, daß das neulich gemeldete und mit so vielen Umständen erzählte Treffen bei New York wieder eine von den gewöhnlichen Erdichtungen der sogenannten Patrioten gewesen, wider deren Ausstreuungen man nicht genug auf seiner Hut sein kann.

Der General Howe sagt in seinen Briefen an den Staats-Sekretär:

„Das Paketboot ist abgeschickt, Ihro Lordschaft Nachricht von der Ankunft der Flotte am 29. Juni zu Sandy-Hook zu geben, wo ich 4 Tage vorher in der Greyhound-Fregatte ankam. Ich traf daselbst auf einem Schiffe den Gouverneur Tryon und verschiedene standhafte Freunde der Regierung an, von welchen ich den umständlichen Bericht von dem Zustande der Rebellen empfing, die sowohl auf der langen Insel, als auf der bei New York, sehr zahlreich und stark verschanzt stünden, und mehr als 100 Kanonen zur Beschützung der Stadt auf der Seeseite, und um den Eingang der Flotte auf den Norder-Fluß zu verwehren, einen ansehnlichen Zug Feld-Artillerie bei sich hätten. Wir passierten die Enge mit 3 Kriegsschiffen und der ersten Division der Transporte, und setzten die Grenadiere, nebst der leichten Infanterie, zu der größten Freude der getreuesten Einwohner, die unter der Bedrückung der unter ihnen befindlichen Rebellen, die nun schleunigst die Flucht nahmen, schon lange gelitten hatten, auf dieser Insel an Land. Die übrigen Truppen landeten den folgenden Tag und die Nacht, und sind jetzt in die Kantonierungen verlegt, wo sie die besten Erfrischungen haben. Ich bin Vorhabens, hier die englische Flotte oder die Ankunft des General-Leutnants Clinton abzuwarten, um alsdann ohne Verzug weiter zu gehen, es sei denn, daß es wegen einiger unerwarteter Veränderungen der Umstände in solcher Zeit für dienlich befunden werden sollte, mit der jetzt anwesenden Macht zu agieren. Zu dem Admiral Shuldham waren auf dessen Fahrt 6 zu dem Holländischen Korps gehörige Transportschiffe gestoßen, die 3 Kompanien von dem 43., und 3 von dem 71. Regiment an Bord hatten. Von diesen Schiffen ist keine andere Nachricht vorhanden, außer einer, die in den öffentlichen Blättern von New York steht: daß zwei Transportschiffe von den feindlichen Kapern genommen, und zu Boston aufgebracht worden; daß Major Menzies in dem Gefechte getötet, und der Oberstleutnant Campbell vom 7. Regiment nebst 15 anderen Offizieren und 450 Mann gefangen genommen worden. Gouverneur Franklin, welcher seit geraumer Zeit sein eigentümliches Land in Jersey behauptete, ist jüngst zu Amboy eingezogen worden, und wird jetzt als Gefangener zu Connecticut verwahrt, und der Major von New York wurde vor wenigen Tagen auf ein fälschliches Angeben, Nachrichten an den Gouverneur Tryon gesandt zu haben, vor Gericht gezogen und zum Tode verurteilt; doch ist nach den jüngsten Berichten dieses Urteil nicht vollzogen worden. Eines so gewalt-

samen Verfahrens ungeachtet, habe ich das Vergnügen, Ihro
Lordschaft zu benachrichtigen, daß mit vielem Grunde zu erwarten ist, es werde ein zahlreiches Korps der Einwohner der
Provinzen York, Jersey und Connecticut zu unserer Armee
stoßen, die bei dieser allgemeinen Unterdrückung bloß auf Gelegenheit warten, Beweise von ihrer Treue und ihrem Eifer zu
geben. Vor zwei Tagen kamen 60 Mann, nebst Waffen, aus der
Nachbarschaft von Schrewsbury, in Jersey, an, die alle verlangen
dienen zu dürfen, und ich glaube, es sind in dortiger Gegend
noch 500 dazu bereit, diesem Exempel zu folgen. Diese Gesinnung unter dem Volke macht mich ungeduldig auf die Ankunft
des Admirals Howe, indem ich annehme, daß die Vollmacht, mit
welcher er versehen ist, in diesem kritischen Zeitpunkte die beste
Wirkung haben werde.

Verschiedene Personen sind in diesen 2 Tagen nach dieser
Insel und an die Schiffe übergekommen, und ich bin benachrichtigt, daß der Kontinental-Kongreß die Vereinigten Kolonien
endlich wirklich für freie und unabhängige Staaten erklärt habe."

Es ist eine Tatsache, daß Geschehnisse von weltgeschichtlicher Bedeutung
selten vom Zeitgenossen als solche erkannt werden. So war denn auch die
Kunde von der Unabhängigkeitserklärung Amerikas, die schon lange in
den Zeitungen als vom Kongreß beschlossen erwähnt war, nicht die Sen-
sation, die sie ihrer Wichtigkeit nach hätte sein müssen. Niemand ahnte
wohl auch damals — und Amerika am wenigsten — welche Umwälzung
dieses Wort: „Unabhängigkeit" einmal für die ganze Welt bedeuten sollte.
An Propheten hatte es nicht gefehlt, wir haben einige dieser Stimmen in
unseren Blättern mit eingefangen. Wie stolz müßten sie auf ihre damaligen
Worte sein, könnten sie heute aus ihren Gräbern aufsteigen und einen
Blick auf die Welt werfen, die sich 185 Jahre nach ihrer Weissagung vor
unseren Augen bildet. Ein Howe, der dieses geschichtliche Ereignis in seinem
Heeresbericht so nebenbei, am Rande, erwähnt; England, daß dem 4. Juli
1776 kaum mehr Beachtung schenkte als irgend einem Anlaß der vom General-Kongreß ausging, beide waren sich aber darüber im Klaren, daß nun
der Kampf erst recht fortgesetzt werden und mit einem Siege Großbritanniens enden müsse, sollte der leuchtendste Edelstein aus des Königs Krone
nicht wirklich verloren gehen. — Bei dem im Bericht erwähnten Gouverneur
Franklin handelt es sich um den Sohn William von Benjamin Franklin. Aus
Sicherheitsgründen ließ ihn der Kongreß in Haft nehmen, hielt ihn jedoch
mit Rücksicht auf seinen Vater gut.

London, 13. August 1776

Nach Berichten aus Amerika ist der Schritt, da der Kongreß die Kolonien für völlig frei erklärt hat, den 4. Juli geschehen, und zugleich hat derselbe eine förmliche Kriegserklärung gegen England erlassen, worin versichert wird, daß die Kolonien das Schwert nicht eher wieder einstecken wollen, als bis sie eine völlige Entschädigung erhalten haben.

London, 20. August 1776

Die Amerikanischen Kolonien hatten bisher alles Übel und allen Bedruck, über welche sie sich beschwerten, den Ministern im Parlament vorgeworfen. Jetzt, da sie in ihrer Deklaration den König selbst beschuldigt, und sich dabei sehr unanständiger Ausdrücke bedient haben, haben sie dadurch einen großen Teil der Nation, der ihnen wohlwollte, gegen sich erbittert.

In der Unabhängigkeitserklärung, deren Text in den vielen Wiedergaben in Europa übrigens sehr abweichend von einander zu lesen ist, sind allerdings über einen breiten Raum sehr scharfe Angriffe gegen Georg III. persönlich gerichtet worden. Aus ihnen mag man den Grad der Erbitterung erkennen, unter dem der Kongreß seine Kräfte zu mobilisieren suchte.

Hamburg, 5. Oktober 1776

Am 11. Juli wurde (in Amerika) die Deklaration der Unabhängigkeit an der Spitze jeder Brigade abgelesen und mit den größten Freudenzeichen aufgenommen. Diese Akte enthält, daß die Kolonien sich nie wieder mit Großbritannien vereinigen, daß sie ganz und gar keine Handlung oder Gemeinschaft mit diesem Königreiche gestatten wollen, wenn ihnen nicht zuvor der Schaden ersetzt wird, welchen sie durch die Bemühungen, sie unter das Joch der Sklaverei zu bringen, gelitten haben. An dem Abend wurde sogar das Standbild zu Pferde des Königs Georg III., welches im Jahre 1770 daselbst errichtet worden, umgeworfen. Von dem Blei desselben sollen Kugeln gegossen werden.

Wie wir gelesen haben, war es 1766, als die Kunde vom Widerruf der verhaßten Stempelakte nach Amerika kam, wo in Virginien für ein Standbild des Königs Geld gesammelt wurde. Es entbehrt nicht der Ironie, daß dieses Denkmal der Dankbarkeit sich jetzt in tödtliche Blei gegen den einst gefeierten König verwandeln sollte.

1776—1777

ALLEN TEUFELN ZUM TROTZ

Von Ticonderoga bis Saratoga

Der Generalkongreß hat die Vereinigten Staaten von Nordamerika für frei und unabhängig erklärt. Die Welt vernimmt diese Kunde so gleichgültig, wie sie General Howe am 7. Juli seinem König aus Sandy-Hook mitgeteilt hat. Was will diese Erklärung schon besagen, wenn die Unabhängigkeit doch erst erkämpft werden muß! Propheten gelten bekanntlich im eigenen Lande nicht viel; überdies ist der Arm Großbritanniens lang genug, um auch über die Meere hinweg zum geeigneten Zeitpunkte das geeignete Wort zu dieser Erklärung des Kongresses zu sprechen. Viel interessanter ist jetzt das Schauspiel, das sich dem europäischen Beschauer bietet und die Gemüter in Spannung hält; wie der primitive Siedler wohl dem strafenden Arme seiner beleidigten Mutter entrinnen will.

Man hat in Europa viel darüber gestritten, was dem Generalkongreß den Mut gab, durch die Erklärung der Unabhängigkeit alle Brücken nach England abzubrechen. War es das Volk, das in seiner Gesamtheit hinter dieser Erklärung stand? Nein! Nicht einmal im Kongreß selbst waren alle Stimmen für die Unabhängigkeit und was das Volk angeht, so stehen von den dreieinhalb Millionen Bewohnern rund zwei Drittel im Lager der Indifferenten. Knapp ein Drittel gehört zu den Enthusiasten und rund zweihunderfünfzigtausend wollen dem englischen König die Treue halten. — Ist es vielleicht die Stärke des Heeres, die diesen Schritt rechtfertigt? Nein! Das Heer liegt gerade in den Tagen, da die Verkündung aus Philadelphia in die Welt hinaus geht, in schweren Fieberschauern. Die kleinen Anfangserfolge haben viel Mannschaften, viel Kriegsmaterial verschlungen. An beiden ist großer Mangel. Auf allen Kriegsschauplätzen sind die Kolonisten in die Defensive gedrängt worden, der Kanadafeldzug gescheitert, New York und Philadelphia in Gefahr, vom Feinde überrumpelt zu werden und General Washington verfügt gerade noch über 9000 Mann, mit denen er einem Heer bestausgerüsteter Feinde von 35 000 Streitern gegenüber steht. Weitere feindliche Regimenter aus Europa weiß der Heerführer bereits auf dem Wege. Und dazu kommt noch, daß Krankheit und Kriegsmüdigkeit in den Reihen der Kolonisten herrschen. Sie wollen heim und ihre Felder bestellen, Washington hat Mühe, sie durch Überredungskunst bei der Fahne zu halten. Nein, die Stärke der Streitmacht im Lande konnte den Männern im Kongreß den Mut zur Unterzeichnung einer solchen Erklärung nicht gegeben haben. — Oder aber, ist es die versprochene Hilfe von draußen, die zu dieser Verlautbarung führte? Nein! Der Kongreß hatte zwar in den sechs Monaten seit dem Besuche Bonvouloirs Zeit gehabt, sich von der Glaubwürdigkeit der Mission dieses Franzosen zu überzeugen. Doch Frankreich liegt fern und eine schnelle militärische Hilfe ist zur Zeit nicht zu erwarten, ganz abgesehen davon, daß die eingetretenen Schwierigkeiten, mit denen General Washington zu kämpfen hat, die Franzosen zwingen, gegenüber England noch vorsichtiger zu sein und die angelaufene Waffenhilfe noch versteckter vorzunehmen als bisher. Nein, keiner der drei Faktoren hat bestimmend auf den 4. Juli eingewirkt und so müssen wir wohl glauben, daß der Anstoß hierzu von England selbst ausgegangen ist. Es unterliegt keinem Zweifel, daß die Anwerbung fremder Truppen, die völlige Mißachtung der durch Penn und Lee überreichten Bittschrift des Kongresses an den König und dessen kurz darauf veröffentlichte Rebellenerklärung, dem Generalkongreß, der als Organ des Volkswillens anzusehen ist, keine andere Wahl mehr zuließ, als die Unabhängigkeit durch Waffengewalt zu erzwingen, so, wie Thomas Paine dies in seiner Flugschrift: „Commune Sense" klar und unmißverständlich zum Ausdruck gebracht hatte. Wahrscheinlich hat dem Kongreß der Gedanke, durch Gründung einer Nation mehr Verfügungsgewalt über Land und Volk zum Besten der gemeinsamen Sache zu gewinnen und vor allem die Lauen im Lande wachzurütteln, den Schlußstrich unter das bedeutungsvolle Dokument erst leicht gemacht. Wie dem auch sei: der 4. Juli 1776 ist der große Wendepunkt. Der Staat steht zwar auf dem Papier und es bedarf nun allerdings übermenschlicher Anstrengungen ihm das Fundament zu mauern. Dazu muß zuerst einmal der Feind aus dem Lande geschlagen werden.

Im Augenblick sieht es trübe genug aus. General Washington wird bei Brooklin geschlagen und muß New York räumen. Auf dem Champlainsee wird die amerikanische Flotte vernichtet und den Kolonisten, obwohl Washington dem Zugriff Howe's immer wieder ausweicht, bei Kingsbridge eine empfindliche Schlappe zugefügt. Das Fort, das des Obergenerals Namen trägt, wird vom Feinde besetzt und die Geldnöte des Kongresses wachsen ins Unendliche. Nein, die Lage sieht mehr als trostlos aus und Amerikas Unterwerfung scheint nur noch eine Frage von kurzer Zeit zu sein.

Unter diesen Umständen hat es der greise Franklin in Paris schwer. Die Nachrichten von jenseits des Ozeans, die wiederholt sogar den Tod Washingtons melden, sind nicht dazu angetan, die kühle Überlegung der französischen Minister für die amerikanische Sache über den Rahmen der Heimlichkeit hinaus zu fördern. Das Londoner Kabinett hat auch so schon genug Beweise in der Hand, mit denen es Versailles das Leben schwer macht.

Da wird dieses düstere Gemälde plötzlich durch einen freundlichen Sonnenstrahl verklärt. Eine Meldung kommt über das große Wasser, die, je nach Einstellung zu den Dingen, Freude oder Bestürzung hervorruft: General Washington hat in der Weihnachtsnacht 1776 den Delaware überquert und die hessischen Regimenter, die bei Trenton deutsche Weihnacht feierten, überfallen und aufgerieben!

Dieses Ereignis sollte den Mut der Amerikaner auf eine wundersame Weise heben. Der Freiwilligen, die sich nun in Washingtons Lager drängen, sind so viele, daß der Feldherr in New-Jersey wieder Fuß fassen und den Feind in die Defensive drängen kann. Der Kongreß, der Philadelphia vorübergehend verlassen mußte, kehrt dorthin zurück. Auch Franklins Bemühungen in Paris kommen nun besser in Fluß. Mit Pierre Beaumarchais gründet er die Scheinfirma Rodrigues Hortalez & Co., rüstet ihr eine Handelsflotte aus, mit der nun Kriegsmaterial und Geld, bares Geld! über die Antillen nach Amerika gelangt. Der junge Marquis de Lafayette geht gegen den Willen seines Königs über den Ozean, um in Amerika für die Freiheit zu kämpfen. Und je mehr die Spannung mit London jetzt zunimmt, desto fester wird nun der Knoten, den der Weise in Passy mit Ludwig XVI. zum Wohle Amerikas knüpft.

Der Überfall bei Trenton hat Washingtons Lage grundlegend gebessert. Zwar erleidet der amerikanische General Schuyler in Kanada eine ziemliche Schlappe, doch der Obergeneral übersieht auch hier blitzschnell die Lage, indem er sich an die Fersen des englischen Generals Burgoyne heftet. Daß ihm dadurch Howe entwischt und dieser sich erneut gegen Philadelphia wendet, muß George Washington hinnehmen. Diesmal kann er dem Kongreß nicht helfen, der muß nun zusehen, abermals ein neues Asyl zu finden.

Am 1. Dezember 1777 trifft Major Euyler, Adjutant von General Howe, im Büro des Kriegsministers in London ein, um Lord Germaine die endgültige Einnahme von Philadelphia zu melden. Wieder einmal sei General Washington einem Kampfe ausgewichen und habe eine Armee im Stich gelassen. Zwar befinde sich der Amerikaner zur Zeit auf der Flucht, doch werde er bereits lebhaft von General Howe verfolgt.

In London glauben sie, daß nun der Krieg in den Kolonien, der mehr am Leben der Nation zehrt, als die Regierung es zugeben will, bald beendet sein wird. Sie veranstalten aber trotz dieser günstigen Meldung kein Feuerwerk und tun gut daran. Denn wenige Tage später wird ihnen Washingtons „Flucht", erst durch unglaubwürdig klingende Meldungen aus Paris, dann durch Privatbriefe und schließlich durch offizielle Depeschen aus Amerika, die mit der leichten Schaluppe Warwick in London eintreffen, verständlich gemacht: England hat eine große Schlacht verloren; General Burgoyne mußte am 17. Oktober 1777 bei Saratoga mit 6000 Mann die Waffen strecken!

Arnolds Niederlage bei Trois-Rivières

Montreal, 20. Juni 1776

Am 8ten dieses wagten die Rebellen einen sehr kühnen Angriff. Sie kamen, mehr als 2000 Mann stark, in 50 Böten von Sorel herüber, landeten bei der Landspitze du lay und rückten vor, um unsere Truppen bei Three-Rivers anzugreifen. Sie fanden uns aber zu stark, gaben den Angriff auf und gingen in großer Eile den Fluß hinauf. Wir suchten sie von ihren Böten abzuschneiden und verfolgten sie, nachdem wir ihnen 2 Böte und 200 Gefangene abgenommen hatten, bis zum Fort St. Johns, wo wir fanden, daß sich die Rebellen inzwischen von Montreal abgesetzt hatten. Wir fanden alle Gebäude in Flammen und eroberten 22 Kanonen. Wenn der Wind uns günstiger gewesen wäre, hätten wir am 14ten in der Nacht Chamblé erreichen können und zwar fast zur gleichen Zeit mit Hrn. Arnold und dem Rest der Rebellen.   Guy Carleton

Es geht auf New York

Niederlage Peter Parkers auf der Insel Sullivan
Vor New York steht Washington

London, 16. August 1776

Ein Brief aus Philadelphia meldet folgendes:

„Wir sind hier in einer großen Bestürzung, weil die Nachricht eingelaufen ist, daß General Howe seinen Marsch nach dieser Stadt richtet. Die allgemeine Meinung war, der Hauptangriff würde auf New York geschehen. Nun aber sind wir gewarnt worden, auf unserer Hut zu sein. Wir können wohl ein Lager von 12 000 Mann zusammen bringen; die Lage von Philadelphia aber ist so, daß wir uns nicht lange verteidigen können. Der Kongreß hat alle fremden Ingenieure zusammen kommen lassen, um alle möglichen Verteidigungsanstalten auf dem Flusse sowohl als in der Stadt befördern zu helfen."

Seit gestern vernehmen wir, daß der Hof, unter verschiedenen andern in diesen Tagen erhaltenen Nachrichten, frische Briefe vom General Howe mit einem Expressen erhalten habe, der am 20. Juli abgegangen sei. Diese Briefe enthalten, daß, nachdem der Admiral, Lord Howe, mit allen seinen Truppen von Halifax bei dem General, seinem Bruder, angelangt gewesen sei, dieser, nachdem er auf der Staaten-Insel eine Besatzung nebst den meisten Kriegsschiffen zur Sicherheit gegen die zu New York befindlichen Amerikaner, und einer Anzahl Transportfahrzeuge, zurückgelassen, mit den übrigen Truppen wieder zu Schiffe, und, nebst der Flotte seines Bruders, nach Amboy, in Neu-Jersy, gegangen sei, um von da zu Lande auf Philadelphia zu marschieren. Es wird hinzugefügt, die Landung zu Amboy sei auch glücklich geschehen, und General Howe habe gehofft, drei Wochen eher zu Philadelphia zu sein, als der Amerikanische General Washington im Stande sei, dem Platz und der übrigen Provinz zu Hilfe zu kommen.

Eine weitere Meldung will wissen, daß Howe bereits Philadelphia besetzt habe. Nichts davon war wahr. Howe rührte sich nicht von Staaten-Island; seine Absicht war vorerst auf New York gerichtet.

London, 20. August 1776

Der Amerikanische General-Kongreß hat unterm 11. Juni ein Schreiben an die Provinzial-Versammlung von New York ergehen lassen, worin er derselben anbefahl, die gesamte Miliz der Provinz auf New York anrücken zu lassen, weil die Stadt wahrscheinlich würde angefallen werden.

London, 23. August 1776

Der Sekretär des General Clinton kam in der Königlichen Schaluppe „The Ranger", vorgestern, des Morgens früh, zu Portsmouth, und noch selbigen Abend hier in London aus Süd-Carolina an, und brachte die unangenehme Nachricht, daß der Comodore Sir Peter Parker, am 27. Juni mit seiner Flotte, die aus drei Schiffen von 50 Kanonen und 5 Fregatten bestand, sich einer Festung, die die Amerikaner auf der Insel Sulivan, an der Mündung des Charlestown-River, haben, gegenüber gelegt habe; daß der Comodore um 11 Uhr vormittags das Bombardement dieser Festung mit Heftigkeit und Mut angefangen, und bis 5 Uhr fortgesetzt habe. Dem Comodore war berichtet, daß man von Long-Island (einer ganz nahe an Sulvian Island stoßenden Insel) bei niedrigem Wasser oder Ebbe nach Sulivan-Island übergehen könnte. Dieses versuchten die Truppen während der Kanonade. Allein das Wasser war zu tief und ein Teil der Truppen fiel in der Kanadier Hände. Eine Stunde und 25 Minuten nach 5 Uhr erneuerte der Comodore das Bombardement, konnte aber nicht das geringste ausrichten, weil die Amerikaner sich mit ausnehmender Tapferkeit wehrten. Sie schossen auf das entsetzlichste mit glühenden Kugeln, sodaß das 50 Kanonenschiff „Actoyn" in Brand geriet und verloren wurde. Die Fregatten „Sphynx" und „Syren" strandeten, wurden aber wieder flott. In diesem Angriff hatte der Comodore eine Hand, der Kapitän Robert Keeler einen Arm und der Kapitän, der das Schiff „The Bristol" kommandierte, sein Leben eingebüßt. Auf letzterem Schiffe sind 40 Mann tot und 74 verwundet. Das Schiff „The Experiment" hat 24 Tote und 54 Verwundete; die Fregatte „Polebey" einen Toten und 7 Verwundete und die Fregatte „Active" einen Toten und drei Verwundete.

Der Comodore hat sich nach Long-Island begeben und die Truppen ans Land gesetzt, wo er sich, so gut er konnte, wieder in See zu gehen gerüstet, und ist, nachdem die Truppen wieder eingeschifft worden waren, am 16. Juli nach New York oder Staaten-Island unter Segel gegangen, um sich mit General Howe zu vereinigen.

Parkers Zug auf Charles-Town war als Ablenkungsmanöver gedacht, um General Washington von New York abzuziehen. Der Kongreß belobte alle Offiziere und Soldaten, die an dem glorreichen 28. Juni gestritten hatten. — Bei den im Bericht genannten Kanadiern sind Indianer gemeint.

London, 23. August 1776

Man vernimmt, der General-Kongreß habe das Kommando über die Amerikanischen Truppen bei New York dem General Washington übertragen, weil General Putnam, der dieselben bisher geführt, das Glück nicht gehabt hat, die Zuneigung der Truppen zu gewinnen. Die Provinzialen wenden alles an, besagte Stadt zu behaupten und die Landung englischer Truppen zu verhindern.

Der General-Kongreß hat dem General Washington ein Schreiben zugeschickt, worin er ihm für die den Vereinigten Kolonien bereits geleisteten Dienste dankt und ihm die Versicherung gibt, alles zu seinem Beistand zu tun, damit er die ihm anvertrauten wichtigen Aufgaben ausführen könne.

London, 27. August 1776

In der vorgestrigen Londoner Gazette hat der Hof die von dem Admiral Parker und dem General Clinton erhaltenen Briefe bekannt gemacht, aus denen die fruchtlosen Versuche vom 28. Juni zu ersehen sind. Der Brief des General Clinton an Lord Germaine ist datiert: Aus dem Lager auf Long-Island, in der Provinz Süd-Carolina, den 8. Juli; der Brief vom Admiral Parker aber: Auf der Rhede von Charlestown, den 9. Juli.

Der erste dieser Briefe ist nur kurz; der andere aber enthält ein umständliches Journal. Das Wesentliche von beiden ist dieses: Nachdem beide Befehlshaber der Flotte und der Truppen den Entschluß gefaßt hatten, die Carolinische Hauptstadt Charles-Town zum Gehorsam zu bringen, so begaben sie sich am 20. Juni dorthin. Es war aber nötig, daß man sich vorher der Batterien bemächtigte, welche die Amerikaner auf der Insel Sulivan zur Bedeckung der Stadt aufgeworfen hatten. Der Angriff auf dieselben erfolgte am 28. durch die Kriegsschiffe „Bristol" und „Experiment", jedes von 50 Kanonen, durch die Fregatten „Activ", „Solebay", Actäon und Syren von je 28 Kanonen, die „Sphinx" von 20 und ein anderes bewaffnetes Schiff von 22 Kanonen, ferner durch eine Bombardier-Galliotte und durch eine Schaluppe von 8 Kanonen. Es gerieten aber aus Unwissenheit der Lotsen, die 3 Fregatten auf Strand. Zwei von ihnen wurden einige Stunden nachher wieder abgebracht, die dritte aber konnte bis zum folgenden Tage früh nicht losgemacht werden, weshalb man sie in Brand steckte. Die Kriegsschiffe beschossen das Fort 10 Stunden lang, und unsere Leute zwangen viele Amerikaner das Fort zu verlassen. Diese wurden aber bald durch andere ersetzt, die verstohlenerweise vom festen Lande her dahin gelangten und diese verteidigten das Fort noch einige Zeit. Als es sich nun zeigte, daß unsere Leute nicht Besitz von dem Fort nehmen konnten, welches verschiedene Abteilungen der amerikanischen Besatzung schon gegen anderthalb Stunden geräumt hatten, aber in ansehnlicher Zahl immer wieder dorthin zurückkehrten und auf uns feuerten, unsere Munition bei Einsetzen der Dunkelheit um 9 Uhr aber größtenteils verschossen war und die Ermattung unseres Volkes überdies keinen glücklichen Erfolg mehr erwarten ließ, gab der Admiral Order, die Geschwader zurückzuziehen. Der Verlust, den wir bei diesen Vorfällen hatten, beläuft sich auf ungefähr 200 Mann. Der General Clinton sagt in seinem Briefe besonders: Der Admiral und er hätten (die irrige) Nachricht gehabt, daß die Festungswerke, welche die Rebellen auf der Sullivans-Insel — dem Schlüssel zum Hafen von Charlestown — aufgerichtet hätten, in einem unvollkommenen und vernachlässigten Zustande wären. Deshalb sei der Beschluß gefaßt worden, sie durch Überraschung zu erobern. Damit auch die Armee gemeinschaftlich mit der Flotte operieren möge, habe er die Truppen auf Long-Island landen lassen, zumal man berichtet habe, daß Long-Island mit Sullivans-Island zusammenhinge und nur ein seichter Kanal von 18 Zoll Tiefe dazwischen wäre. Allein zu seinem großen Leidwesen habe er diesen Kanal dann bei niedrigem Wasser 7 Fuß tief gefunden.

Inzwischen ist heute Morgen ein Expresser vom Admiral Howe mit Depeschen vom 28. Juli angelangt, welche, wie man sagt, enthalten, daß weder er, noch sein Bruder, der General, bisher eine Landung bei New York habe versuchen können, ohne gar zu viel zu wagen. Man will überdies wissen, daß die erwähnten beiden Befehlshaber beschlossen hätten, sich nach Pensylvanien zu begeben.

London, 3. September 1776

Es läßt sich darauf mit Sicherheit schließen, daß die Armee des General Howe unter dem Beistande seines Bruders, des Admirals, den ersten Angriff gewiß nirgends anders, als bei New York, oder in dortiger Gegend, tun werde. Hiervon wird nun die Zeitung täglich mit großer Ungeduld erwartet.

Während die beiden Howes rund 35 000 Mann zu ihrer Verfügung hatten, stand ihnen General Washington auf der New Yorker Insel mit nur rund 9000 Streitern gegenüber!

Inzwischen kommt General Carleton den Hudson herab

London, 6. September 1776

Mit dem Schiffe „Kent", welches von Quebeck zu Portsmouth angekommen ist, hat man Nachricht erhalten, General Carleton sei mit seinen Truppen noch nicht so weit gekommen als bis zum Fort Chamblee und seine Mannschaft bestehe aus 6000 Mann englischer und 2000 Mann fremder Truppen. Zwei Regimenter fremder Truppen waren zu Quebeck in Garnison gelassen. Man war beschäftigt, die nötigen Fahrzeuge in Bereitschaft zu setzen, um die Seen von Kanada zu passieren, allein man glaubte, schwerlich früher als im Monat September damit fertig zu werden. Die Provinzialen hatten daselbst gleichfalls 4 bewaffnete Fahrzeuge, und eine große Macht war bei Ticonderago versammelt, um unsere Truppen daselbst zu erwarten. Mit dem Schiffe „Kent" sind auch eine Menge Invaliden herüber gekommen, wovon einige bei der strengen Jahreszeit während der Belagerung verschiedene Gliedmaßen verloren haben.

Hanau, 17. September 1776

Die gestern abends von dem Hessen-Hanauischen Regiment, Erbprinz, eingelaufene Nachrichten, welche vom 14. Juli datiert sind, bringen mit, daß selbiges noch wohlbehalten und ruhig in und um Prairie de St. Madelaine in Kantonierungs-Quartier sich befinde, und nur auf Schiffe warte, um mit selbigen auf dem See Chamblee weiter zu ihren bestimmten Absichten kommen zu können.

Ein Hanauischer Offizier schreibt aus Prairie de St. Madelaine folgendes: „Noch haben uns die Feinde nirgends Stand gehalten; sie scheinen vor den deutschen Truppen sehr in Furcht zu sein. Es haben sich viele Kanadier zu uns geschlagen. Doch sind auch viele heimliche Anhänger der Amerikaner. Unsere Feinde sind zahlreich, aber schlecht diszipliniert. Sie haben kein Geld, sondern zahlen alles mit Papier. Sie sollten unsere Wilden sehen. Sie sind wunderbar gekleidet. Sie führen eine Flinte, einen Wurfspieß und ein Messer, und auf dem Kopfe einen kleinen Kahn, mit welchem sie in großer Geschwindigkeit über die häufigen Flüsse und Seen setzen."

London, 12. September 1776

Von einem zum Vorteile der Königlichen Truppen in Kanada vorgefallenen Gefechte gibt folgendes Schreiben eines deutschen Offiziers einen umständlichen Bericht:

Schreiben aus Crownpoint, den 25. Juli 1776: „Nachdem wir alle Schiffe und Proviant zusammen gebracht, setzte sich unsere Armee in 3 Kolonnen in Marsch. Die rechte wurde kommandiert von dem General Burgoyne, die linke von dem Braunschweigischen General, und in der Mitte war der General Carleton. Einige Tage vorher wurden 700 Indianer voraus geschickt, die Wälder zu reinigen und Gefangene einzubringen. Wir kamen einige Tagereisen von Crownpoint mit unsern Schiffen an, und konnten selbige und das Lager der Rebellen mit unseren Perspektiv-Gläsern deutlich sehen. Wir machten Halt und verschanzten uns. Unsere Feldwachen überfielen eine Sergeantenwache, und brachten selbige als Gefangene ein. Diese berichteten, daß die Rebellen stark verschanzt seien, und 4000 Mann Verstärkung von New York erhalten hätten, um unseren Angriff abzuwarten. Es wurde Kriegsrat gehalten, und beschlossen, vorwärts zu marschieren. Zwischen uns und dem feindlichen Lager war ein weites Tal, welches mit Bäumen und Faschinen bedeckt war. Unsere Piquets wurden beordert, Besitz davon zu nehmen. Sie fanden aber keinen Feind. Unser General fand bei dem Rekognoszieren, daß es blutig und schwer sein würde, sie aus ihren Verschanzungen zu vertreiben. Unsere Truppen machten also halt, und blieben unter dem Gewehr. Wir suchten sie durch List aus ihren Schanzen herauszulocken. Der General Burgoyne ward daher mit allen Grenadieren der Armee und 700 Indianern beordert, den Wald an der rechten Seite zu durchdringen, während die Irregulären mit dem Feinde in dem Walde scharmuzierten. Der Brigadier Nesbit mit dem 8. und 29. Regiment observierte die linke Flanke. Der Oberst Phillips mit der Artillerie avancierte mit 6 Bataillonen an die Front, während dem die Braunschweiger im Tal blieben. Das Kanonieren ging auf beiden Seiten an, und unsere Leute fingen an, sich zurück zu ziehen, und einige ihrer Kanonen zu verlassen; allein die Braunschweiger marschierten herbei, unterstützten sie, avancierten zu unseren verlassenen Kanonen und fingen ein reguliertes Feuer an; die Rebellen aber hielten sich in ihren Verschanzungen und taten uns durch ihr Feuer großen Schaden. Unsere Truppen wurden hierüber sehr bestürzt und retirierten sich mit Verlust ihrer meisten Kanonen in das Tal, wo sie sich alsobald stellten. Die Rebellen, die nun nicht zweifelten, daß sie gewonnen hätten, kamen aus ihren Verschanzungen hervor, um sich unserer im Stich gelassenen Kanonen zu bemächtigen, welches drei viertel Meile von ihren Verschanzungen war. Man ließ sie solche in Besitz nehmen, die sie nun in ihre Verschanzungen führen wollten. Darauf wurde Burgoyne und Nesbit durch eine Rakete ein Zeichen gegeben, worauf unsere Front den Hügel bestieg und in fürchterlicher Ordnung anrückte. Die Rebellen präsentierten uns ihre Front mit der größten Entschlossenheit, und das Feuer wurde wieder erneuert. Aber da der kritische Augenblick gekommen war, griff Burgoyne mit Nesbit von hinten und in der Flanke an und 13 Minuten später waren sie gänzlich geschlagen. Wir marschierten auf ihre Werke los, welche ganz langsam feuerten, und das Fort ergab sich den anderen Morgen. Durch unsere klugen Generale haben wir also den größten Teil ihrer Armee zerstreut, welches uns fünf mal mehr würde gekostet haben, wenn wir sie in ihren Verschanzungen angegriffen haben würden. Wir haben 300 Tote und Verwundete. Die Niederlage war in den 13 Minuten schrecklich, denn sie wurden von allen Seiten angegriffen. Sie haben bei 800 Tote, soviel Verwundete und 400 Gefangene. Ihre Offiziere sind nach Quebeck transportiert, ihre Gemeinen aber losgelassen und nach ihren Kolonien geschickt worden."

Es war Carletons Aufgabe, die Amerikaner vor sich her zu treiben und sich mit Howe vor New York zu treffen. Carleton und Burgoyne kamen jedoch nicht rechtzeitig über die Seen.

England immer wieder verhandlungsbereit
aber einen „George Washington, Esquire" gibt es nicht und Benjamin Franklin lehnt die „abhängige" Freiheit ab

Hamburg, 5. Oktober 1776

Obgleich die Hofzeitung noch nicht gemeldet hat, daß Lord Howe sich mit seinem Bruder, dem General, auf Staaten-Island vereinigt habe, und man noch nicht genau weiß, an welchem Tage der Admiral auf der Höhe von New York angekommen sei, so sieht man doch heute Briefe aus New York vom 15. Juli, welche melden, Lord Howe habe am Tage vorher den Kapitän und den Leutnant des Kriegsschiffes „Der Adler" nach der Stadt New York geschickt, um ein Schreiben, welches an George Washington, Esquire addressiert war, abzugeben; allein der General Washington habe diesen Brief nicht annehmen wollen, weil die Anschrift ihm seinen Charakter nicht beilegt. Der General-Kongreß hat dieses Betragen gebilligt und zugleich befohlen, daß künftig die Befehlshaber der Amerikanischen Armee keine anderen Briefe vom Feinde annehmen sollen als solche, auf welchen ihr Rang und Charakter ausgedrückt sind.

London, 4. Oktober 1776

Bei allen kriegerischen Anstalten werden unter der Hand Verglei-
chungsgeschäfte — jedoch so schläfrig, daß man nicht ohne Ungeduld
die Nachricht von etwas Entscheidendem erwarten kann — betrieben.
Die Kolonisten wollen zuerst angegriffen sein. Die Generale Howe
aber sind gewissenhaft, sie halten sich pünktlich an den Königlichen
Auftrag, nicht eher anzugreifen, als bis alle Versuche, sie in der Güte
zum Gehorsam zu bringen, mißlungen sein würden.

Einige Deputierte vom Kongreß und gemeldete Generale waren in
dieser Absicht beisammen. Unter verschiedenen Vorträgen, welche
die Kolonisten taten, fragten sie, ob man mit ihnen als freie unabhängige Republikaner in einen Vergleich sich einlassen wolle, oder
nicht. Die Königlichen Bevollmächtigten antworteten mit Nein.

Ferner erklärten die Kolonisten, daß sie nicht die geringsten Vorschläge anhören würden, bevor nicht die Königlichen Truppen und
alle Schiffe aus Amerika abgezogen sein würden. Lauter Punkte, aus
welchen zu ersehen ist, daß es den Kolonisten gar nicht um einen Vergleich zu tun sei. Indessen bekommen sie je länger je mehr Zeit, sich
in immer stärkere Kriegsverfassung zu setzen, wie denn auch fast
täglich einzelne Haufen, bald vom Norden, bald vom Süden dem
Mittelpunkt, New York, zusteuern.

London, 12. November 1776

Die Erfolge der Königlichen Truppen in Amerika haben einige Unruhe in Boston und anderen Orten verursacht, und man glaubt, daß
sich die Amerikaner bald zum Vertrage bequemen werden.

Doktor Franklin und W. Adams sind bei dem General Howe erschienen, und da er sie fragte, in welcher Qualität sie kämen, sagten
sie, als Abgesandte von den 13 Vereinigten Provinzen. Darauf versicherte sie der General, daß er in dieser Qualität in keine Verhand-
lung mit ihnen eingehen könne. — Einige Berichte melden, der General hätte sie hierauf gleich verlassen und sie hätten ihm gemeldet:
er möge sengen, brennen, morden und tun, was er wolle; er würde
aber erfahren, daß Amerika nie anders, als ein freier unabhängiger
Staat sich behandeln lassen werde. Andere hingegen behaupten, daß
die Deputierten gebeten hätten, so lange bei dem General bleiben zu
dürfen, bis sie neue Instruktionen bekommen hätten, welches ihnen
auch zugestanden worden sei.

Howe ruhte sich wortwörtlich auf seinen Lorbeeren aus, anstatt die
Amerikaner frisch zu verfolgen, was ihn und die englische Sache entschieden

vorangebracht haben würde. Statt dessen ließ er General Washington entwischen und lud den Generalkongreß abermals zu Besprechungen ein. Der Kongreß schickte diesmal Benjamin Franklin, John Adams und Edward Rutledge als Sprecher. Am 11. September trafen sie im Hauptquartier Howes auf Staaten-Island ein. Howe und Franklin kannten sich bereits von London her, wo sie freundschaftlich verkehrt hatten. Deshalb war der Empfang der Amerikaner wohl auch besonders herzlich gestaltet: Hessische Soldaten bildeten von der Küste bis zum Hause des Generals Spalier und Howe ließ Schinken, Zunge, Hammelbraten und guten Wein auftragen. Franklin mußte sich jedoch bald davon überzeugen, daß Howes Vollmachten über das Recht, Pardon zu gewähren, nicht hinausging.

Howes Pardon

Hamburg, 5. Oktober 1776
Sobald Lord Howe auf der Küste von New York angekommen war, publizierte er eine Deklaration, worin er anzeigte, wie er und sein Bruder zu Kommissarien des Königs ernannt wären, um allen denen einen General-Pardon zu erteilen, welche sich bei diesen Zeiten der Unruhe dem schuldigen Gehorsam entzogen hätten, und nun willens sein möchten, sich durch eine schleunige Wiederkehr zu ihrer Pflicht, die Gnade Sr. Majestät zu Nutze zu machen. . . .
Da ein Paket Exemplare von dieser Deklaration dem General Washington in die Hände fiel, so sandte er dasselbe an den General-Kongreß, welcher Befehl gab, Kopien von den Zirkularbriefen nebst der darin eingeschlossenen Deklaration in die Zeitungen zu rücken, damit die Einwohner der Vereinigten Staaten von der Absicht der Kommissarien und von dem Endzweck der Bemühungen des Britischen Hofes unterrichtet sein möchten:
Die Deklaration, welche Viscount Howe in den Amerikanischen Kolonien verbreiten läßt, lautet (London, den 1. Oktober 1776) folgendermaßen:
„Weil es, zufolge eines Parlamentsbeschlusses des vorigen Jahres, betitelt: eine Akte, allen Handel und alle Gemeinschaft mit den Kolonien Neuhampshire, Massachussetsbay, Rhode-Island, Connecticut, New York, Newjersey, Pensylvanien, die drei niederen Grafschaften am Delaware Virginien, Nord-Carolina, Süd-Carolina und Georgien, zu verbieten, aus besonderer Ursache dienlich befunden worden, so ist beschlossen worden, daß es einer oder mehreren Personen, erwählt und bevollmächtigt von Sr. Majestät, erlaubt sein soll, irgend einer Anzahl Leuten

zu verzeihen, oder durch eine öffentliche Ankündigung im Namen Sr. Majestät bekannt zu machen, daß diese oder jene Kolonie oder Provinz an dem Frieden Sr. Majestät Teil hat und daß von der Bekanntmachung einer solchen Proklamation an in irgend einer der oben genannten Kolonien oder Provinzen, oder auch, sobald Sr. Majestät desfalls seine fernere Königliche Proklamation ergehen läßt, die besagte Akte in Ansehung solcher Kolonie oder Provinz, Kolonien oder Provinzen, Grafschaft, Stadt, Hafen, Gebiet oder Ort, gänzlich aufhören und von keiner Bedeutung sein soll. Ferner, weil der König, aus Verlangen, seine Untertanen vor den Unfällen des Krieges zu bewahren und gegen andere Unterdrückungen, denen sie jetzt ausgesetzt sind, zu schützen, und die besagten Kolonien wiederum in seinen gnädigen Schutz und Frieden aufnehmen, sobald das Ansehen der rechtmäßigen Regierung in den vormaligen Zustand kann gesetzt werden, allergnädigst hat geruhen wollen, mich, Richard Viscount Howe, und William Howe, Esquire, General seiner Kriegsmacht in Amerika, und einem jeden von uns, entweder zusammen oder einzeln durch Patente unter dem großen Siegel, gegeben am 6. Mai im 16. Jahre Sr. Majestät Regierung, als Bevollmächtigten zu erwählen, um seine allgemeine Verzeihung allen und jedem darzureichen, die in dem Aufruhr und Unglück dieser Zeiten von ihrer schuldigen Treue mögen abgewichen sein, aber willens sind, durch eine schleunige Wiederkehr zu ihrer Pflicht, an der Königlichen Nachsicht Teil zu nehmen; ferner, auch irgend eine Kolonie, Provinz, Grafschaft, Stadt, Hafen, Gebiet, im Namen Sr. Majestät des Königs des Königlichen Friedens teilhaftig zu erklären.

Also tue ich hiermit jedermann kund und zu wissen, daß gehörige Achtung gegen die Dienste eines jeden soll bezeugt werden, der zur Wiederherstellung der öffentlichen Ruhe in den besagten Kolonien oder ihren Teilen Hülfe leisten wird; daß Vergebung soll gestattet, gehorsame Vorstellungen angenommen, und alle billige Ermunterung aufgestellt werden, damit die besten Maßregeln zur Bestätigung der rechtmäßigen Regierung und des Friedens, dem gnädigen Endzweck Sr. Majestät zufolge, mögen ergriffen werden.

Gegeben an Bord Sr. Majestät Schiff „Der Adler" an der Küste der Provinz Massachussets-Bay, den 20. Juni 1776

Howe."

Niederlage Washingtons bei Brooklyn
Die Amerikaner verlassen New York — New York brennt

Leipzig, 16. Oktober 1776

Die in verschiedenen auswärtigen Zeitungen befindliche Nachricht
von einem bei New York vorgefallenen Treffen, welche durch Amerikanische Schiffe nach Nantes, und von da nach Holland gekommen
sein solle, ist allem Ansehen nach eine alte Erdichtung, weil die neuesten Nachrichten aus London kein Wort davon wissen. Wir halten
es daher auch nicht der Mühe wert, sie nachzuschreiben, zumal da das
Treffen am 16. August vorgefallen sein soll, man in England aber
schon Briefe aus New York vom 19. hat.

Die Leipziger Zeitung hatte bereits am 23. September ein Gerücht aus
London vom 10. September über eine große Schlacht vor New York ab-
gedruckt, die für die Amerikaner verhängnisvoll gewesen sein sollte. Nun
wollte die Zeitung nicht ein zweites Mal hereinfallen.

Leipzig, 21. Oktober 1776

Eben jetzt eingehende Nachrichten von London den 10. Oktober
bringen uns einen umständlichen Bericht des Lords Howe vom 3. September mit, worin derselbe dem Engländischen Ministerium eine
weitläufige Nachricht von einem blutigen Treffen erteilt, welches den
27. August auf der langen Insel unweit New York vorgefallen ist. Der
Besitz dieser Insel war zum Angriff auf die jetzt gedachte Stadt unent-
behrlich, und da sie von 10000 Kolonisten besetzt wurde, so war das
Gefecht blutig. Die Kolonisten wurden bis in die Verschanzungen von
New York zurückgeschlagen und sollen 3300 Mann an Toten, Gefangenen usw. nebst vielem Geschütz und allen Lebensmitteln verloren
haben.

Hanau, 19. Oktober 1776

Schreiben eines Hessischen Offiziers von Staaten-Insel, vom 3. September 1776:

Seit dem 14. August sind alle unsere Truppen auf Staaten-Island
ausgeschifft, und allda mit frischen Lebensmitteln versehen worden.
Den 22. aber wurden die 3 Grenadier-Bataillons nebst dem Jäger-
Korps, unter dem Kommando des Herrn Obersten von Donop, und
sämtliche Englische Truppen, ohne einige Widersetzung der Rebellen,
auf Long-Island übergeschifft. Den 23. und 24. gerieten sie mit den
Rebellen in ein Scharmützel, und trieben sie auf sehr vorteilhafte Anhöhen zwischen Hecken, Büschen und Waldungen. Den 25. folgten

11*

Se. Exzellenz, der Herr Generalleutnant von Heister mit 6 unserer Infanterie-Regimenter, unter den Brigaden des Herrn Generals Stirn und von Mirbach, ebenfalls den 3 Grenadier-Bataillons auf Long-Island nach; die übrigen 4 Infanterie-Regimenter aber mußten unter der Brigade des Herrn Obersten von Lossberg auf Staaten-Island zu dessen Verteidigung bleiben. Den 27. wurden die Feinde von ihren vorteilhaften Höhen mit Verlust von 3300 Toten und Gefangenen vertrieben und genötigt, die Flucht in ihr verschanztes, durch Natur und Kunst befestigtes Lager nach New York zu nehmen. Den 29. versicherte sich der Generalleutnant von Heister der Überfahrt von Long-Island nach New York.

Den 31. war diese schöne Insel gänzlich von den Rebellen geräumt. Sie retirierten sich in die Stadt über die Gouverneur-Insel, woher sie noch einige schwache Verteidigung machten, mit Hinterlassung ihrer Artillerie, vielen Gewehren, Pferden, Kühen und anderen Lebensmitteln. Gegenwärtig sollen sich in der Stadt noch 6000 Mann, doch meistens Kranke, befinden. Seit gestern hat alles Kanonieren und Musketenfeuer aufgehört, weil man diese schöne Stadt konserviert wissen will. Alles dieses sind Folgen des am 27. erfochtenen Sieges, welchen die Engländer unseren Truppen fast gänzlich beilegen, obgleich man auch an der Küste von York-River gesehen hat, daß die englischen Truppen am linken Flügel unter dem Generalmajor Grant tapfer gefochten und die Feinde hinter ihre Verschanzungen getrieben haben. Die Rebellen steckten bei ihrer Flucht längs der Küste alle Früchte in Brand, ruinierten die Wohnungen der Einwohner gänzlich. Unser erlittener Verlust ist unglaublich gering.

London, 11. Oktober 1776

Ehe noch die Hofzeitung gestern Mittag im Publikum erschien, war von den darin enthaltenen Nachrichten bereits ein guter Teil in der Stadt bekannt. Weil aber der Verlust der Königlichen Truppen so gering angegeben wurde, glaubten viele, es sei alles unbegründet. Man kann sich aber die Freude nicht vorstellen, die man um Mittag an der Börse und in den Kaffeehäusern sah, als jene Zeitung bestätigt wurde. Man sah bei dieser Gelegenheit, daß die Anzahl derer, die dem Könige und dem Lande wohl wollen, doch noch unaussprechlich größer ist als derer, die das Reich in Zerrüttung setzen. Alles schüttelte sich auf gut Britisch einander die Hände, gratulierte sich, und in Wahrheit! viele brave wackere Männer wurden gesehen, wie sie stille Freudentränen zu verbergen suchten.

Hier ist die vorgestern versprochene umständliche Nachricht des Lord Howe von dem Vorfall am 27. August:

„Hauptquartier zu Newton auf Long-Island, den 3. September:

Mylord, am 22. des abgewichenen Monats landeten die Briten, nebst des Oberst Donops Jäger-Korps und den Hessischen Grenadieren, bei Utrecht auf Long-Island ohne Widerstand, indem alle, nebst 40 Kanonen, unter der Aufsicht des Comodore Hotham ausgeschifft waren. Der Generalleutnant Clinton kommandierte die erste Division.

Der Feind hatte nur kleine Abteilungen an der Küste, welche bei der Ankunft der Boote sich sogleich in die waldigen Höhen zurückzogen, die einen Hauptpaß auf dem Wege von Flatbush zu ihren Werken zu Brooklin verteidigen. Lord Cornwallis ward sogleich nach Flatbush mit dem Korps der Reserve detaschiert, nebst 2 Bataillonen leichter Infanterie, von des Obersten Donop's Korps und 6 Feldstükken, mit dem Befehl, den Paß anzugreifen, falls er ihn besetzt fände. Da dies letztere der Lord wirklich vorfand, so nahm er Posto im Dorfe, und die Armee verbreitete sich von der Fähre durch Utrecht und Gravesend nach dem Dorfe Flattland.

Der Generalleutnant Heister stieß am 25. mit 2 Brigaden Hessischer Truppen von Staaten-Island zur Armee und ließ eine Brigade seiner Landsleute, ein Detaschement vom 14. Regiment aus Virginien, einige Gesundgewordene und Rekruten, unter Befehl des Oberstleutnants Dalrymple, zur Sicherheit des Eilandes zurück.

Der Generalleutnant Heister postierte sich am 26. zu Flatbush, und des Abends zog Lord Cornwallis mit den britischen Truppen nach Flattland. Gegen 9 Uhr desselben Abends bewegte sich die Avantgarde der Armee unter dem Generalleutnant Clinton, bestehend aus leichten Dragonern, der Brigade leichter Infanterie, der Reserve unter Lord Cornwallis, das 42. Regiment ausgenommen, welches auf der Linken der Hessischen Truppen postiert war; der ersten Brigade unter dem 71. Regimente, nebst 14 Feldstücken von Flatland, den Ländern der neuen Losse gegenüber, um sich eines Passes auf den Höhen, die von Osten nach Westen mitten durch das Eiland streichen, zu bemächtigen, der ungefähr 3 Meilen von Bedford auf dem Wege nach Jamaica sich befindet, um auf die Weise des Feindes linken Flügel, der zu Flatbush stand, zu wenden.

General Clinton langte ungefähr 2 Stunden vor Tages Anbruch eine halbe Meile von dem Passe an, machte Halt und Verfügungen zum Angriff. Eine seiner Patrouillen traf auf eine feindliche Patrouille und nahm sie gefangen. Der General erfuhr, daß die Rebellen den Paß nicht besetzt hatten. Er fertigte demnach sogleich ein Bataillon leichter Infanterie ab, um Besitz davon zu nehmen, und bei Tages Anbruch rückte er mit seinem Korps vor und nahm Besitz von den Höhen mit einer solchen Disposition, die ihm einen glücklichen Erfolg versichert hätte, wäre die Macht des Feindes ihm entgegengestellt gewesen.

Das Gros der Armee, bestehend aus der Garde, der 2., 3. und 5. Brigade und 10 Feldstücken, vom Lord Bercy geführt, marschierten bald nach dem General Clinton ab und machten eine Stunde vor Tages hinter seinem Korps halt. Dieser Kolonne (denn das Terrain erlaubte nicht, daß man in 2 Kolonnen marschieren konnte) folgte das 49. Regiment mit 4 Zwölfpfündern, und die Bagage mit einer Bedeckung schloß den Zug.

Sobald das Korps die Höhen passiert, ließ man Halt machen, und die Soldaten einige Erfrischungen zu sich nehmen, worauf der Marsch fortgesetzt ward, und da sie ungefähr halb 9 Uhr Bedford erreicht hatten, im Rücken des feindlichen linken Flügels, so ward der Angriff von der leichten Infanterie und den leichten Dragonern angefangen. Große Korps von Rebellen, welche Kanonen hatten, standen da. Sie zogen sich von den obengemeldeten walddichten Höhen nach ihren Linien zurück, da sie den Marsch der Armee entdeckten. Allein, sie wurden zurückgetrieben, und da die Armee immerfort anrückte, um dem Feinde in den Rücken zu kommen, kamen sie bald innerhalb eines Flintenschusses vor den feindlichen Linien bei Brooklyn an. Von diesem Orte vertrieben die Bataillone eine Menge Rebellen, welche sich von den Höhen nach ihren vornehmsten Redouten zurückzogen und waren die Unsrigen dabei von solchem Eifer und so nahe am Feind, ihres Feuers und ihrer Kanonen, willens die Redouten zu erstürmen, daß man nötig hatte die Order zu wiederholen, von diesem Vorhaben abzustehen. Hätte man ihnen nämlich erlaubt, fortzufahren, so würden sie, nach meiner Meinung, die Redouten mit stürmender Hand wohl erobert haben. Da es aber sehr einleuchtend war, daß die Linien durch reguläre Approchen ohne Verlust in unsere Hände fallen mußten, so wollte ich den Verlust, den man im Stürmen haben konnte, nicht wagen, sondern befahl, daß sie sich in einen Hohlweg vor der Front der feindlichen Werke außer Schußweite des Feindes zurückziehen sollten.

Der Generalleutnant von Heister fing sogleich nach Tagesanbruch an, den Feind in der Front zu kanonieren, und da unser rechter Flügel anrückte, gab er dem Donop'schen Korps Befehl, den Berg anzugreifen, wobei er selbst an der Spitze der Brigade anrückte. Die leichte Infanterie war in derselben Zeit durch eine Kompanie leichter Truppen, und zwei andere Kompanien der Garde verstärkt worden, welche mit dem größten Mute und Eilfertigkeit sich anschlossen, drei Kanonen eroberten und ein hitziges Gefecht mit einem überlegenen und zahlreichen Korps im Gehölze hatten. Allein, da die Hessen anrückten, zog sich der Feind zurück und ward daselbst gänzlich geschlagen. Der Generalmajor Grant, der die 4. und 6. Brigade, das 42. Regiment und zwei Kompanien Newyorker anführte, welche der Gouverneur Tryon im Frühjahr errichtet hatte, rückte längs der Seeküste mit 10 Kanonen an, die Aufmerksamkeit des Feindes von ihrem linken Flügel abzuziehen. Um Mitternacht stieß er auf ihre Vorposten, und bei Tagesanbruch auf ein großes Korps, welches Kanonen führte und sich vorteilhaft postiert hatte. Man kanonierte und scharmuzierte mit ihnen verschiedene Stunden, bis die Rebellen aus dem Feuern bei Brooklyn schlossen, der Abzug möchte ihnen abgeschnitten werden, und daher eine Bewegung zu ihrer Rechten machten, um sich den Abzug durch einen Bach und Morast, der ihre Rechte deckte, zu sichern. Allein, sie wurden auf dem Wege von einer Abteilung des 2. Grenadier-Korps angegriffen und erlitten beträchtliche Verluste. Eine Menge von ihnen geriet in den Morast, darin viele ersäuft und erstickt wurden.

Die Zahl der Feinde von den Linien, die von General Putnam kommandiert wurden, betrug nach den besten Informationen nicht weniger als 10 000 Mann und unterstanden dem Generalmajor Sullivan und den Brigadegeneralen Lord Stirling und Udall. Ihr Verlust an Getöteten, Verwundeten und Gefangenen soll auf 3300 Mann betragen, nebst 5 Feldstücken und einer Haubitze. Die Liste der Gefangenen habe ich angehängt. Von den Königlichen Truppen sind 5 Offiziere und 56 Unteroffiziere und Gemeine tot und 12 Oberoffiziere und 245 Unteroffiziere und Gemeine verwundet. Ein Offizier und 20 Grenadiere von der Marine sind gefangen, da sie die Feinde für Hessen ansahen.

Am 26. des Abends lagerten sich die Armeen vor der Front der feindlichen Linien. Am 27. des Nachts fingen wir unsere Arbeiten, 600 Schritt von ihren Redouten entfernt, auf dem linken Flügel an, doch am 29. in der Nacht verließen die Rebellen die Retranchements von Redhook in der größten Stille, sowie auch Gouvernors Eiland den Ab.nd darauf und ließen ihre Kanonen und eine Menge Munition in allen ihren Werken. Bei Tagesanbruch, am 30. entdeckte man ihre Flucht.

Noch ist der Feind im Besitz von Stadt und Eiland New York.

W. Howe."

Aus dem Lager von Long-Island, 5. September 1776
Schreiben eines Offiziers:

Die Überläufer melden uns, daß in der Stadt New York eine große Verwirrung herrsche, indem eine der Parteien darauf besteht die Stadt anzuzünden, die andere dies aber nicht gestatten will. Man glaubt inzwischen, daß man wegen der vielen Kranken daselbst, die man nicht gut transportieren kann, die Stadt schonen werde.

Wir sind bereit, auf der Insel New York zu landen. Die Rebellen haben sich zu Hellegate verschanzt, um uns die Spitze zu bieten und der General Clinton ist mit den Grenadieren und der leichten Infanterie Hellegate gegenüber gelagert. Gestern sind zwei Kriegsschiffe mit allen flachen Fahrzeugen den Fluß hinausgefahren. Die Hessen gegen zu Broekland Ferry, New York gegenüber, und sind im Besitz von Governors-Island. Die Rebellen fürchten sich sehr vor den Hessen und den leichten Dragonern, weil sie der Meinung sind, daß diese Truppen kein Quartier geben.

London, 18. Oktober 1776
Die Stadt New York, sagt man, sei am 8. des verflossenen Monats von unseren Truppen erobert worden.

Amsterdam, 20. Oktober 1776
Auch hier hat sich das Gerücht verbreitet, daß die Amerikaner auf das heftige Kanonieren der Königlichen Truppen die Stadt New York verlassen, selbige vorher aber in Brand gesteckt, und sich in ihre Verschanzungen in einiger Entfernung von der Stadt zurückgezogen hätten.

London, 25. Oktober 1776
Heute um 12 Uhr Mittags langte ein Expresser an mit der Nachricht, daß am 15. September die Armee unter General Howe bei New York angelangt und diese Stadt sogleich besetzt habe, nachdem die Amerikaner dieselbe vorher geräumt, und alle Kanonen, Munition

und der Armee zugehörige Effekten mitgenommen hatten. General Howe marschierte hierauf nach der nördlichen Spitze der Insel, wo Kingsbridge gelegen ist, und fand auf dem gegenüber liegenden festen Lande den Feind innerhalb eines Kanonenschusses stark verschanzt. Der Königlichen und ausländischen Truppen sind in allem 22 000 Mann beisammen. Ungefähr 19 englische Meilen von Kingsbridge, nach Norden zu, ist das Geding von Cortland, welches einem Verwandten des braven Majors Euyler gehört. Dieses haben die Insurgenten gänzlich durchwühlt und lauter Abschnitte, Verhacke und Verschanzungen von großem Umfange und Beträchtlichkeit darauf gemacht, wohin sie sich zu retirieren gedenken, wenn sie genötigt werden sollten, den Posten bei Kingsbridge zu verlassen.

General Washington befand sich zu dieser Zeit in einer fürchterlichen Lage. Nach Brooklyn waren ihm ganze 3000 Mann geblieben und es wäre für Howe ein Leichtes gewesen, ihn jetzt gänzlich zu vernichten. Weil Washington allen zaghaften Vorstößen kleiner Abteilungen des Feindes geschickt auswich, gewann er Zeit bis zur Neuorganisation seiner Truppen. Am 31. August schrieb er aus New York an den Kongreß: „Während 48 Stunden, bin ich kaum vom Pferde gekommen, habe kein Auge zugetan, so daß ich bis zu dieser Stunde zum Schreiben und Diktieren gleich unfähig war. Unser Rückzug geschah ohne alle Verluste an Mannschaft oder an Kriegsbedarf und in bester Ordnung, als ich von Truppen in unserer Lage erwartet hatte. Alle Kanonen und Vorräte schafften wir fort, mit Ausnahme einiger schwerer Stücke, welche wir wegen Beschaffenheit der Wege unmöglich fortbringen konnten."

Und am 1. September: „Ich bin überzeugt und vollkommen gewiß, als ich von irgend einer Tatsache sein kann, daß unsere Freiheit in die größte Gefahr gesetzt, wo nicht gar verloren werden muß, wenn ihre Verteidigung anderen Truppen, als einer beständigen stehenden Armee anvertraut wird, einer Armee, die während des ganzen Krieges bei der Fahne bleibt."

Aus dem Tagebuch eines Hessen über die Schlacht bei Brooklyn:
26. August 1776

Auf der langen Insel.

Dieser Tag wurde mit vieler Schikane zugebracht und des Nachts wurden wir alle Augenblicke durch Alarm der Vorposten aus dem Schlafe geholt. Eigentlich waren das nicht Attacken von den Rebellen, sondern meistens Überläufer, die zu uns wollten. Wenn die Engländer und Grenadiere sich nur etwas nähern hörten, so schossen sie gleich pelotonweise, wenn man nicht im Augenblick antwortete.

Heute kam der General Heister, der bis jetzt noch in Staaten-Island gewesen war, mit 6 Bataillonen zu uns.

27. August 1776

Um 10 Uhr (früh) wurden wir alle unter das Gewehr gesetzt und um 11 Uhr waren wir alle in Order de Bataille. Links und rechts rückten die Engländer von der Seite an, und rieben das auf, was wir zurücktrieben. Am linken Flügel, wo ich die Vorposten kommandierte, stand der Oberst Block mit seinem Bataillon. Meine Jäger waren so hitzig, daß, wie ich kaum im Walde war, ich mich mit meinem Kommando allein befand. Ich kam mitten ins Lager der Rebellen, worin sie noch waren. Sah links ihr großes Lager, rechts eine Schanze, und vor mir formierten sie sich in Kolonnen zu 50 bis 60 Mann. Wir ließen ihnen aber keine Zeit, und schlugen sie gänzlich. Es wurden viele erschossen, und noch mehr Gefangene gemacht. Ich verlor keinen einzigen Mann, so sehr war der Schrecken unter die Rebellen gefahren. An dem anderen Flügel ging es eben so glücklich. Wir machten über 500 Gefangene an diesem ersten Tage, worunter der General Stirling und noch ein General war. Der Oberst Johnson wurde erschossen. General Stirling ist einer von den wichtigsten Rebellen, der die Leute mit dem Degen in der Faust zwang wider ihren König zu fechten. Die Gefangenen wurden, solange wir keine Pferde hatten, vor die Kanonen gespannt und später auf die Kriegsschiffe verteilt. In zwei Tagen hatten wir 1100 Mann. Die Rebellen sahen lumpig aus und hatten keine Hemden an. Unsere Hessen gingen wie Hessen vor, sie gingen unverbesserlich und die Engländer wie die bravsten und kühnsten Soldaten. Sie verloren deshalb auch mehr als wir.

Dieses war ein sehr glücklicher Tag für uns. Die Rebellen standen sehr vorteilhaft im Walde, wir sehr schlecht in dem Dorfe Flatbush. Sie wußten anfangs ihre Lage zu nutzen, brannten ein Haus weg, und zündeten die Kornhäuser bis vor unseren Vorposten an. Wie wir aber mit frischem Mut sie in ihren Schlupfwinkeln angriffen, flohen sie alle, wie eben zusammengelaufenes Volk zu tun pflegt.

Schreiben aus New York, 22. September 1776

Es sind an die 5000 Einwohner in der Stadt geblieben, die sich alle so, wie es guten Untertanen geziemt, verhalten haben. Ich meine die New Yorker, die nicht Neu-Engländer sind und die wohl den Anschlag zur Feueranlegung in der Stadt gegeben haben mögen. Vermutlich ist solches durch einige Großen unter den Rebellen verabredet worden, und die Bösewichter waren nur ihre Werkzeuge. Das Feuer brach im Nordrevier aus, wo die Armen und die Arbeitsleute wohnen und wo sich die englische protestantische Kirche und das Kollegium befanden.

London, 12. November 1776

Von dem Brande zu New York kann man noch folgendes aus einem Schreiben nachholen. Die Rebellen hatten eine Menge brennender Sachen in die Keller verschiedener Häuser in demjenigen Teil der Stadt, Whitehall genannt, niedergelegt und solche in der Nacht vom 20. September angezündet. Hierdurch sind alle Gebäude auf der Westseite der neuen Börse längs der sogenannten Brookstraße bis an das Rathaus, und nordwärts bis an das Königliche Kollegium in Rauch aufgegangen. Ein Flügel des letzteren ist sehr beschädigt, das Hauptgebäude aber und der Büchersaal sind gerettet. Überhaupt aber sind an die 1600 Häuser, auch die Dreifaltigkeitskirche, die lutherische Kapelle, samt dem Pfarrhause und die Armenschule, in einen Aschenhaufen verwandelt worden.

Diese Mordbrennerei ist unter der Anführung eines bei dem Regiment Neu-England stehenden Offiziers, welchen die Königlichen mit der Lunte in der Hand erwischten, und gleich in der ersten Hitze massakrierten, bewerkstelligt worden. Überhaupt soll dieses mordbrennerische Verfahren eine große Verbitterung erregt haben. Die zu New York ansässigen Holländer und andere Einwohner, die bisher noch neutral waren, sind darüber so aufgebracht worden, daß sie die fürchterlichsten Verwünschungen über die Rebellen ausgestoßen haben und gegen die britischen Truppen die größten Merkmale der Gastfreundschaft und Freundschaft äußern.

In einem anderen Briefe aus New York liest man, daß die erste Person von den Mordbrennern, welche den Truppen in die Hände gefallen, ein mit Lunten und brennenden Sachen versehenes Weibsbild gewesen sei, welches aber, ohne Rücksicht auf ihr Geschlecht, und ohne weitere Umstände, in das Feuer geworfen worden sei. Einige der übrigen Mordbrenner machten, um ihre Tat zu bemänteln, eine Reihe mit Brandeimern zum Löschen. Sie wurden aber überführt und augenblicklich ins Feuer geworfen.

Zu dem Tagebuch eines Hessen vom 27. August: Der zweite gefangene General, außer Stirling, war Sullivan, den die Engländer auf freien Fuß setzten, um ihm Aufträge Howes an den amerikanischen Kongreß mitzugeben.

Zu dem Brand in New York: Am 15. September räumte General Washington diese Stadt. Am 21. bricht der Brand aus. Was lag näher, als die Amerikaner zu verdächtigen, zumal ja anfänglich unter ihnen davon die Rede gewesen war. Da aber General Washington bereits am 6. September dem Kongreß die Zusicherung gegeben hatte die Stadt zu schonen, falls er gezwungen sein sollte sie verlassen zu müssen, darf man wohl annehmen, daß der Brand andere Ursachen gehabt hat.

Georg III. deckt Frankreichs Karten auf
„Man darf Frankreichs Versicherungen nicht trauen" sagt Lord North

Aus der Rede des Königs am 31. Oktober 1776
„Verschiedene europäische Höfe fahren fort, mir Freundschaftsversicherungen zu geben. Nichts desto weniger bin ich der Meinung, daß es in der gegenwärtigen Lage der Sache zuträglich sein wird, wenn wir uns in einen kräftigen Verteidigungszustand setzen."

London, 4. November 1776
Lord North sagt zu der Rede des Königs: der König habe gesagt, daß er von den friedlichen Gesinnungen Frankreichs und Spaniens die stärksten Versicherungen erhalten habe, und dennoch halte er es für nötig, sich auf einen plötzlichen Angriff vorzubereiten. Diese Behauptung sei auf Tatsachen gegründet. So habe Frankreich seit einiger Zeit Kriegsrüstungen gemacht, eine kleine Flotte ausgerüstet. Allerdings lassen die Versicherungen des französischen Hofes darauf schließen, daß dies nicht geschehe, um England zu beunruhigen. Indeß, er sei kein Prophet, daß dies wohl zur Zeit die Absicht Frankreichs sei, sich morgen aber plötzlich ändern könne.

London, 20. August 1776
Nach Berichten der jetzt gedachten Neu-Schottländischen Gazette wäre ein von Brest ausgelaufenes Französisches Geschwader zum Dienst des Amerikanischen Kongresses (in Amerika) angekommen. Diese Nachricht will jedoch bei vielen hier noch keinen Glauben finden. Sollte auch wirklich ein derartiges Geschwader angekommen sein, so ist es, wie man urteilt, gewiß nicht zum Dienste des Kongresses, vielmehr zur Betreibung des Schleichhandels bestimmt.

Paris, 2. September 1776
In unseren Häfen wird fleißig gearbeitet. Künftigen April wird Frankreich eine Flotte von 80 Schiffen verschiedener Größe haben. Viele Schiffe von 80 Kanonen sind bereits segelfertig.

London, 13. September 1776

Am 6. dieses hat unser Hof wichtige Depeschen von seinem Gesandten am Französischen Hofe erhalten. Dem Vernehmen nach hat
er berichtet, daß ein Abgeordneter des Amerikanischen Kongresses,
namens Deane, zu Versailles angekommen sei. Unser Gesandter hat
darauf verlangt, daß gedachter Deane ihm in die Hände geliefert
werden möchte, um denselben nach England abführen zu lassen. Dieses Ansuchen sei aber vom Französischen Hofe abgeschlagen worden
mit dem Bemerken, Deane nicht in der vorgenannten Eigenschaft
anzuerkennen, noch mit ihm in Verbindung zu treten.

Anerkennung und Verbindung blieben dennoch Tatsache. Deane war
nach Frankreich gekommen, um die Waffenbrüderschaft vorzubereiten. —
In einem späteren Artikel lesen wir, daß er mit Pierre Beaumarchais in
Verbindung trat und fleißig Waffen für die Staaten ankaufte.

Abscheu der Lords gegen die Rebellen

London, 10. November 1776

An Stelle anderer unerheblicher Nachrichten verdienen folgende
vorzügliche Stellen aus einer Adresse, welche das Ober-Parlament
dem Könige auf dessen kürzlich gehaltene Rede übermittelte, bemerkt zu werden:

„Der glückliche Fortgang der Waffen Ew. Majestät in der Provinz
New York, die Wiedereroberung von Kanada und die erwünschte
Hoffnung zu ferneren entscheidenden Vorteilen in Amerika erfreuen
uns um so mehr, da es redende Beweise, sowohl von der Tapferkeit
unserer Kriegsvölker, als auch von dem Diensteifer und Mut der
fremden Hülfstruppen sind. Weit mehr aber hätte es uns erfreut,
wenn Ew. Majestät uns benachrichtigt hätten, daß die in Nordamerika so sehr grassierenden Unruhen einmal geendet wären. Möchten
doch jene verblendeten Einwohner durch eine gerechte Empfindung
ihres Unglücks und ihres Verbrechens gerührt von den herschsüch-
tigen Bedrückungen ihrer Anführer sich befreien und zu ihren Pflichten zurückkehren. Allein, wie wenig ist solches zu hoffen, da sie
unsere heilsamen Vergleichsvorschläge auf die unverschämteste Weise
stets verwerfen. Es fehlt uns an Worten, die Größe unseres Ab-
scheues gegen die Rebellen genugsam auszudrücken, gegen die Gott-
losen, welche mit einem unersättlichen Durste nach Macht und Herrschaft allem der Krone schuldigen Gehorsam nicht allein entsagt,
sondern auch mit einem der Größe ihres Verbrechens angemessenen

Stolze ihre aufrührerischen Verbindungen für Verbindungen unabhängiger Staaten angegeben haben. Welcher Nachteil muß nicht für die Kolonien, selbst für Großbritannien, und in gewisser Absicht für ganz Europa daraus erwachsen. Von dem Eifer für das Wohl unseres Vaterlandes beseelt, sind wir nach wie vor bereit, unser Gut und Blut zur Rettung der Ehre und der Krone wie auch zur Erhaltung der Rechte des Parlaments aufzuopfern.

Amerika verliert eine Flotte

London, 26. November 1776

Die Schnelligkeit, mit welcher der Gouverneur Carleton die große Anzahl Schiffe und Boote zusammen gebracht hat, wird sehr gelobt. Da aber die Provinzialen viele bewaffnete Schiffe auf der See haben so kann der Transport nicht anders, als durch die völlige Besiegung derselben geschehen. In dieser Aussicht sollen bei dem Übergehen die Kriegs- und übrigen Schiffe, die Kanonen führen, eine Linie und eine Reserve-Linie formieren, und vor der Armee vorausgehen. Die Armee soll alsdann in 3 Divisionen, die neben einander segeln, nachfolgen. Das 29. Regiment soll als See-Soldaten auf die Kriegsschiffe verteilt werden. Die feindliche Flotte, 19 Segel stark, unter welchen 12 bewaffnete Bateaux waren, lag bei Point au Fer.

Es handelt sich hier bei den Champlain Seen um das letzte Hindernis, das Carleton überwinden sollte, um die Verbindung mit Howe bei New York herzustellen.

Auszug eines Briefes aus Quebeck, 23. Oktober 1776

Ich habe das Vergnügen Ihnen zu melden, daß die Flotte der Rebellen auf dem Lac Champlain durch unser kleines Geschwader, welches Freitags den 11. dieses von Point au Fer absegelte, gänzlich zerstört ist. Die Flotte der Rebellen, welche von Arnold kommandiert wurde, und überhaupt aus 15 Schiffen bestand, befand sich zwischen der Insel de Valeur und dem hohen Meere in einem Meerbusen. Da aber der Wind aus dem Meerbusen bließ, so konnte die Königliche Flotte sie nicht erreichen. Man schickte indessen eine Anzahl Boote mit Geschütz aus, um sie aufzuhalten. Das Schiff „Carleton", welches der Leutnant Dacres, ein braver Offizier, welcher mit den Depeschen in diesem expressen Schiff nach England geht, kommandierte, fing die Aktion an, und hielt das ganze Feuer der Rebellen drei Stunden lang aus, da er endlich, weil er nicht unterstützt werden konnte, sich samt dem Boote zurückziehen mußte. Während dieser Aktion wurde das feindliche Schiff „Royal Savage", welches 11 sechspfündige Kanonen führte, an das Ufer getrieben, und auf Befehl des Generals Carleton, welcher sich am Bord des Schiffes „Maria" befand, verbrannt. Die Mannschaft des Schiffes „Royal Savage" kam mit Verlust von 25 Gefangenen davon. Eine zu den Rebellen gehörende Gondel wurde versenkt, und eins von unseren Feuerbooten durch einen Schuß in die Luft gesprengt. Das Schiff „Carleton" war sehr beschädigt, und hatte 32 Mann, teils getötete, teils verwundete. Es war ein widriger Umstand, daß die übrigen Schiffe ihm nicht zu Hülfe kommen konnten. Der übrige Teil der Rebellen stahl sich des Nachts aus dem Meerbusen weg und segelte auf Ticonderoga zu. Sie wurden den Sonnabend bis zum Sonntag von unserer Flotte verfolgt, da wir sie einholten und ihnen eine Galeere von 10 Kanonen und eine Gondel wegnahmen. Fünf Schiffe wurden verbrannt, worunter das Admirals-Schiff „Der Kongreß" befindlich war und fünf weitere entkamen. Da unsere Flotte nunmehr Herr von dem ganzen Champlain See ist, so zweifle ich nicht, daß man auch von hier bald gute Nachricht hören wird.

Während der Aktion wurde Crown-Point zum Teil von den Rebellen verbrannt. Den 15. wurde ihr fünfzehntes Schiff „Lee" von 6 Kanonen, welches an das Ufer getrieben war, von unsern Leuten genommen. Der General Carleton ist mit seiner Armee vor Ticonderago, welches sich nicht halten kann. Er hat alle Gefangenen, die er auf dem Champlain See gemacht hat, frei gelassen und nach ihren Wohnungen geschickt.

Die meisten Schiffe wurden von den Amerikanern auf Arnolds Befehl vernichtet, um sie nicht in die Hände des Feindes fallen zu lassen. Carleton machte keine Anstalten auf Ticonderago. Er setzte auch seinen Marsch zu Howe nicht fort, sondern ging nach Montreal in die Winterquartiere.

Die Aufmerksamkeit auf Frankreich wächst

London, 29. November 1776

Man behauptet jetzt mit großer Zuversicht, daß das Ministerium Briefe in Händen hätte, in welchen der Hof von Versailles den Provinzialen verspräche Beistand zu gewähren und daß dieses und die kaltsinnige Antwort des französischen Botschafters auf die Frage:

warum Frankreich so stark zur See rüste, die Ursache unserer schnellen Aufrüstung sei. Andere fügen hinzu, daß unser Botschafter zu
Paris über den Aufenthalt des Herrn Silas Deane, und seine häufigen
Unterredungen mit dem Herrn Beaumarchais, sich abermals beschwert habe, ohne eine gefällige Antwort zu erhalten. Man sagt, es
wären Befehle ausgefertigt, auf alle fremden Schiffe ein Embargo
zu legen. Da aber dieses nur zu Zeiten dringendster Gefahr geschieht,
und kein Mensch sagen kann woher dieselbe zu befürchten wäre, so
ist dieses sehr unwahrscheinlich.

Paris, 29. November 1776

Der Englische Gesandte bezeugt viel Mißvergnügen, daß ein sehr
bekannter Herr (Beaumarchais), den die Regierung zu geheimen Geschäften braucht, sich oft mit dem Herrn Deane unterredet, und daß
sich der letztere Mühe gibt, Offiziere für den Kongreß zu erhalten.
Die 6 Bataillone die nach Amerika bestimmt waren, werden nicht dahin gehen; man wird aber zur Verstärkung der Kolonien ein neues
Korps werben.

Am 9. dieses segelten 5 Kriegsschiffe von Brest nach Amerika. Am
12. aber segelte ein kleines Schiff hinterher, sie zurück zu rufen und
man hört nun, die Rüstungen in diesem Hafen würden weniger eifrig
betrieben. Indessen sollen doch verschiedene Offiziere die Flotte des
Herrn Duchaffault besteigen, die nach Gerüchten heute abgesegelt
sein wird.

Um diese Zeit war es, wo der Baron von Steuben seine erste Unterredung
mit Pierre Beaumarchais hatte, um Verwendung auf dem amerikanischen
Kriegsschauplatz zu finden.

Derselbe Beaumarchais, dessen sich jetzt Ludwig XVI. zum Wohle der
amerikanischen Freiheit bedient, war es, der zehn Jahre später durch seine
„Hochzeit des Figaro" den Revolutionsgeist in Frankreich förderte.

Washington weicht seinem Gegner aus
Niederlage bei Kingsbridge — Fort Washington genommen

London, 22. November 1776

Die Briefe aus Irland bringen allerlei Neuigkeiten aus New York
mit, die man freilich solange dahingesetzt lassen muß, bis der Hof
etwas davon bekannt macht. Besonders macht ein Brief des Kaufmanns Strattle zu Dublin, den er am 16. November mit einem seiner
Schiffe erhalten hat, dem hiesigen Publikum zu schaffen.

Er enthält, die Truppen Sr. Majestät hätten unter den Befehlen des General Clinton eine glückliche Landung bei Kingsbridge gewagt, wären hinter die Provinzial-Armee marschiert, die General Howe nach einem gegebenen Zeichen von vorn angegriffen hätte. Die Rebellen wären gänzlich geschlagen worden, die Königlichen Truppen hätten keinen Stabs-Offizier, nur 300 Mann überhaupt, die Provinzialen aber 7000 Mann an Toten und Gefangenen verloren. Lord Harcourt habe auch Briefe, vermutlich mit der Nachricht erhalten die der obigen gleiche und sogleich hierher geschickt. Nach anderen irländischen Briefen sind daselbst 5 Schiffe angelangt, die am 15. Oktober von New York abgesegelt waren und erzählen, daß General Washington, bei den Anstalten des General Howe, den Nordfluß heraufzugehen, die Königsbrücke verlassen und sich tiefer ins Land gezogen habe. Selten sind aber die Nachrichten über Irland wahr und die Partei der Gegner behauptet, Washington habe dem Kongreß geschrieben, es wäre den Engländern unmöglich, seine Linien zu ersteigen, er wolle sie angreifen, wenn er Verstärkung erhielte. Der Kongreß habe hierauf 60 000 Mann beordert, die Königlichen Truppen zwischen zwei Feuer zu nehmen. Man sagt aber nicht, wo diese 60 000 Mann herkommen sollen. Eben so bunt sind die Nachrichten vom Frieden. Einige versichern, das Ministerium habe Vergleichsvorschläge der Kolonien in Händen und warte nur auf Nachrichten von Howes; andere, diese Howes hätten dem Kongreß solche Vorschläge zugeschickt, gegen welche dieser nichts einwenden könne. Wieder behauptet man, General Howe habe geschrieben, das ganze Geschäft würde durch die Schwierigkeit behindert, weil die Amerikaner bloß als freie und unabhängige Staaten in Unterhandlung treten wollten. Freilich ein Haupthindernis! Auf der anderen Seite zeigt man wieder Briefe vor, der Kongreß rede kleinmütig, habe Philadelphia verlassen wollen, wäre aber vom Volke gezwungen worden dazubleiben und mit ihm einerlei Schicksal zu erwarten; er wolle nunmehr der Unabhängigkeit entsagen, und würde hierzu von der zahlreichen Menge der Mißvergnügten gezwungen, weil er so grausam gewesen wäre einige Quäker und andere henken zu lassen, weil sie kein Papiergeld annehmen wollten. Ferner sagt man, die Kolonie Pensylvanien habe schon ihre Deputierten vom Kongreß abberufen und erklärt, sie wolle allein das oberste Ansehen des Königs erkennen und hoffe, daß diesem Beispiel mehrere Kolonien folgen würden sobald sie erkennten, daß sie von ihren Chefs betrogen wären, die ihre Privatinteressen unter der Maske des allgemeinen Wohls verborgen hätten.

Die Zeitung hat schon recht, wenn sie die Nachrichten aus Irland mit Vorsicht aufnimmt. Immerhin, ein Körnchen Wahrheit enthalten sie allemal. General Washington hatte, wie wir schon wissen, alle Ursache, Howe auszuweichen. So zog er sich von Kings-Bridge nach White-Plains zurück, um später, wie wir noch lesen werden, auch diese Stellung geschickt zu räumen. Es kam wohl dabei zu kleinen Nachhutgefechten, doch niemals zu einer größeren Schlacht wie der gemeldeten, die auch noch unterm 26. November aus London bestätigt wurde, um freilich in einer Nachricht vom 29. November dementiert zu werden mit dem Zusatz: „Indessen ist doch wohl soviel gewiß, daß die verschiedenen Bewegungen und Anstalten des Generals Howe anzeigen, daß derselbe ehestens eine große Unternehmung ausführen werde, deren Erfolg man hier mit großer Sehnsucht erwartet."

Bezüglich der immer wieder auftretenden Friedensunterhandlungen wissen wir, daß die Anstrengungen hierzu von beiden Seiten gleich Null waren: der Kongreß blieb bei seiner Unabhängigkeit und die Gebrüder Howe machten ihr Fallenlassen zur Bedingung.

Daß der Kongreß wegen der Weigerung, das Papiergeld der Staaten anzunehmen, zu rigurosen Maßnahmen griff, ist glaubhaft, da eine solche Weigerung, die die Staaten an den Abgrund bringen mußte, Hochverrat war.

Soviel stand jedenfalls fest, daß die große Krise, in der sich zur Zeit General Washington, wie auch der General-Kongreß, befanden, der Kriegspartei in England viel Oberwasser gab und im gegnerischen Lager Besorgnis und Mißmutigkeit hervorrief.

London, 20. Dezember 1776

Es wird mehr und mehr bestätigt, daß Lord Percy mit 8000 Mann den Nordarm des Hudsonflusses hinaufgegangen und oberhalb Kingsbridge gelandet sei, während der General Howe mit dem Rest der Armee sich anschickte, die Amerikaner von vorn anzugreifen, um sie zwischen zwei Feuer zu bekommen. Allein, sobald diese die Königliche Armee sahen, verließen sie ihre Verschanzungen, ließen 80 Kanonen im Stich nebst aller Bagage und ergriffen eiligst die Flucht. General Howe war bei Abgang der Nachrichten im vollen Marsche begriffen um ihnen nachzusetzen. Der General Howe hat allezeit berichtet, er fände, daß er so sehr die Oberhand im Manövrieren hätte, daß er entschlossen sei, den ganzen Feldzug damit zuzubringen und daß er hoffe, dadurch beträchtliche Vorteile zu gewinnen. Allein die vielen Verschanzungen, Pässe und der unebene Grund ist Schuld daran, daß er bisher so langsam vorwärts kommen könne.

London, 27. Dezember 1776

Privatbriefe aus New York, deren auf 4000 angekommen sind, melden, daß General Howe jetzt das Fort Washington belagere. Die Königlichen Truppen haben mehr als die Provinzialen gelitten, weil sie ihren Angriff mit so viel Ungestüm vortrugen und außer Atem waren, als sie dem Feinde unter den Schuß kamen. Es waren englische Bataillone, die sich hier hinter den Hessen formierten.

Cassel, 28. Dezember 1776

Zehn Tage vor dem zweiten Siege der Königlich Großbritannischen Truppen über die Rebellen langte die zweite Division der Fürstlich Hessischen Völker unter dem Kommando Sr. Exzellenz des Herrn Generalleutnants von Knyphausen bei New York an, um also noch zur rechten Zeit an der Ehre des Tages Teil zu nehmen.

Einige deutsche Zeitungen wollen den Sieg noch bezweifeln, allein vergebens; folgender umständlicher Bericht wird allen Zweifel heben. Er kommt nicht von unseren Truppen. Diese gleichen ihren Vorfahren, die lieber große Taten verrichten, als solche zu beschreiben pflegen. Die Relation ist von Herrn Thomas Dilkes an Lord . . . . und traf hier eben zur rechten Zeit ein, um uns vergnügte Weihnachtsferien zu machen:

„Im Lager bei Neu-Plains, Sonntags am 3. November 1776

Mein teurer Lord:

Am 11. Oktober brachen wir unsere Zelte ab und nahmen unseren Marsch über die Vorposten auf New-Jorks-Eyland, ließen aber ein Korps Hessen daselbst, wie auch die 3. und 4. Brigade und die 5. zu New York; alle zusammen standen unter dem Kommando des Lord Percey. Wir schifften uns zu Turtle-Bay ein, und segelten den Ostfluß hinauf, passierten Hellgates und landeten in Troywick. Ohne Widerstand marschierten wir über ein sehr beschwerliches und festes Land, das mit Steinen, Pallisaden und aneinanderhängenden Felsen, Waldungen und zwar solchen angefüllt war, die noch niemals gehauen waren. Einige wenige Male wurde gefeuert. Die Rebellen hatten die Brücke, welche die Erdzunge und das feste Land miteinander verbindet, abgebrochen und hatten einige kleine Werke aufgeworfen. Wir machten Halt, und blieben die Nacht unter Waffen. Unglücklicherweise tötete ein Schuß des Feindes aus einem Sechspfünder drei Grenadiere vom 43. Regiment, und einige wenige aus den auf Schildwache ausgestellten wurden verwundet. Die 1., 2. und

6. Brigade von Long-Island landete am Abend, und am 17. gingen wir wieder zu Schiff, um weiter anzurücken. Die leichte Infanterie, die die Reserve ausmachenden Hessischen Jäger und Grenadiere, wurden in Booten übergesetzt, deren jedes 50 Mann aufnahm, und so landeten sie abermals in Pelhamsmanor ohne Widerstand zu finden, obgleich die Beschaffenheit des Landes unsere Landung sehr beschwerlich gemacht haben würde. Da wir weiter vorwärts marschierten, um die Landstraße, welche nach Connecticut führt, zu gewinnen, machten die Feinde hinter den Felsenmauern allerhand Anstalten zur Verteidigung und einige Leute von uns wurden verwundet. Die reguläre und langsame Avancierung der Hessischen Grenadiere war, in Vergleichung der schnellen Bewegung der unsrigen, ungemein schön anzusehen. Die Grenadiere hatten außer uns noch einen sehr lebhaften Marsch auszuhalten, der auch wirklich seine Wirkung tat und wir bemächtigten uns der Straße. Des Nachts lagen wir unter den Waffen, und den folgenden Tag schlugen wir ein Lager auf, da sich die Feinde in einige Werke retirierten, deren sie sehr viele mit Erfahrung aufgeworfen hatten.

Den 21. bewegten wir uns auf die Höhe von Neurochelles, und Tags darauf kampierten wir daselbst. Der Oberst Rogers war mit seinen New Yorker Kompanien zu Masamach. Er ward angegriffen und verlor einige Mann; sie hielten sich aber wohl, und trieben die Rebellen zurück. Diese hatten sehr viele Läger in Philippshausen, in einer sehr festen Gegend. In der Tat, das ganze Land, so weit wir über solches haben kommen können, und so weit man nur sehen kann, ist eine ununterbrochene Kette fester Posten. Am 25. machten wir noch eine andere Bewegung zu unserer Rechten und gewannen die Straße von Neu-Plains, wo die Rebellen das Vorhaben hatten, uns zu erwarten. Wir kampierten ihnen gegenüber. Am 27. brachen sie in der Nacht ihre Zelte ab und marschierten von Neu-Plains weg an den Brouxs-River, wo der größte Teil ihrer Armee kampierte. Am 28. brach die ganze Armee die Zelte ab und setzte sich in Marsch. Auf unserem Marsche, welcher, soviel es die Beschaffenheit der Gegend erlaubte, in Kolonnen geschah, hatten die vorausmarschierenden Garden und Jäger öfters Scharmützel und die 3 Brigaden taten ihre Schuldigkeit. Die Kolonnen, welche Halt gemacht hatten, hatten den Brouxfluß in ihrer Front; auf der anderen Seite waren die Rebellen, und ein solches Terrain, wie ich es noch nie gesehen habe. Der Fluß ist schmal und tief, mit abwechselnden Sandbänken. Nahe beim Durchgang des Wassers, wo man durchwaten konnte, war es voller Felsen, und eine schwer zu ersteigende Höhe; nicht weit davon war eine kleine Brücke, wo die Rebellen einige Kanonen hatten, welche sie völlig kommandierten; auf der Rechten und dieser gegenüber, stand die Reserve in einer Linie. Die leichte Infanterie, welche ein wenig avanciert war, stand in unseren Flanken, und die Garden in unserem Rükken. Die Rebellen marschierten, sobald sie unser gewahr wurden, gegen 6000 Mann, aus ihren Linien, und postierten sich auf den Anhöhen über der Durchfahrt des Flusses. Sie hatten da einige Artillerie und zugleich die Insolenz, solche Bewegungen zu machen, als wenn sie unsere linke Flanke umgehen wollten. Die 2. britische Brigade, welche aus dem 5., 28. und 35. und 49. Regiment bestand, marschierte mit einem hessischen Bataillon und einigen leichten Dragonern in Kolonnen herab nach dem Durchgange des Flusses und nach dem Orte, wo die Rebellen einige verdeckte Kanonen hatten; unerachtet jene viel von dem Kartätschenfeuer erleiden mußten. Sie passierten alsdann den Fluß und machten, nach meiner Meinung, eine solche unerschrockene Attacke, als noch jemals gesehen worden ist; denn sie mußten die steilsten Anhöhen, auf deren Spitze die Rebellen standen, besteigen. Wir bemächtigten uns aber der Höhen und die Feinde liefen davon. Die Hessen verloren viel, als sie, mittlerweile daß unsere Regimenter weiter vorwärts drangen, sich noch im Thale formierten und dem kann man es auch wohl zuschreiben, daß der Rebellen Geschütz bei unserem Avancieren über uns weg ging. Unser Verlust beläuft sich auf 200 Mann Getötete und Verwundete. Ungehindert aller Vorteile der Rebellen haben wir derer 2 bis 300 begraben. General Heister besetzte das Terrain auf dem linken Flügel und die erste Brigade faßte Posto.

Gestern am Morgen haben die Rebellen ihre Linien verlassen und sich nach Connecticut und den Hochländern zu gezogen. Die Berichte darüber stimmen nicht überein; daß sie aber auf und davon sind, ist gewiß. General Lee soll nach Rhode-Island marschiert sein. weil er gemutmaßt, daß wir noch vor dem Ende des Feldzuges ein Auge darauf hätten. Kingsbridge ist evakuiert, auch das Fort Independence, welches zwischen uns und ihnen liegt. Sie sind noch im Fort Washington, welches auf New-Jorks-Eyland liegt. Unsere Verbindung damit ist vollkommen offen und sie dürfen und sie können sich daselbst nicht lange halten; sie müssen jetzt kämpfen oder fliehen. Ihre beste Tapferkeit wird sein, daß sie sich ergeben.

Ich habe Sie ermüdet, lieber Lord, Sie wollen mich bitte entschuldigen. Hinzufügen muß ich aber, daß wir auf Befehl bereit sind, sie zu delogieren. Ich habe dieses sehr eilig geschrieben und Sie werden wohl noch bessere Berichte haben. Ich muß Ihnen auch noch von einer vortrefflichen Sache Nachricht geben, die einen Serganten und 12 Dragoner betrifft. Diese trafen auf eine Redoute. Sie bestiegen das Parapez, töteten 4 Mann und nahmen den Hauptmann und 17 Gemeine gefangen; 19 andere liefen davon.

Es wird von einer Expedition der Truppen unter Clintons Kommando gesprochen; man nennt aber den Ort nicht: Ich bilde mir Rhode Island ein; andere aber die südlichen Gegenden. Hier wird von allen Deserteuren der Rebellen erzählt, daß die Rebellen sehr mißvergnügt seien. Sie sagen auch weshalb: ‚Wir werfen Werke auf und dann verlassen wir sie wieder.' In der Tat, es ist auch zu verwundern, daß solche weitläufigen, mit vieler Mühe errichteten Werke so leicht aufgegeben werden. Das bringt sie auch in eine so große Verachtung und man versteht es nicht, daß sie sich noch Soldaten nennen. Wir alle haben das größte Zutrauen zu General Howe. Die Armee ist überaus gesund und bei dem größten Mute und es mangelt uns an nichts und die Gelegenheit, zu zeigen, was wir zu tun vermögen, haben wir jetzt auch gehabt. Die Rebellen verbrennen alles und wir treffen selten etwas anderes als verlassene und leere Häuser an. Bei ihren Rückzügen richten sie größere Verwüstungen als wir selbst an.“

London, 31. Dezember 1776

Gestern, als dem 30., kam Kapitän Gardner, erster Feldadjutant des Generals Howe, in Lord Germaines Büro an, und brachte die wichtige Nachricht mit, daß die Königliche Armee das Fort Washington im Sturm genommen habe. 2700 Mann Provinzialen wurden zu Gefangenen gemacht. Seit Washingtons Rückzug von Courtlands Manor war dieser Ort durch die Brigade des Lord Percey und durch die Hessen blockiert. Das Fort war regelmäßig und stark befestigt, mit gemauerten Böschungen. Man sagt, daß man die Eroberung größtenteils den Hochschotten zu verdanken habe, die einen Ort hinaufgeklettert wären, den die Provinzialen für unersteigbar gehalten und daher unbesetzt gelassen hätten. Sie hätten die Besatzung von da aus mit ihren breiten Schwertern angegriffen, welches die Provinzialen in eine solche Bestürzung gesetzt habe, daß sie sogleich die Waffen gestreckt hätten. Man hört von keinem Offizier von Rang der geblieben ist. Dem Lord Percey ist ein Pferd unter dem Leibe durch eine Kanonenkugel getötet worden. General Howe stand dicht dabei und hatte sogar seine Hand auf des Pferdes Hals gelegt. Er ist aber nicht verletzt. Man bewundert den Mut und zu gleicher Zeit die Vorsicht der Gebrüder Howe und man hat nunmehr begründete Hoffnung, daß die Amerikaner endlich die Augen öffnen und sich der konstitutionsmäßigen Autorität des Königs und des Parlaments von Großbritannien unterwerfen werden. Sollten sie wider Erwarten bei ihren chimären Projekten von Freiheit und Unabhängigkeit bleiben, so wird das bisher gehabte Glück der Königlichen Waffen die Mittel erleichtern, sie in einer künftigen Kampagne völlig zum Gehorsam zu bringen.

Die hiesigen Freunde der Amerikaner hängen jetzt sehr die Köpfe. Sie sind nun vielen Spöttereien ausgesetzt, denn es zeigt sich jetzt nicht, daß die Amerikaner diejenigen Helden sind, wofür sie selbige immer ausgeschrien haben. Diese Helden laufen nun allenthalben, wo sie Briten und Deutsche erblicken und man sieht viele Privatbriefe von Offizieren und gemeinen Soldaten bei der Königlichen Armee, die manche lustige Schilderung von ihrer Zaghaftigkeit machen.

Howe hatte die Insel New York in ihrer ganzen Breite besetzt. General Washington stand am nördlichen Ende bei Kingsbridge und Harlem. General Howe versuchte nun Umgehungen, um die Amerikaner von Neu-Yersey zu trennen. Washington aber wandte sich geschickt nach Whiteplains. Als Howe nahte, änderten die Amerikaner abermals ihre Stellung bis an die Ufer des Brunx-River. Howe wartete jetzt Verstärkungen ab und als er dann erneut angreifen wollte, war ihm Washington nach Vernichtung seines Lagers in Whiteplains abermals entwischt. Jetzt war Howe davon überzeugt, daß der amerikanische Feldherr nicht gewillt war, sich in eine Schlacht einzulassen. Nun erst wandte sich Howe gegen das Fort Washington, das nach der Erstürmung den Namen: Fort Knyphausen bekam.

Washington verwarnt seine Soldaten

London, 17. Dezember 1776
Nach Räumung von New York soll General Washington der Armee haben andeuten lassen, daß, wenn sie ihm nicht Ursache geben wür-

den, mit ihrer Tapferkeit künftig besser zufrieden zu sein, so würde er sein Kommando niederlegen und dem Kongreß und der ganzen Welt bezeugen, daß die Truppen, die er kommandiere, solche feigen Seelen wären, daß man es für einen Schimpf halten müßte, sie anzuführen.

Diese Nachricht ist keine Feindente. Washington hatte schon sein Kreuz mit seinem Heerhaufen; schrieb er doch am 8. September aus New York an den Kongreß: „Der Trieb zur Rückkehr nach Hause war so unwiderstehlich, daß man sich vergeblich ihm widersetzt haben würde." Am 16. September schreibt er sogar: „Das Betragen der Truppe ist schändlich und feige. Selbst in kleinsten Gefechten und trotz aller Zurede und Mühe habe ich sie nicht zum Durchstehen bringen können." An einer anderen Stelle sagt er aber auch: „Ich habe das Vertrauen, daß es viele gibt, die sich als Männer und des Segens der Freiheit würdig beweisen werden."

Was treibt Herr Franklin in Paris?

Paris, 17. Dezember 1776
Der Englische Gesandte beobachtet den hier angekommenen Herrn Franklin sehr genau. Da der Anhang der Amerikaner in den Englischen Blättern auszustreuen beliebt, als leiste Frankreich den Rebellen heimliche Hülfe, so wurde dieses auch in den Kaffeehäusern zu Paris öffentlich erzählt. Die Polizeibedienten haben auf Befehl der Regierung verboten, künftig dergleichen Reden zu führen. Man glaubt, der Englische Gesandte hat sich über diese öffentlichen Reden in den Kaffehäusern beschwert.

Benjamin Franklin war Anfang Dezember aus den Staaten kommend, in Frankreich eingetroffen, um für die Sache Amerikas um Waffen und um Geld zu werben.

Paris, 20. Dezember 1776
Von dem berühmten Sprecher des Amerikanischen Kongresses, Doktor Franklin, erfahren wir wenig Neuigkeiten. Er scheint bloß zu seiner eigenen Sicherheit und Beruhigung die Amerikaner verlassen zu haben. Man sieht ihn wenigstens bei dem Englischen Botschafter hier ein und ausgehen.

Franklin war nicht böse darüber, daß man seine Anwesenheit in Frankreich in dieser Weise auslegte. Daß er bei dem englischen Botschafter ein- und ausging, war allerdings eine Fabel.

184

Paris, 20. Dezember 1776

Man fängt nunmehr an, sich über den Aufenthalt des Doktor Franklin in Frankreich wieder zu beruhigen. Er hat den englischen Gesandten besucht, und in Versailles um die Erlaubnis angehalten, mit seiner Familie zu Paris zu bleiben, indem er sich in gar keine Geschäfte mischen wolle. Er ist, wie sein Sohn, der Gouverneur von Neu-Jersy, dem Könige von Großbritannien getreu und ergeben; sein Sohn hat sogar einen sehr heftigen Brief gegen den Kongreß geschrieben, in welchem er sich in den bittersten Worten über die Tyrannei desselben beklagt.

Paris, 25. Dezember 1776

Wenn Dr. Franklin hierher gekommen, sich und seinen Landsleuten Hülfe und Beistand hier zu verschaffen, so werden ihm seine Absichten fehlschlagen, indem der König allen Ministern und Großen verbieten lassen, Gemeinschaft mit ihm zu haben. Auch ist einem gewissen Herrn, welcher an den Amerikanischen Händeln großen Anteil genommen, und die Zufuhren der Kriegsbedürfnisse für die Kolonisten immer unter der Hand befördern helfen, solches scharf untersagt worden.

Das „Verbot" ging so weit, daß bald die Handelsfirma Rodrigues Hortalez & Co. ins Leben gerufen werden konnte, durch die der geschäftskundige, aber doch weit mehr schwärmerische Freiheitsgeist und Dichter des „Figaro", ansehnliche Waffenladungen über die Westindischen Inseln nach Amerika schaffte.

Die Amerikaner pfeifen auf dem letzten Loch

London, 14. Januar 1777

Wenn nun nach so harten Schlägen und bei augenscheinlicher Vernichtung ihrer eingebildeten Größe, die Kolonien das Gewehr nicht strecken, dann können wir sicher glauben, daß sie auf einen Hinterhalt lauern, den ihnen fremde Hilfe gewähren könnte. Aber diese Hülfe müßte bald erscheinen, ehe die Fahnen der Freiheit in unauflösliche Bande der Unterwürfigkeit verwandelt und die Glieder des Kongresses endlich gezwungen werden, an Stelle des diktatorischen Stabes, das friedliche Grabscheid wieder zur Hand zu nehmen. Seitdem die Virginischen und Carolinischen Tabak-Pflanzer aus den Schranken ihrer Bestimmung in den brausenden Schwarm mutloser Waffenträger gezogen worden sind, seitdem ist kein Segen mehr in

jenen herrlichen Pflanzen. Seine Lieblinge fluchen über die tollen
Händel in Amerika, und wünschen mit der Einigkeit, den vorigen
billigen Preis des Tabaks bald wiederum hergestellt zu sehen. Niemals war man begieriger auf Neuigkeiten aus der neuen Welt, als
gegenwärtig, da man weiß, daß Philadelphia mit seinem Kongreß in
den letzten Zügen liegt. Eine Folge von dessen Eroberung könnte
das Ende des ganzen Krieges sein: denn ist New York, Neu-Jersey
und Neu-England und auch die Kolonie Pensylvanien bezwungen, so
sind sie es alle. Kanada ist von Aufrührern gesäubert. Florida nahm
niemals teil an den Händeln. Neuschottland befindet sich ganz unter
der Oberherrschaft der Krone und der empörende Einfluß der übrigen ist sehr gering. — Lord Cornwallis hat in der Provinz Neu-Jersey
zwei feste Plätze erobert, in welchen nebst 30 Kanonen, mehr als
10 000 Handgewehre, viele Mörser und eine Menge Pulver und Stück-
kugeln gefunden worden sind. Die Besatzung nahm sich nicht Zeit,
ihre Posten zu verteidigen. Sie eilte mit fliegenden Schritten nach
Philadelphia.

Der Feind erkennt Washingtons Genie an

London, 24. Januar 1777
   Nichts zieht die Verwunderung unserer Heerführer in der neuen
Welt mehr auf sich, als die Verschanzungen und Hinterhalte, welche
die Kolonisten, vermutlich auf Angaben von General Washington,
von einem Bezirk zum anderen in derjenigen Zeit, welche man ihnen
teils wegen der großen Entfernung, teils wegen der eigenen Rüstungen, hatte lassen müssen, mit vieler Klugheit und Richtigkeit anzulegen gewußt haben. Kaum wurden sie aus einem festen Platze vertrieben, so waren sie schon wieder in einem andern. Umstände,
welche in Vereinigung mit wahrer Tapferkeit den Lauf unserer
Kriegsverrichtungen einigermaßen hätten hemmen, ihnen aber Zeit
gestatten können, durch gewisse erwartete Wendungen von außen
ihrer Sache endlich eine günstige Gestalt zu geben. Das befestigte
Long-Island war der Schlüssel zu New York. In dieser Provinz hatten
sie die berüchtigten Befestigungen bei Königsbrücke, weiter den Fluß
hinaufwärts die Festungen Washington, Lee, Newark, und tiefer im
festen Lande Neu-Braunschweig. Anstatt nun, daß unsere Völker,
nachdem sie diese Hindernisse glücklich überwunden, den weiteren
Weg nach Philadelphia leicht und offen zu finden glaubten, erblick-
ten sie in der Provinz Neu-Jersey und an den Grenzen von Pensyl-

vanien neuen Widerstand, nämlich die Linie bei Trenton, in welcher Washington mit 15 000 Mann steht. Auf gleiche Weise wird vom General Lee ein anderer Engpaß zwischen hohen Bergen, welche New York und Connecticut scheiden, mit einem zahlreichen Heere gedeckt.

Nichts besseres könnte ihnen passieren

London, 31. Dezember 1776

Für jeden Mann, der von den fremden Truppen in Amerika getötet oder vermißt wird, muß, zufolge der Abmachungen, unser Hof 30 Pfund Sterling bezahlen. Da nun, zufolge der Verzeichnisse, gegen 20 000 Mann solcher fremden Truppen in Amerika in unserem Dienste stehen, so müßte, wenn dieselben nicht zurückkommen sollten, dieser Verlust mit 600 000 Pfund Sterling vergütet werden.

Nach der endgültigen Statistik sind insgesamt 29 166 Mann aus Deutschland nach Amerika als englische Söldner „geliefert" worden. Es sind nur 17 313 Mann zurückgekehrt und 11 853 als Verlust gemeldet worden.

„Independent Chronicle" berichtet

London, 21. Januar 1777

Man sieht in unseren öffentlichen Blättern eine abgedruckte amerikanische Zeitung, die Independent Chronicle vom 14. November, aus der wir unseren Lesern einen Auszug mitteilen wollen, weil man daraus sieht, wie die Amerikaner den Zustand ihrer Sache vorstellen:

„Philadelphia, 10. November 1776

Wir haben Nachricht von der Hauptarmee, daß der Feind es nicht gewagt hat, unsere Arriere-Garde bei dem Rückzuge aus den White-Plains anzugreifen, sondern sich wiederum nach New York zurückgezogen hat, woselbst er wahrscheinlich die Winterquartiere nehmen wird. Wir haben keine Ursache, über den Ausgang dieses zweiten Feldzuges verlegen zu sein. Schlachten und Sieg auf dem freien Felde konnte man wohl von unseren Leuten, die ungeübt sind, gegen eine ihnen aus den besten und regelmäßigen Soldaten des kriegerischen Europa zusammengesetzte Armee nicht erwarten. Auch haben wir dies niemals gefordert. Eben so wenig gereicht es ihnen zum Vorwurf, daß sie das Terrain verloren, das sie dem Feinde bisher streitig machten. Long-Island konnte nicht verteidigt werden, da der Feind Meister zur

See ist und dem dort stehenden Korps weder Verstärkung, noch
Proviant und Munition zugeführt werden konnte. Daß der Feind
unsere Vorposten daselbst beinahe ganz zu Gefangenen machte,
war teils ein glücklicher Coup de main, den der General Howe
durch einen nächtlich forcierten Marsch machte, teils entstand
es durch die zu wenig überlegte Standhaftigkeit unserer Leute,
die diesen Posten früher verlassen haben, als sie sahen, daß der
Feind ihnen in den Rücken gekommen war. Eben so wenig war
es möglich, die Stadt New York zu verteidigen, die von allen
Seiten von der Königlichen Flotte eingeschlossen werden kann.
Wenn es überhaupt ein richtiger Grund ist, daß unsere Armee
sich mit der feindlichen in kein Gefecht einlassen muß, wie denn
dieses nicht zu leugnen steht, so darf der General Washington
auch keinen Angriff in seinen Linien erwarten, wenn er nicht
moralisch gewiß ist, daß derselbe unglücklich für den Feind auslaufen wird. Denn man weiß, daß Linien nach der jetzigen Art
Krieg zu führen, nur ein schwaches Hülfsmittel gegen einen überlegenen Feind sind, und die Deroute nur desto stärker ist, wenn
der Angriff des Feindes gelingt. Unser General hat durch seine
Vorkehrungen genug gewonnen, daß der Feind in einem Feldzuge von 5 Monaten nicht mehr als 40 englische Meilen Terrain
auf dem festen Lande erobern konnte und noch dazu in einer
Gegend, wo ihn seine Kriegsschiffe beständig unterstützten. Es
würden viele Jahre dazu gehören, wenn uns England auf diese
Art zu besiegen gedenkt."

Anmerkung der Leipziger Zeitung:

(Die folgenden Spöttereien über das englische Ministerium und die
Königliche Partei, die nicht in unser Blatt gehören, übergehen wir.
Wir haben diese amerikanische Zeitung, die hier aufhört, abgeschrie-
ben, um unsere Unparteilichkeit darzutun.)

Überfall bei Trenton
Die Hessen am Weihnachtstag überrumpelt

New York, 2. Januar 1777

Der Obriste Rall mit der Brigade Hessen, die aus 3 Regimentern
Losberg, Knyphausen und Rall bestand, wurde am 25. Dezember von
einem starken Korps Provinzialen auf seinem Posten vor Trenton angegriffen. Oberst Rall trieb dasselbe mit gewöhnlicher Tapferkeit
und kriegerischer Einsicht zurück. Aber am 26. erhielten die Rebell-

len eine Verstärkung, wodurch sie fast 12 000 Mann stark wurden. Nach dem lebhaftesten Widerstande von einer Stunde, bei welchem sehr viele blieben, sahen sich die übrigen umringt von jeder Seite und ihre Zahl so geschwächt, daß sie sich genötigt fanden, sich dem überlegenen Feinde zu ergeben. 290 von der besagten Brigade retteten sich durch die Flucht und sind inzwischen im Lager des Obersten Donop angekommen, der in Prince-Town steht. Der Oberste Rall ist geblieben.

Alle Umstände, die bisher von diesem Überfall und den Verlusten der Hessischen Brigade bekannt wurden, laufen darauf hinaus, daß der Oberst Rall auf gewisse Art Fehler gemacht hat. Anstatt daß er sich nämlich hätte sollen über die Brücke zurückziehen und dieselbe hinter sich abwerfen, wodurch er seinen Rückzug decken konnte, erwartete er den Angriff einer Macht, die der seinigen so sehr überlegen war. Er war selbst so unvorsichtig, allein mit 2 Regimentern vorwärts zu rücken, nämlich mit seinem eigenen und dem von Losberg. Hätte er dieses nicht getan, so hätte er nach menschlichen Einsichten sein und einiger 100 der seinigen Leben erhalten und die unglücklichen Folgen dieses Tages verhütet. Man läßt den Truppen unter seinem Kommando nur Gerechtigkeit widerfahren, wenn man sagt, daß sie mit der entschlossensten Tapferkeit gefochten hätten. Sie wehrten sich noch bei der allerunwahrscheinlichsten Hoffnung eines guten Ausganges, so lange, bis sie von allen Seiten umgeben waren.

Man muß berücksichtigen, daß in New York zur Zeit der Abfassung dieses Berichtes Howe regierte. Nach der Geschichte waren es insgesamt 5000 Amerikaner, die in drei Kolonnen geteilt, nach drei verschiedenen Richtungen hin operierten. Rall konnte, da er selbst rund 1500 Mann befehligte, unmöglich auf eine erdrückende Übermacht gestoßen sein. Er kam persönlich gar nicht dazu, einen Kampf zu liefern, da er bereits beim ersten Feuer der Amerikaner getötet wurde, worauf seine Leute die Flucht ergriffen und durch Washington, der ihnen mit einigen Kompanien den Weg verlegte, gefangen genommen wurden.

Obiger Bericht aus New York vom 2. Januar wurde übrigens am 4. März 1777 in Londoner Blätter veröffentlicht.

London, 11. Februar 1777

Der Hof hat Nachrichten aus Amerika erhalten. Da aber derselbe nichts davon bekannt macht, so vermutet man, daß sie nicht angenehm gewesen sein müssen. Einige Umstände scheinen das Gerücht zu bestätigen, daß das Korps des Lord Cornwallis auf seinem Marsche nach Philadelphia von den Amerikanern geschlagen worden ist. Inzwischen liest man in der New Yorker Zeitung vom 30. Dezember 1776, die mit Bewilligung der beiden Brüder Howe gedruckt wird, folgenden zweideutigen Artikel:

„Verwichenen Mittwoch, den 25. Dezember in der Frühe, wurde eine zu Trenton postierte Hessische Brigade von einem starken Korps Rebellen überfallen. Nach einem ziemlich langen Gefechte retirierten sich 3 bis 400 Mann von dieser Brigade. Der ganze Verlust ist ungefähr 900 Mann."

London, 14. Februar 1777

Vorgestern ist der See-Kapitän Wallice mit Depeschen von dem Admiral Parker von Rhode-Island hier angekommen. Aus diesen Depeschen will man wissen, daß der General Howe sich mit dem größten Teil seiner Armee in Marsch gesetzt habe, um das nach Philadelphia detaschierte Korps zu unterstützen.

Indessen wird die Niederlage einer hessischen Brigade durch alle Nachrichten aus Amerika bestätigt, obgleich die Umstände davon noch etwas verschieden angegeben werden.

Der Verlust dieser hessischen Brigade soll größer sein, als man anfangs glaubte. Sie waren 2400 Mann stark, und hatten ungefähr 200 Jäger und eine Kompanie Artilleristen mit 12 Feldstücken bei sich. Sie lag zu Trenton in den Winterquartieren. Ihr Überfall wird von einem aus Amerika angekommenen Herrn so erzählt:

Die Provinzialen hatten ein Transportschiff, welches zum Teil mit Britischen Uniformen beladen, weggenommen. Der General Lee kleidete eine gewisse Anzahl seiner Leute mit denselben und postierte sie so, daß sie den Hessen im Rücken standen. Zu gleicher Zeit ließ er einen beträchtlichen Teil, der wie Provinzialen montiert war, nach der Front marschieren, um die Hessen anzugreifen. Da die Hessen sahen, daß der Feind zu stark war, so wollten sie sich zu denen zurückziehen, die sie, weil sie englische Monturen trugen, für ihre Freunde hielten. Auf diese Art kamen sie zwischen zwei Feuer, wobei an die 600 Mann geblieben sind und 300 sich ergeben mußten. Der Kapitän Wogan, ein vortrefflicher hessischer Offizier, befindet sich unter den Toten.

Der Bericht ist falsch. General Charles Lee konnte gar nicht mitgewirkt haben, denn er war bei Morristown, längst vor dem Überfall bei Trenton, in Gefangenschaft geraten. Daß Washington sich mittels englischer Uniformen einer List bedient hätte, ist geschichtlich nirgends nachgewiesen,

London, 26. Februar 1777

Gestern Abend hat endlich die Hofzeitung die bisher aus Amerika erhaltenen Berichte bekannt gemacht, woraus denn erhellt, daß sowohl der Verlust der Hessen, als auch die Gefangennehmung des Generals Lee wirklich gegründet sind.

General Howe meldet in seinem ersten Schreiben, New York den 20. Dezember, folgendes:

Nachdem der Vortrupp des von dem Lord Cornwallis kommandierten Korps am 1. Dezember durch einen forcierten Marsch unweit Braunschweig, in Jersey, angekommen war, retirierte sich der Feind in großer Unordnung nach Princetown, nachdem er einen Teil der Brücke über den Rareton abgebrochen hatte. Da die erste Absicht des Generals Howe nur dahin ging, Meister von Ost-Jersey zu werden, so ließ er den Feind nicht weiter verfolgen. Da er aber glaubte mehrere Vorteile zu gewinnen, zumal es möglich schien, bis nach Philadelphia zu kommen, wenn man gegen den Delaware vorrücke, so wurde dieses Korps am 6. durch die vierte Englische Brigade verstärkt. Am 7. marschierte er nach Princetown, und am 8. erreichte die erste Division, welche gegen Trenton vorrückte, den Delaware, als kurz vorher der Nachtrupp der Feinde diesen Fluß passiert hatte. Die feindliche Hauptarmee hatte jenseits des Flusses Posto gefaßt. Lord Cornwallis marschierte mit der zweiten Division in der folgenden Nacht vier Stunden höher den Fluß hinauf, in der Hoffnung, daselbst Boote, den Fluß zu passieren, anzutreffen. Allein der Feind hatte dieselben teils ruiniert, teils über den Fluß gebracht. Da also der Übergang über den Delaware nicht tunlich war, so faßte derselbe zu Pennington Posto, bis den 14. und als nunmehr das Wetter allzu rauh wurde, um im Felde zu bleiben, so rückten die Truppen in die ihnen angewiesenen Winterquartiere. Während daß Lord Cornvallis zu Pennington stand, war eine Patrouille von 30 Dragonern ausgeschickt, um von einem unter dem General Lee stehenden Korps Nachricht einzuziehen, von welchem man gehört hatte, daß es in der Grafschaft Morris stände. Der Oberstleutnant Harcourt bat sich das Kommando dieses Detaschements aus, und nachdem er die Stellung dieses Korps, das aus 2000 Mann bestand, und des Generals Lee Hauptquartier erfahren hatte, machte er mit ungemeiner Geschicklichkeit solche Vorkehrungen, daß er, von der Wache unbemerkt, dessen Haus erreichte, es umzingelte, und nach Überwindung alles Widerstandes den General zum Gefangenen machte.

Charles Lee war ein Hitzkopf, der im Widerspruch zu Washington stand und dessen Befehle einfach ignorierte. So war er auch hier das Opfer seines eigenen Dickschädels geworden. Er kam in Gefangenschaft und wurde später ausgetauscht. Washington, der es immer wieder mit ihm versuchen wollte, gab ihm ein neues Kommando. Als er wiederum schwere Fehler machte, wurde er aus dem Heere entfernt und opponierte nun offen gegen den Feldherrn.

Lord Howe über Trenton an Lord Germaine,
New York, 29. Dezember 1776

„Am 25. dieses attackierte eine feindliche Abteilung eine Außenwache des Lagers von Trenton, wo über 3 Bataillone mit 50 Jägern und 20 leichten Dragonern unter dem Kommando des Obersten Rall lagen, der 6 Feldstücke bei sich hatte. Diese Abteilung wurde zurückgeschlagen. Am folgenden Morgen kamen die Rebellen um 6 Uhr mit einer größeren Anzahl und mit Kanonen zum Vorschein und schienen den Posten angreifen zu wollen. Der Oberst Rall, welcher von ihrem Vorhaben Nachricht hatte, hielt die Truppen unter Waffen und detaschierte sein eigenes Regiment, ein vorgerücktes Piquet zu unterstützen. Da dieses Piquet auf das Regiment zurückgedrängt ward, so geriet es in einige Verwirrung, welches veranlaßte, daß es sich auf die anderen Bataillone zurückziehen mußte. Dadurch war jedoch von Seiten des Feindes kein Vorteil erhalten. Man setzte sich wieder und alles stellte sich dem Dorfe gegenüber. In dieser Stellung wurden sie von den Rebellen, ohne zu avancieren, kannoniert, und der Oberst Rall marschierte nun vorwärts, um dieselben mit den Regimentern Losberg und Rall anzugreifen. In dieser Attacke aber wurde der Oberst Rall verwundet und die Regimenter zu Gefangenen gemacht. Dann avancierten die Rebellen zum Knyphausenschen Regiment und machten auch dieses Regiment zu Gefangenen. Einige wenige Offiziere und ungefähr 200 Mann von der Brigade, nebst den Jägern und einer Abteilung Dragonern, machten ihren Rückzug gegen das Donopsche Korps, welches zu Burdenton, 6 Meilen von da lag. — Dieser Unfall scheint daher gekommen zu sein, daß der Oberst Rall seinen Posten verlassen hat und vorwärts zum Angriff marschiert ist, da er bloß das Dorf hätte verteidigen sollen. Die Rebellen gingen sogleich über den Fluß Delaware zurück mit den Gefangenen und Kanonen die sie gemacht und erbeutet hatten.

Ein recht kläglich zurechtgemachter Bericht, der den Tatsachen nicht gerecht wird. Friedrich der Große, als er von Trenton hörte, sagte: dies sei der schönste Winterfeldzug des Jahrhunderts, und nun würden die Amerikaner 100 zu 1 siegen.

Noch in der Christnacht hatte Washington aus seinem Lager Trenton-Falls an den Kongreß einen verzweifelten Brief geschrieben, dessen erster Satz lautete: „Daß ich bei der Betrachtung von unserem Elend verweile, kann dem Kongreß nicht angenehmer sein, als er mir selber schmerzlich ist. Die beunruhigende Lage, in welcher unsere Angelegenheiten sich befinden, zwingt mich zu diesem Schritt." ... Kaum hatte der Oberbefehlshaber diesen Brief abgesandt, traf ein Kundschafter im Lager ein, der davon erzählte, daß Howe vor dem Zufrieren des Delaware nicht an eine Überquerung dächte und daß die hessischen Regimenter in Trenton fröhliche Weihnachten feierten.

Kritik an der offiziellen Berichterstattung

London, 26. Februar 1777

Die Opposition ist wie gewöhnlich, sehr unzufrieden mit dem Bericht, den das Ministerium von den Vorfällen in Amerika bekannt machen läßt. Es ist jetzt so weit gekommen, sagen sie, daß das Parlament und der ganze ehrwürdige Körper der Nation keine andere Nachrichten von den wichtigsten Begebenheiten erhält als durch ein Zeitungsblatt. Desto sorgfältiger sollte also das Ministerium sein, solchen Nachrichten Genauigkeit und Anschaulichkeit zu geben. In der von den letzten amerikanischen Vorfällen publizierten wäre es die geringste Nachlässigkeit, daß man nicht einmal den Tag angegeben hätte, an welchem Lee gefangen wurde. Der Überfall auf die Hessen sei so kurz und unwahrscheinlich erzählt, daß notwendig Umstände dabei sein müßten, die man verhehle. Man könnte keine Ursache angeben, warum eine Liste von den bei der zweiten Affäre Gebliebenen angeschlossen sei und keine von den bei Trenton eingebüßten Mannschaften. Endlich erhelle aus dem Bericht des Generals durchaus weder die Stellung in der sich die englische, noch in der sich die feindliche Armee befände.

Die Ministerialpartei antwortete hierauf, daß die Opposition in Absicht des Datum der Gefangenschaft des Generals Lee ihre Neugierde würde stillen können, wenn derselbe selbst nach England gebracht werden würde. Die Affäre bei Trenton hätte sich so zugetragen, als sie erzählt wurde. Es sei begreiflich, daß der General eher eine genaue Liste von den gebliebenen National-Truppen einsendete, als von den Auxiliar-Völkern, deren einzelne Personen kein Engländer kennte. Es sei eher zu loben als zu tadeln, daß der General keine genaue Beschreibung der jetzigen Stellung der Armee gäbe, indem er dadurch verhütete, daß die unbändige Begierde der Opposition, alles zu tadeln, was von Seiten des Ministeriums und seinen Beamten geschähe, nicht dem Publikum tausend falsche fürchterliche Vorstellungen aufbürdete.

Am wenigsten werden die Hoflieferanten deutscher Grenadiere mit dem Verschweigen der Liste der Auxiliar-Völker durch Howe einverstanden gewesen sein, war doch jeder Tote gute englische Pfunde wert.

„Protektor Washington"

London, 25. März 1777

Es wird bestätigt, daß General Washington zum Lord-Protektor ist erwählt worden. Es gehen schon viele Verstärkungen zu seiner Armee. Sie sind zwar schlecht gekleidet, doch will man ihnen einige aus Frankreich gekommene Kleidungsstücke und die eroberten britischen Monturen geben. Man hofft in Amerika mit einer Beharrlichkeit, sich doch zuletzt noch bei der Unabhängigkeit zu erhalten, besonders da man vorgibt, daß auch verschiedene europäische Mächte den Amerikanern Handlungs-Verträge und Beistand anbieten.

Rotterdam, 29. März 1777

Als der König von England die Zeitung vernahm, daß Washington Diktator wäre, so sagte er: „Ist das die Freiheit, wofür die Kolonien streiten?" Lord Sandwich war gegenwärtig, und sagte: „Dieses ist das schönste Mittel, womit sich die Kolonien selbst strafen, und aus eben dieser Ursache wird es bald ein anderes Ansehen gewinnen."

Lafayette geht nach Amerika

Paris, 31. März 1777

Der Marquis de la Fayette, ein Herr von 25 bis 26 Jahren, und Anverwandter des Herzogs d'Ayen, welcher bisher als Kapitän bei einem Kavallerie-Regiment gedient, hat sich für die Sache der Amerikaner so beeifert gefunden, daß er ohne Vorwissen seiner Angehörigen nach Bordeaux, und von dort, nebst 5 bis 6 andern Französischen Offizieren, zu Schiffe nach St. Domingo abgegangen ist, in der Absicht, sich von dort nach dem Lager der Amerikaner zu begeben, und als Volontär bei denselben zu dienen. Er hat ein jährliches Einkommen von 150 000 Livres, und ist als Mann von Verdiensten und Tapferkeit bekannt.

Lafayette war am 6. September 1757 geboren, also noch keine 20 Jahre alt, als er 1777 nach Amerika ging. Er spielte später in der Französischen Revolution eine große Rolle und war bekannt als der „Held zweier Welten".

Paris, 11. April 1777

Man will heute als sicher wissen, daß der Marquis de la Fayette, welcher zu der Armee der Amerikaner gehen wollte, zu Santander an der Spanischen Küste in Verhaft genommen worden ist.

Der König gab ihm schließlich die Reiseerlaubnis für 5 Monate, so daß Lafayette seinen Weg nach Amerika fortsetzen konnte.

Von der Kanzel herab verlesen

London, 1. April 1777

Von allen aufrührerischen Kolonien ist wohl keine ausgelassener, hartnäckiger und mehr erbittert, als die von Neu-England. Ihr Vorstand, oder mehr ihr Kongreß, gibt dem Haupt-Kongreß in Philadelphia an gebieterischem Stolz und an Herrschsucht wenig nach, wie aus seiner neuesten Verordnung vom 26. Januar zu ersehen ist, darin er seine Untergebenen zur Standhaftigkeit und Tapferkeit ermahnt, und die niedrigsten Ausdrücke gegen Großbritannien ausstößt:

„Brüder und Mitbrüder, ruft er ihnen zu, in dem Augenblick da ihr den höchsten Gipfel menschlicher Glückseligkeit erreichen solltet, müßt ihr euch von einem Feinde, der jeden Schritt, den er tut, mit Blut bezeichnet, davon herabgestoßen sehen. Bald werdet ihr eurer Städte, eurer Weiber und Kinder, eurer fruchtbaren Felder, eurer Habe und Gut, das eure sparsamen Vorältern mit Fleiß und Mühe gesammelt haben, durch eine Bande unbezähmter Spitzbuben beraubt werden. Eilet demnach zu den Waffen, beschützt euer Vaterland, eure Weiber, eure Kinder und eure Güter mit gleicher Tapferkeit, wie ihr vor einem Jahre getan habt, da ein Haufe Briten in das Land einfiel, und glücklich von euch verjagt wurde."

Diese Ermahnung ist allen Predigern zugeschickt worden, um sie nach dem Kirchengebet von den Kanzeln abzulesen. Auch die Anführer der Kriegshaufen müssen solche ihren Untergebenen öfter vorlesen.

Philadelphia, Schlüssel zum Siege

London, 8. April 1777

General Howe soll in seinen jüngsten Berichten haben einfließen lassen, daß er das wichtige Vorhaben auszuführen bedacht wäre,

Philadelphia einzunehmen. Die Minister sehen also der Nachricht von der Eroberung der Stadt Philadelphia mit Ungeduld entgegen. Inzwischen ist die Einnahme dieser Stadt noch vielen Schwierigkeiten ausgesetzt, denn Philadelphia ist mit einer starken Besatzung versehen, und außer der großen Washingtonschen Armee stehen verschiedene abgesonderte Korps auf den ihnen angewiesenen Posten, um die Königlichen Truppen in ihrem Vorrücken aufzuhalten.

Allem Anschein nach wird der diesjährige Feldzug für England merkwürdig werden, und die Frage entscheiden, ob die Amerikaner ein Freistaat oder nicht werden sollen.

Allerdings, der diesjährige Feldzug sollte viel zur Entscheidung beitragen und Philadelphia dabei eine Hauptrolle spielen, jedoch in einem dem Schreiber entgegengesetzten Sinne.

Wann wird Frankreich seine Karten aufdecken?

Paris, 14. April 1777

Das Gerücht von einem bevorstehenden Kriege ist jetzt wieder stärker als vor einiger Zeit. Man sagt, unser Ambassadeur zu London habe von dem Englischen Ministerio eine ausdrückliche Versicherung verlangt, daß unsere Schiffe, die im Begriff sind, zum Fischfang nach Terreneuve zu segeln, nicht sollten angegriffen werden, und als er die englische Antwort zweideutig gefunden, habe er zu erkennen gegeben, daß wir uns, wenn die verlangte Versicherung verweigert würde, bewaffnen müßten, um Gewalt mit Gewalt zu vertreiben. Wie begründet oder unbegründet dieses Gerücht auch sein mag, so weiß man doch, daß Befehl nach St. Malo und nach dem Hafen von Granville, in der Normandie, gesandt worden, um die Abfahrt der dort liegenden Schiffe aufzuschieben. Auch hat diese Sage von einem bevorstehenden Kriege verursacht, daß die Effekten etwas gefallen sind.

Engand muß aber doch wohl hinterher bindende Zusicherungen gegeben haben, wie die folgende Nachricht beweist.

Paris, 18. April 1777

Heute vernimmt man, daß der Hof einen Befehl nach den Häfen St. Malo, Granville usw. gesendet habe, nach welchem die Schiffe, welche daselbst zum Fischfang auf Terreneuve bereit liegen, mit dem ersten guten Winde dahin absegeln können, ohne die Bedeckung der Kriegsschiffe abzuwarten.

Diese bindende Versicherung hat dann Frankreich veranlaßt, mit seiner Sympathie für Amerika und seiner Hilfe dorthin, vorläufig zurückhaltender zu werden und eine Anzahl Verbote in dieser Richtung in die Öffentlichkeit zu bringen.

Wie die französische Hilfe bisher aussieht

London, 25. April 1777

Die Amerikaner sind wirklich jetzt in einer bessern Verfassung als in dem vorigen Jahre. Sie brauchen das Schießpulver zur Not nicht mehr aus Europa zu holen, sondern können sich selbst damit versorgen. Der Handel, den sie mit Frankreich treiben, soll sehr beträchtlich sein. Freilich verlieren sie oft Schiffe, insonderheit sind die beiden letzten Schiffe, welche den Engländern in die Hände geraten, und nach Schottland und Torbay gebracht worden sind, sehr ansehnliche Prisen, indem dasjenige, welches das Kriegsschiff „Culloden" genommen, auf 23 000 Pfund geschätzt wird. Man rechnet auch, daß die Englischen, zum Kreuzen ausgelaufenen Kriegsschiffe seit dem vorigen November auf ihren verschiedenen Stationen über 12 Französische Kaufmannsschiffe, die alle mit Pulver und Waffen beladen, und nach Amerika bestimmt gewesen, weggenommen haben. Dessen ungeachtet ist der Handel zwischen Frankreich und den Provinzialen in starkem Gange. Die Amerikanischen Schiffe fahren unter Französischer Flagge, so daß sie durch diesen Kunstgriff den Englischen Kriegsschiffen unvermerkt entwischen.

Umschlagplatz für diesen Schmuggel war die holländische Insel St. Eustaz im Westindischen Ozean. Sie gab bereits im Frühjahr 1777 Anlaß zu starken englischen Drohungen gegenüber der holländischen Regierung. Später behauptete ein englischer Sprecher im Parlament, wenn England St. Eustaz besetzte, wäre der ganze amerikanische Spuk längst verschwunden.

Vom Kampfgeist der Amerikaner

New York, 26. März 1777

General Howe ist letzte Woche hier angekommen. Er allein ist mehr denn eine Armee. Die Feinde sind in trauriger Verfassung, indem sie keine Schuhe auf den Füßen haben, keinen Branntwein, kein Salz. Dieses letzte ist ihr Hauptunglück, so daß sie an der Dissentrie und Blattern dahinsterben. Bei alledem ist ihr Widerstand noch heftig, indem sie aus schwärmerischer Freiheitsliebe alles dieses mit Vergnügen ertragen. Einer ihrer Hauptwünsche ist, die Hessen für sich zu gewinnen.

Ich glaube nicht, daß der Krieg sich dieses Jahr endigt, es müßte denn der Feind sich lenken lassen, förmliche Schlachten zu wagen. Solange er aber die Disposition beibehält, immer zu weichen, und uns im Kleinen jeden Schritt streitig zu machen, und bei Übermacht in die Wälder und über die Flüsse zu gehen, um dann auf einmal wieder hinter uns aufzustehen, wird der Krieg sich nicht so geschwind legen, zumal da der Feind den großen Vorteil hat, daß jeder Einwohner auf seiner Seite ist, jeder um uns ein Verräter ist und wir folglich keine getreuen Spione haben und unsere Armee bei dem Mangel an Festungen sich sehr weit ausbreiten muß, wenn sie alle Eroberungen behalten will.

Der Ruhm der Hessischen Jäger wird sich auch schon in Deutschland verbreitet haben, welche noch nie gewichen sind und welche von Flathus an, bis nach Delaware die so gefährlichen Rifleman gejagt und getötet haben. Der Krieg hier und jeder andere Krieg sind fast in allen Stücken verschieden. Das Land hier ist gebirgig, hat viele Wälder, Defilees, Flüsse, Moräste usw., die alle mit feindlichen Riflen bedeckt sind, die nur durch Jäger im Zaum gehalten werden können. Diese Riflen sind alle vortrefflich gelernte Schützen und haben Büchsen, die über 1000 Schritt schießen und 5 bis 6 Fuß lang sind. Überhaupt ist das erste feindliche Feuer gefährlich, und trifft; indessen, die langen Büchsen machen ihnen das Laden langweilig und wir lassen ihnen dann auch nicht lange Zeit. Dagegen haben sie den Vorteil, daß sie allenthalben zu Hause sind. In dem Augenblick, da wir bei ihnen sind, fluchen sie auf die Rebellen, und sowie man den Rücken wendet, nehmen sie das Feuerrohr wieder und schießen hinter uns drein. Dieses und noch mehreres macht den Krieg gefährlich, gefährlicher als jeden anderen, obgleich die Ehre, die man erwerben kann, nicht im gleichen Verhältnis steigt. General Howe ist gerade der Mann, der den Edelstein aus der Krone Georgs III., der auszufallen droht, wieder einsetzen kann und auch wirklich einsetzen wird.

N. S. Der Feind will gern Frieden haben, unter Bedingungen, wie die Alt-Engländer gehalten zu werden; aber Howe kennt anders keine Bedingungen als die Unterwerfung.

Wenig wußte der Schreiber von General Howe, der, wie die Berichte ausplaudern, bereits der vielen Vorwürfe aus London müde war und abdanken wollte. Er wurde auch bald darauf durch Clinton ersetzt.

Aus General Washingtons Briefen an den Kongreß wissen wir, daß der General nicht gesonnen war, Widerstand um jeden Preis zu leisten und dadurch das Schicksal seines Vaterlandes durch den zufälligen Erfolg einer Schlacht zu bestimmen.

Der Kaperkrieg

London, 3. Juni 1777

Unsere Kriegs- und bewaffneten Schiffe sind ungemein glücklich in der Wegnahme der Amerikanischen Kauffahrteischiffe, und von 13 Schiffen, die aus Charles-Town nach Frankreich bestimmt waren, rechnet man schon acht von den Engländern weggenommenen.

Ein Herr zu Martinique schreibt unter dem 21. März an einen Rheder: „Die Franzosen genießen alle Vorteile des Krieges, ohne die geringste Beschwerlichkeit. Täglich werden Prisen von sogenannten Amerikanischen Kapern eingebracht. Ich sage von sogenannten, denn in der Tat sind es Franzosen, welche sowohl als die Spanier, für Rechnung der Amerikaner kapern. Seit 8 Tagen verhandle ich hier vergebens, um meine Schaluppe mit 54 Negern, die mir ein Französisches Schiff unter Amerikanischer Flagge weggenommen hat. Man mag das Ding nehmen, wie man will, so ist doch der hiesige Hafen neutral, und es sollte also nicht gestattet sein, Prisen hier aufzubringen und zu verkaufen. Kurz, nichts als ein förmlich erklärter Krieg kann dergleichen Verfahren hemmen."

Dieser Artikel möge für die unzähligen stehen, mit denen die Zeitungen angefüllt sind, da es der Rahmen unseres Buches nicht zuläßt, mehr hiervon zu bringen.

Die Flagge mit den 13 Balken

London, 18. Juni 1777

Die Amerikanischen Kaper sind in den Engländischen Gewässern so zahlreich, daß selten ein Schiff in unsere Häfen läuft, das nicht von ihnen gejagt worden wäre. Am 4. Juni kam einer derselben in den Hafen von Guernsey so nahe, daß er fast unter den Kanonen lag. Er zog darauf seine Flagge mit den 13 Balken auf, und blieb bis die Kanonen zu der Feier des Königlichen Geburtstages abgefeuert wurden. Er mochte wohl glauben, daß man entweder auf ihn feuerte, oder anderen Schiffen Signale gäbe, denn er setzte sogleich alle Segel bei und entfernte sich alsbald. Unsere Kriegsschiffe haben indessen schon verschiedene dieser Kaper weggenommen, und zu Plymouth sind 1000 amerikanische Gefangene.

Wir begegnen hier zum ersten Male in einer deutschen Zeitung der Erwähnung der amerikanischen Flagge.

Die fremden Offiziere bei Washington

London, 3. Juni 1777

Ein französischer Offizier, namens Düplesis, der gegenwärtig bei den Amerikanern in Kriegsdiensten steht, hat an seinen Bruder zu L'Orient unter dem 19. April dieses Jahres folgendes geschrieben:

„Unsere erste Beschäftigung zu Boston, nach unserer Ankunft, war, daß wir auf Ersuchen des Gouverneurs, alle Befestigungen der Stadt in Augenschein nahmen. Wir fanden dieselben in schlechter Verfassung. Hierauf übergaben wir sogleich einen Plan, um die Stadt in einen besseren Verteidigungszustand zu setzen. Der Plan wurde gebilligt, und ohne Verzug ins Werk gesetzt. Von Boston gingen wir nach Salem, wo wir eben das, wie zu Boston, zustande brachten. Auf diese Art besuchten wir verschiedene Städte an der Küste. Nachdem wir nun Neu-England mit großen Beschwerden durchreist hatten, trafen wir am 2. April bei der Haupt-Armee des Generals Washington ein, der uns mit der größten Höflichkeit empfing. Die Anzahl der fremden Offiziere bei der Washington'schen Armee ist in der Tat sehr groß. Sie beläuft sich auf über 1600.

Man trifft Franzosen, Preußen, Deutsche, Schweizer, Italiener und auch Spanier an. Unter diesen Offizieren ist auch ein Neffe von dem Kardinal Alberoni. Dieser besitzt nach dem Ausspruch des Generals Washington, alle feine Staatsklugheit dieses berühmten Kardinals, und wird auch deswegen zu allen geheimen Kriegs-Konseils gezogen. Der Neffe von dem Marquis von Monti ist als Oberster bei der amerikanischen Armee angestellt. Ich würde nicht fertig werden, wenn ich alle berühmten Ausländer der Washingtonschen Armee nennen wollte."

Wie das Magazin bei Dunbury zerstört wurde

London, 24. Juni 1777

Von der Zerstörung des Kolonistischen Magazins zu Dunbury hat man nunmehr folgende umständliche Nachricht:

Auszug eines Schreibens von dem General Howe an den Lord Germaine. New York, den 22. Mai 1777: Die Depeschen, welche Ew. mir durch Major Balfour mit der „Augusta" zugesandt haben, sind am 8. ds. angelangt. Da ich aber Gegenwärtiges mit einem Kauffahrteischiffe absende, so will ich eine genauere Beantwortung derselben bis zur Abreise des Paketbootes, welche bald erfolgen wird, versparen. In meinem Briefe vom 24. April erwähnte ich einer Embarkierung eines Detachements Truppen unter Kommando des Generalmajors Tryon, um eines von den feindlichen Magazinen, das zu Dunbury, in Connecticut liegt, zu zerstören. Ich habe die Ehre Ew. den glücklichen Erfolg dieser Expedition zu berichten und Ihnen ein Verzeichnis dessen, was an Munition zerstört wurde, beizufügen.

Die Truppen landeten ohne Widerstand zu finden, Nachmittags den 24. April 4 Meilen ostwärts von Norwalk und 20 von Dunbury. Den 26. Nachmittags erreichten sie Dunbury nachdem sie unterwegs bloß kleine feindliche Abteilungen angetroffen hatten. General Tryon hatte aber Nachricht, daß sich die ganze Stärke der Provinz zusammenzöge, um ihm auf seinem Rückwege zu seinen Schiffen in den vorteilhaftesten Gegenden aufzupassen. Weil er es aber unmöglich fand, etwas von dem Vorrate aus dem Magazin fortzubringen, so blieb nichts anderes übrig, als alles zu zerstören, wobei es nicht zu vermeiden war, daß das Dorf mit abbrannte. Am 27. des Morgens verließen die Truppen Dunbury und fanden wenig Widerstand, bis sie gegen Ridgefield kamen. Diesen Ort hatte General Arnold besetzt und Retrenschements aufgeworfen, ihnen den Übergang zu verwehren, unterdessen General Wooster mit einem besonderen Korps die Arrieregarde angriff. Die Truppen forcierten das Dorf und trieben den Feind von allen Seiten zurück. Der General lag die Nacht zu Ridgefield still und setzte seinen Marsch am 28. des Morgens fort. Der Feind, der eine Verstärkung an Truppen und Kanonen erhalten hatte, machte ihnen jeden vorteilhaften Posten streitig und ließ zugleich die Arrieregarde durch kleine Abteilungen beunruhigen, bis der General sein Detachement auf einer Anhöhe, innerhalb eines Kanonenschusses von den Schiffen, formieren konnte, da er dann, als der Feind heranrückte, mit dem anscheinenden Vorsatze, die Truppen zu attackieren, Befehl erteilte, mit dem Bajonett auf sie loszugehen, welches sie mit solcher Heftigkeit verrichteten, daß die Rebellen völlig in die Flucht getrieben wurden, und das Detachement ohne weitere Hindernisse einschiffen konnte.

Die feindliche Armee in Jersey hat einige Tage bei Boundbrok kampiert. Auch Lord Cornwallis kampiert bei Brunswick auf beiden Seiten des Rariton, so daß er die Verbindung mit Amboy hat. Bei dem letzten Platze kampiert Generalmajor Vaughan; er hat noch die Zelte vom vorigen Jahre, weil das Feldgerät für dieses Jahr nicht angekommen ist. Verschiedenen Nachrichten aus der Nachbarschaft von Albany zufolge, ist glaublich, daß einige Abteilungen von der nördlichen Armee vorgerückt und bei Crownpoint gesehen worden sind, und daß der General Carleton im Anfang des Juni auf dem See sein wird.

Howe gibt in seinem Nachsatz den Verlust bei dem Handstreich auf das Magazin mit 152 an Toten und Verwundeten an. Den Verlust der Amerikaner schätzt er auf 363 Mann. Unter den Toten hatten die Amerikaner, neben General Wooster, auch Doktor Altwater, einen Mann von großem Einfluß, zu beklagen.

Wo steckt Mr. Howe?
Howes Saumseligkeit am Pranger

Aus einem Schreiben aus London, 8. Juli 1777

Jetzt geht es wieder wie vor einem Jahre, ehe New York erobert wurde. Howe wird der Saumseligkeit beschuldigt; er rücke, sagt man, mit Schildkrötenschritten vor und beweist auf der Landkarte, daß er längst in Philadelphia sein könnte, wenn er eifriger gewesen wäre. Alle Märsche werden mit dem Finger in wenigen Minuten gemalt, ohne den mindesten Widerstand zu finden. Andere greifen den General mit Satyren an. So liest man in einem so betitelten Schreiben aus Edinburg: „Ein dasiger berühmter Astronom habe die Ursache der beständigen kalten und nassen Witterung, die wir seit dem Monat Mai gehabt, entdeckt, es sei nämlich eine ungeheure Masse Eis, zehnmal größer als unsere Erde, zwischen der Sonne und unsere Erdkugel getreten, welche mehr als 25 Jahre gebrauche, bis das Eis schmelze, und in der Zeit dürften wir uns auf nichts anderes, als auf beständigen Winter gefaßt machen. Den Einfluß dieses Phänomens empfinde man schon auf unserer Insel, noch stärker aber sei er in Amerika, besonders zu New York, wo vielen von den lebhaften Tieren von der strengen Kälte das Gehirn eingefroren sei. Diese schreckliche Plage habe sich bis auf die Menschen erstreckt und man versichere, Lord Howe und sein Bruder hätten deren schlimmen Einfluß nicht entgehen können und unseren Poltrons von Rebellen sei dadurch das Herz dergestalt gefroren, daß sie gegen alles Bitten und Predigen der hohen Friedens-Kommissarien taub wären.

Auch in den Zeitungen wird immer wieder von Versuchen Howes, die Amerikaner zur friedlichen Beilegung des Konfliktes zu überreden, gesprochen.

London, 24. September 1777

Das lange Stillschweigen der Hofzeitung ermüdet die Geduld des einen Teiles des Publikums und gibt, wie gewöhnlich, dem anderen Anlaß zu beißenden Spöttereien.

„Was ist — sagt einer — aus den braven Brüdern geworden, die Amerika in diesem Feldzuge unterjochen wollten? Sind sie auf die Entdeckung unbekannter Länder ausgegangen? Oder sind sie etwa ausgesegelt, um den Heringsfang zu beschützen? — Der Einfall — sagt ein anderer — ist nicht übel, eine kleine Tour zur See zu machen; das erfrischt und ermuntert den Geist wieder. Sie sind mit einem Vorrat von Netzen und Angelruten versehen, um sich eine Kurzweil mit den Fischen zu machen. Wer weiß, vielleicht sind sie gerade nach der Bank von Neufundland gegangen, um allda den Stockfisch recht frisch zu essen; man sagt, ihre Mutter, als sie mit beiden schwanger gewesen, habe beständig nur nach diesem Fisch geschrien. — Ein Dritter entdeckt uns, der General Burgoyne habe eine Proklamation ausgehen lassen, worin er in pathetischen Ausdrücken beklagt, daß die beiden Generale en chef verloren gegangen seien und demjenigen eine hohe Belohnung verspricht, welcher ihm sagen könne, wo sie hingekommen, was aus ihnen geworden, und wann sie wiederkommen würden. Endlich erhält ein Vierter einen authentischen Brief aus dem Lager des Generals Burgoyne, woraus zu ersehen ist, daß, da die Absendung dieses Generals bloß allein zur Absicht habe, die Vereinigung seiner Truppen mit denen des Generals Howe zu bewirken, und so warte er ruhig ab, bis man diesen General wieder gefunden habe, um sich mit ihm zu vereinigen. Unterdeß unterhalte er sich damit, kleine Schauspiele zu verfertigen, die er auf seinem Feldtheater aufführen lasse, welches er durch eine Farce: „Die flüchtigen Helden" oder „Die dem Meeresgott Neptun gemachte Visite" betitelt, eröffnet habe.

Das langsame und bedächtige Vorgehen Howes, wie auch das Abwarten Burgoynes, das seine Erklärung in der den Europäern unbekannten Natur mit ihren ungeahnten Schwierigkeiten haben dürfte, waren die besten Verbündeten Washingtons. Erst Anfang Juni hatte Howe sich entschlossen, über den Delaware zu gehen, um auf Philadelphia zu marschieren.

Politisches Barometer

Ein witziger Kopf hat folgenden Aufsatz in eine hiesige Zeitung geliefert:

Politische Stocks nach dem Meridian der Hauptstadt berechnet:

Patriotismus	sehr niedrig
Wucher	über al pari
Ehrenämter bei der Stadt	keinen Wert
Hang zum Vergnügen	so hoch als zu St. James
Gewerbe und Industrie	unter al pari
Geziere unter den Damen	sehr hoch
Sittsamkeit	geschlossen
Mode	Cent per Cent
Ministerieller Einfluß	dito

St. James: Der königliche Hof.

Kleine Anfrage in Paris

Versailles, 20. Juli 1777

Es war am 15. dieses, da der Großbritannische Botschafter, Lord Stormont, in einer Audienz bei dem Grafen Vergesnes die Erklärung tat: Der König, sein Herr, wäre sehr unzufrieden über die Art der Beschirmung, welche die Krone Frankreichs den Insurgenten in Amerika zu bewilligen schien, und hätte Befehl, Se. Majestät zu fragen, was Dero Gesinnungen wären, und ob Dieselben den festen Entschluß genommen hätten, die Streifereien der amerikanischen Kaper ferner zu begünstigen.

Unmittelbar hierauf verlangte besagter Botschafter zur Audienz bei dem König zugelassen zu werden, welches auch bald nachher geschah. In dieser Audienz gab der Botschafter Se. Majestät Kenntnis von den Befehlen welche er habe; worauf der König antwortete: er wäre gegen seine Untertanen und Staaten verpflichtet, die Ehre seiner Flagge zu wahren und seine Besitzungen zu verteidigen und würde daher niemals dulden, daß man dieselben angriffe.

Der Botschafter hatte auch verlangt, daß man die Seerüstungen in den Häfen nicht fortsetzen möchte. Hierauf ist aber demselben sogleich keine Antwort erteilt worden, sondern hat man dazu drei Tage

Zeit verlangt. Tages darauf, am 16. war dieser Sache wegen Ratsversammlung bei Hofe, dergleichen einige Tage zuvor bei den Staatsministern, in Gegenwart des Königs, waren gehalten worden. Bei einer derselben befand sich auch der Graf de Maillebois, desgleichen der Graf d'Estaing, von welchen beiden Herren der erstere vormals sich bei der Armee zu Lande, der letztere aber in dem Seedienste, sehr berühmt gemacht hatten. Was nun beschlossen worden ist, weiß man im Publikum nicht; aber gewiß ist, daß nach allen Häfen Befehle zu unverzüglichen neuen Rüstungen erteilt worden sind.

Niemand war über die Entwicklung der Dinge mehr erfreut als Benjamin Franklin, der seine Stunde kommen sah.

Die beklagenswerten Opfer aller Kriege

London, 22. August 1777

Es ist bekannt, daß bald nach dem Anfange dieses Jahres zwischen dem General Howe und Washington eine Auswechselung der beiderseitigen Kriegsgefangenen verglichen wurde. Nachdem die Bedingungen von beiden Seiten verabredet waren, schickte Howe einige tausend Kolonisten zur Provinzialarmee zurück, allein Washington weigerte sich nunmehr, dafür die gefangenen Engländer auszuliefern unter dem Vorwande, daß die zurückgegebenen Kolonisten in so elenden Umständen gewesen seien, daß sie bald nach ihrer Ankunft größtenteils gestorben wären, was er der schlechten Behandlung in ihrer Gefangenschaft zuschrieb. Hierauf liest man in den englischen Blättern folgende Erklärung:

„Die Gemeinen wurden in die Kirchen, als den geräumlichsten und gesündesten Orten, so man ihnen damals einräumen konnte, einquartiert, und waren ihnen die Kirchhöfe täglich zur Erholung und Leibesbewegung erlaubt.

Ihre Portionen waren eben dieselben, welche unsere Soldaten bekommen, wenn sie an Bord der Kriegsschiffe sind.

Auf Befehl des Generals Howe wurde jedem Gefangenen ein Hemd gereicht. Diese Sorgfalt von Seiten des Generals für gutes Quartier, Subsistenz und Reinlichkeit der gefangenen Rebellen wurde aber meist durch ihre eigene Trägheit und Faulheit vereitelt.

Vorsätzlich wollten sie sich weder waschen, noch ihre Baracken reinigen, oder ihre Toten wegbringen.

Endlich wurden sie so unrein und widerlich, daß der Sergeant von der Wache sich in der Notwendigkeit sah, sie zur Pumpe zu treiben und bei ihnen mit dem Schwamm in der Hand zu stehen, bis sie sich gewaschen hatten.

Zwang war auch nötig, wenn sie die Kirchen reinigen sollten.

Ihre Toten konnte man anfänglich bloß aus dem Gestank entdecken, der von den verfaulenden Körpern aufstieg. Dem abzuhelfen, wurden sie alle Morgen in den Kirchhof herausgelassen und der Kommissar durchsuchte genau alles, um ihre Toten ausfindig zu machen; denn zuletzt wollten sie solche nicht einmal mehr wegtragen, um nicht die große Mühe zu haben, sie begraben zu müssen.

Doktor Mossis, beim Hospital, der sie täglich besuchte, bezeugte, daß die Krankheiten unter ihnen bloß von ihrer Unreinlichkeit und ihrem Unrate kämen.

Eben diese Kirchen waren, als nach Zurückschickung der Gefangenen unsere Truppen darin einquartiert wurden, so gesund und bequem, als irgend ein Quartier in der Stadt.

Den Rebellen-Offizieren wurde auf ihre Parole erlaubt, sich in der Stadt aufzuhalten; als sie nach Long-Island hinüber verlegt wurden, wurde jedem die Woche 2 Thaler für Kost bezahlt.

Die Offiziere wurden mehrmals aufgefordert, an den General Washington um bessere Kleidung, Holz und frische Lebensmittel zu schreiben. Allein dieser, der in seiner letzten Deklamation auf dem Papier ein weitläufiges Wortgepräge von seinem zarten Gewissen, Menschlichkeit und Gerechtigkeit macht, war taub gegen alle ihre Vorstellungen, so, daß die Gefangenen wegen dieses unmenschlichen Verfahrens, öffentlich ihn und den Kongreß verwünschten.

Als endlich der General Howe sah, daß aller Bedacht, den man nahm, die Gefangenen reinlich zu halten, durch ihre Trägheit selbst fruchtlos gemacht wurde, und daß Washington und der Kongreß ihnen weder Kleider, Holz noch frische Lebensmittel schicken wollte, so schickte er sie aus bloßem Erbarmen nach Hause.

Wir haben gesehen, womit Washington diese Handlung des Edelmutes und der Menschlichkeit erwidert hat — — mit einem langen, leeren, hinterlistigen und lächerlich stolzierenden Briefe. Er hat seine Rebellen zurückgenommen, aber nicht einen einzigen von unseren Soldaten dagegen geschickt. Handlungen der Großmut und Menschlichkeit werden allemal von den Rebellen so bezahlt werden.

Das Verhalten der Rebellen gegen unsere in ihrer Gewalt befindlichen Soldaten ist eben so zu tadeln, als des Generals Howe Betragen
edelgesinnt und menschlich war. Die Gefangenen vom 71. Regiment
bekommen eine so schmale Kost, daß sie längst vor Hunger gestorben
wären, wenn nicht der Oberstleutnant Campbell sie durch Assigna-
tionen an den Regiments-Quartiermeister in New York am Leben
erhalten hätte. Die Absicht der Rebellen war, durch eine so sparsame
zugeschnittene Kost unsere Soldaten zu zwingen, bei ihnen sich unterhalten zu lassen, oder uns zu nötigen, sie so lange zu unterhalten, als
sie in ihrer Verwahrung sind. Da unsere Leute ihrer Pflicht nicht
untreu werden wollten, so glückte es ihnen mit dem anderen Stücke
ihres Plans."

Es darf nicht übersehen werden, daß der Bericht parteiisch ist. Er offenbart übrigens den Hauptgrund der Rückgabe der Gefangenen an Washington: eigener Mangel an Lebensmitteln, wie auch an Quartieren für die
eigenen Soldaten.

Aus Holland, 19. September 1777

So viel man weiß, haben sich der englische General Howe und der
amerikanische Washington noch über keine Auswechselung der beiderseitigen Kriegsgefangenen vergleichen können. Über den Briefwechsel, welchen gedachte Generäle wegen solcher Auswechselung geführt haben, macht Herr Linguet in seinem Journal folgende Anmerkungen:

„Wohin sollen denn die Gefangenen sich wenden? denn man sieht,
der Kongreß, welcher jedermann so gesetzlich würkt, verläßt sie,
nachdem sie für ihn die Waffen ergriffen; diese Unglücklichen, deren
Schicksal ihren Mut hintergangen hat und die aus ihren finstern Ker-
kern ein erbärmliches Geschrei erheben, um die Ratifikation ihrer
Auswechselung zu erhalten, die ihnen ihre Fesseln zerbräche. Der
Kongreß findet, daß diejenigen Gefangenen, welche man ihm neulich
zurückgegeben, allzu mager seien. Er glaubt, daß er die Engländer,
welche der Unstern in seine Gefängnisse hat fallen lassen, besser füt-
tere. Er behauptet, der General Howe dringe bloß deshalb so sehr darauf die gefangenen Insurgenten ausliefern zu können, weil er fürchte,
dieselben unter seinen Händen sterben zu sehen. Und aus dieser wichtigen Ursache will man sie nicht zurücknehmen. Man hofft, der Himmel werde ihnen den Mut verleihen, geduldig zu leiden, und schickt
ihnen statt des Trostes ein: Gott helf! zu. Dieses scheint wenigstens

der Verstand des Schreibens des Generals Washington zu sein, durch das er verkündet, weshalb er das Kartel nicht erfüllen könne.

Ich kann mich irren; allein mich dünkt, es sei in dieser Weigerung eben so viel Ungrund als Barbarei. Und man findet doch noch Soldaten! Und es gibt noch Leute, die töricht genug sind, sich freiwillig in Gefahr zu begeben und sogar ihr Leben zu wagen, in der einzigen Aussicht, auf dem Schlachtfelde verstümmelt, oder von neuem in die Löcher geworfen zu werden, deren Türen ihnen wieder zu öffnen, die Feinde beeifert sein würden! Armes Menschengeschlecht! und dennoch redet man dir von Freiheit vor! und allenthalben schreibt man schöne Bücher, in welchem man unserem Jahrhundert über die Fortschritte in der Philosophie, in der Menschlichkeit, Glück wünscht!.

Auch dieser Aufsatz ist nicht objektiv. Was die Anwürfe gegen George Washington angeht, so braucht man in den geschichtlichen Quellen nur dessen Brief an den Kongreß vom 1. März 1777 nachzulesen, um festzustellen, daß die menschlichen Qualitäten dieses Feldherrn über jeden Zweifel erhaben waren.

Frankfurt, 18. Oktober 1777

Seit der Gefangennehmung des hessischen Regiments Lossberg und anderer Truppen zu Trenton hat man von ihrem weiteren Schicksal in den öffentlichen Blättern nichts gelesen, so begierig auch jedermann nach Nachrichten von diesen im Innern von Amerika vergrabenen Landsleuten gewesen.

Mit Vergnügen teilen wir daher folgendes Schreiben mit, welches der hessische Leutnant P. an seinen Bruder hier zu Frankfurt am Main aus der Gefangenschaft in Dumfries, Virginien, unterm 20. April zu schreiben Gelegenheit gefunden. Nach einer kurzen Erzählung des unglücklichen Vorfalls in dem Städtchen Trenton am Delaware, welcher dem braven Obersten Rall und einigen anderen Offizieren das Leben und den übrigen die Freiheit gekostet, fährt Herr P., welcher die letzte Zeit des Obersten Brigade Adjutant gewesen, in seiner Erzählung fort:

„Nach unserer Gefangennahme wurden wir über den Delaware nach New Town in Pensylvanien gebracht, wo wir dem General Washington unsere Aufwartung machten. Er behielt einige von uns zum Essen und ich aß bei dem General Lord Stirling. Von New-Town wurden wir nach Philadelphia gebracht, wo wir 5 Tage blieben. Hier wurde ich mit einigen Herren und Damen bekannt, die mir alle mögliche Freundschaft erzeigten. Ein französischer Kapitän von der Marine namens Dorree schenkte mir einige Hemden, Strümpfe und Schnupftücher, die ich sehr nötig hatte. Von Philadelphia kamen wir nach Baltimore in Maryland, wo wir wieder einige Tage blieben. Hier lernte ich wieder einige Französische Offiziere kennen, die mir viele Freundschaft erwiesen. Wir wären gern in Baltimore geblieben, allein der Kongreß fand es besser, uns nach Virginien zu schicken, und so kamen wir nach Dumfries.

Dieses ist ein kleiner Ort von ungefähr 40 hölzernen Häusern. Wir haben Erlaubnis, 6 englische Meilen von hier zu gehen, zu reiten, zu fahren, oder wie wir können. In diesem Bezirk von 6 Meilen um Dumfries bin ich fast mit allen Herren und Damen, die darin wohnen, bekannt und gehe zu ihnen, so oft ich will. Übrigens ist Virginien mein Land nicht. Einige Fichtenwälder, und hin und wieder einige hölzerne Häuschen, keine einzige schöne Aussicht — mit einem Wort — ich sehe, höre und schmecke hier nichts, was ich nicht in Deutschland viel schöner sehen, hören und schmecken könnte. — Die hiesigen Frauenzimmer sind durchgängig nicht so schön und so artig, wie die in Jersey und Pensylvanien. Sie lieben die Vocal-Musik, besonders unsere deutschen Arien, die ich ihnen oft vorsingen muß. Es gibt hier keine Nachtigallen und ich glaube, auch keine Rosen, wenigstens habe ich noch keinen Stock gesehen. Du liebes deutsches Vaterland! die einfältigen Leute hier! Sie können nicht glauben, daß es ein schöneres Land in der Welt geben könne als das ihrige. Das Wetter ist hier sehr veränderlich, doch sind die Tage durchgängig heiterer als bei uns. In den Monaten Juli und August soll es unaussprechlich heiß sein. Unser Zustand als Gefangene ist sehr erträglich. Das Schlimmste ist, daß uns alle Gemeinschaft mit unserer Armee abgeschnitten ist; wir hören fast nichts von ihr und noch weniger von Europa. Es ist so gut, als wenn wir in den Mond versetzt wären.

Selbstverständlich darf dieser Artikel nicht verallgemeinert werden, auch auf amerikanischer Seite wurden die „gemeinen" Soldaten nicht gerade vorbildlich behandelt, wie aus einem uns vorliegenden, allerdings aus englischer Feder herrührender Brief, hervorgeht. In diesem Schreiben, das an General Washington gerichtet ist, beschwert sich der englische General Gage darüber, daß seine in Gefangenschaft geratenen Landsleute wie Negersklaven arbeiten müssen, wenn sie nicht Hungers sterben wollen oder Lust zeigen, gegen ihren König zu fechten.

Vor großen Ereignissen
Howe eilt auf Philadelphia zu — Burgoyne nach Saratoga

London, 25. Juli 1777

Aus einem Schreiben von New York, vom 18. Juni: „General Howe ist mit der Armee nach Braunschweig aufgebrochen, hat hier aber so viele Truppen zurückgelassen, als zur Verteidigung der Stadt und Insel nötig sind. — Es wird bestätigt, daß Washington die Jersey verlassen habe, um Philadelphia zu decken."

Aus verschiedenen Amerikanischen Gazetten: „Zu Philadelphia sind den 28. Mai 6000 Mann angekommen, welche die Stadt verteidigen sollen, worin alle Straßen verschanzt und mit Batterien versehen sind. Alle alten und wehruntüchtigen Leute müssen dieselbe bis 1. Juli geräumt haben. General Washingtons Armee ist, mit Einbegriff der Garnison von Philadelphia 30000 Mann regulaire Truppen stark. Dieser General steht mit dem Haupt-Korps von 15000 Mann bei Bound-Brook, 4000 Mann sind zu Prince-Town postiert, und 8000 Mann halten die Forts und Batterien längs dem Delaware besetzt. Noch stehen bei Chester, 16 Meilen von Philadelphia, 12000 Mann, mit einer guten Artillerie, als ein Observationskorps unter General Conway. In der Bay und auf dem Delaware sind verschiedene Baaken angelegt, um vermittels derselben von der Annäherung der englischen Flotte bei Lewistown in Zeiten unterrichtet zu werden. Der Kongreß hat auch Schleusen angelegt, wodurch man bei Annäherung der Engländer die niedrigen Gegenden zu beiden Seiten des Flusses unter Wasser setzen wird. Alle amerikanischen Provinzen haben ihre Kontingente für den diesjährigen Feldzug komplett beisammen, und mit Waffen, Artillerie usw. völlig equipiert, auch viele europäische Ingenieure dabei angestellt.

London, 5. August 1777

Das Gerücht geht, daß Ticonderago wirklich in den Händen der Engländer sein soll. Andere sagen, zu Dover wären vorigen Sonntag einige Schiffe aus Quebeck angekommen. Diese hätten die Nachricht mitgebracht, daß, als sie den 5. Juli unter Segel gegangen, General Burgoyne bis 4 Meilen von Ticonderago vorgedrungen wäre und man die Einnahme dieses Platzes stündlich erwarte.

Burgoyne kam nach Tyconderago am 6. Juli.

Burgoyne tritt in Aktion

London, 8. August 1777

Ein vorigen Montag mit einem von den Schiffen von Quebeck eingegangenes Privatschreiben meldet folgende besonderen Umstände in Ansehung der Operationen in Kanada:

„Der General Burgoyne ist angekommen. Er hat Befehl, das Kommando über die Armee zu übernehmen, über die Seen zu gehen, ein hinlängliches Korps zur Beschützung der Provinz zurückzulassen, nebst einem Detaschement unter dem Oberstleutnant St. Leger vom 34. Regiment. Der Generalleutnant Burgoyne geht mit den Grenadieren, der leichten Infanterie, 7 englischen Regimentern, der Artillerie, 3600 Deutschen und ungefähr 3000 Wilden, über die Seen. Seine sämtliche Mannschaft ist in guter Gesundheit. Obgleich Ticonderago von Natur fest ist, und durch Kunst noch mehr befestigt wurde, so glaube ich dennoch, daß die Amerikaner es eben so schnell räumen werden, wie sie es voriges Jahr mit Crown-Point taten. Unsere Armee ist zum Teil auf dem See Champlain vorgerückt. Das Übrige kommt mit der größten Eilfertigkeit nach und unsere Fahrzeuge sind auf dem See unter dem Kommando des Kapitäns Ludwig von der Fregatte „Triton", der als Kommodore agiert, ziemlich vorgerückt. Unsere Seemacht ist sehr ansehnlich. Alle Fahrzeuge, unsere sowohl, als diejenigen, die wir den Provinzialen abgenommen haben, sind stark ausgerüstet und außerdem ist diesen Frühling ein neues Schiff von 20 Kanonen gebaut worden. Wir werden sie nicht sonderlich nötig haben und bis Ticonderago möchte sich wohl niemand widersetzen. Der General Burgoyne hofft in 10 Tagen vor Ticonderago zu sein. Er und alle Generale sind zu St. John. Er geht, glaube ich, morgen an Bord der „Maria". Der Oberst St. Leger wird in einigen Tagen marschieren. Er soll über Oswego und den Mohawk-Fluß gehen und hat Befehl, sich zu der Armee des Generals Howe durchzuschlagen. Meiner Meinung nach hätte die Regierung keinen geschickteren Offizier zu dieser Absicht wählen können. Er wird einige Jäger, 120 Mann vom 34. Regiment, 100 Mann vom 8. Regiment, 500 Kanadier, Sir John Johnsons Korps und etwa 2000 Indianer bei sich haben."

General Burgoyne trat seinen Marsch von St. John am 16. Juni an. Oberst St. Leger sollte das am Mohawk gelegene Fort Stanwik erobern. Am 3. August kam er davor an und begann die Belagerung und den Angriff. Der amerikanische Oberst Gausevoort verteidigte sich mutvoll, da er unterrichtet war, daß General Harkimer zu seinem Entsatz heranrückte.

Harkimer hatte einen harten Kampf mit den Indianern, vertrieb sie zwar, fiel aber selbst und mit ihm 400 Amerikaner. Entmutigt und enttäuscht wegen der entgangenen Plünderung, verließen die Wilden nun St. Legers Korps, und dieser hob die Belagerung am 22. August auf, als ihm gemeldet war, daß der amerikanische General Arnold mit 2000 Mann den Fluß herauf dem tapferen Gausevoort zu Hilfe eilte.

Rotterdam, 30. August 1777

Ungeachtet selbst in der Hofzeitung die Vorteile der kanadischen Armee bestätigt sind, so gibt es doch noch Zweifler, die nicht wissen, daß die Nachrichten, die der Hof bekannt machen läßt, nichts anderes als die Rapporte der kommandierenden Generale sind, welche denselben nun wohl nicht hintergehen dürfen.

Was bei diesen unbezweifelten Fortschritten am meisten zu bewundern ist, ist, daß der General Burgoyne mit Aufopferung so weniger Leute so viele Festungen in so kurzer Zeit erobert hat, die man selbst in Paris höchst wichtig für die Rebellen erkannte. Selbst deutsche Offiziere in der kanadischen Armee hatten sich die Eroberung von Ticonderago, Mount-Independence und die Bezwingung des Zuckerhügels nicht so geschwind versprochen, sondern noch vor kurzem nach Deutschland geschrieben, daß alles, was sie zur Zeit ausrichten könnten, wohl die Einnahme von Crown-Point sein werde, worauf sie wohl wieder nach Kanada in die Winterquartiere zurückkehren müßten. Jetzt kann Burgoyne seine Winterquartiere in Ticonderago und in Neu-England nehmen und hat auch bereits die Ingenieure mit dem Auftrag hinterlassen, die Stadt unüberwindlich zu machen.

Bei Fort Edward haben die Provinzialen eine Armee von 10000 Mann, an welche sich die Armee von Ticonderago angeschlossen hat und es kommt nun darauf an, ob Bourgoyne auch hier sein Wort hält, sie zu schlagen, wo er sie antrifft.

Die Amerikaner hatten Tyconderago und Mount-Independence zwar unüberwindlich gemacht, übersahen aber die Wichtigkeit einer Höhe im Süden, den Zuckerhügel genannt, der die beiden Festungen beherrschte. Den Engländern gelang es, ihr schweres Geschütz auf diesen Hügel zu bringen, worauf die Amerikaner am 6. Juli in aller Stille die Festungen räumten und sich nach Skenesborough zurückzogen.

Hier in Skenesborough leistete inzwischen General Schuyler eine Herkulesarbeit. Er ließ alle Brücken über die reißenden Bäche und Moräste zerstören und dicke Bäume bis an ihre Zweige in den Schlamm versenken und so den 8 Stunden weiten Weg bis zum Fort Edward in ein Labyrinth von unüberwindlichen Hindernissen gestalten. Als daher Burgoyne gegen Fort Edward anrückte, brauchte er zur Beseitigung aller dieser Hindernisse, zum Bau von 40 neuen Brücken und eines Dammes von zwei Meilen, rund 20 Tage! Als er im vernichteten Fort ankam, waren die Amerikaner bereits in Still-Water angelangt, wo sie sich wiederum stark verschanzten.

Amerikanische Stimme zum Fall von Tyconderago

London, 23. September 1777

Daß die bisher mehrmals erteilten Nachrichten von dem schlechten Zustande der kolonistischen Truppen weder parteiisch, noch übertrieben gewesen, erhellt zum Teil noch aus dem Schreiben des kolonistischen Generals Clair, worin er dem Kongreß seinen Rückzug von Tyconderago meldet und wo es unter anderem lautet:

„Da ich sah, daß die Posten von Ticonderago und Mount-Independence fast eingeschlossen waren, und durch meine Spione erfuhr, daß sie es in 24 Stunden gänzlich sein würden, wo wir alsdann von aller Möglichkeit einer Hilfe würden abgeschnitten gewesen sein; daß ferner die feindlichen Batterien schon im Begriff wären, eröffnet zu werden, und daß unser ganzes Lager auf der Seite von Ticonderago ihrem Feuer ausgesetzt wäre, und ich zugleich die Schwäche der Besatzung erwog, die zusammen nicht hinreichend war, die Werke nur halb zu besetzen, und daß die Mannschaft folglich stets im Dienste und unterm Gewehr würde sein müssen, welches sie unmöglich lange haben aushalten können, und daher die Plätze mit der Garnison unvermeidlich in wenigen Tagen in des Feindes Hand fallen würden; so blieb mir nichts anderes übrig, als solche zu räumen, und die Armee weg zu bringen. Ich rief daher die Generalspersonen zusammen, um ihr Gutachten zu vernehmen; sie waren alle einmütig der Meinung, daß er Platz ohne den mindesten Zeitverlust müsse geräumt werden und schritt man dann dem zufolge noch selbige Nacht dazu. Nachdem wir so viel als möglich von unseren Kanonen, Provisionen und Munitionen in unsere Boote geladen hatten, ließ ich solche den Weg nach Skenesborough nehmen und schickte mit ihnen den Obersten Lange, einen tätigen, fleißigen und guten Offizier, um daselbst das Kommando mit seinem Regiment und den Invaliden zu führen, bis ich mit der Armee würde zu ihm gestoßen sein, die über Castle-Town dahin zu marschieren gedachte. Das Gros der Armee erreichte auch wirklich des andern Tages Castle-Town, welches 30 englische Meilen von Ticonderago und 12 von Skenesborough ist; aber der Nachzug unter Kommando des Obersten Warner, welcher mit den Überläufern und Kranken gegen 1200 Mann ausmachen mochte, war 6 Meilen von diesem Orte stehen geblieben, und wurde von einem starken Detaschement angegriffen, welches der Feind abgeschickt hatte, um hinter unserem Nachzug immer her zu sein und unsern Marsch aufzuhalten. Es wurden sogleich 2 Regimenter Miliz, die abends vorher uns verlassen, und ungefähr 2 Meilen von dem Obersten Warner Halt gemacht hatten, beordert, ihm zur Hülfe zu kommen; aber zu meinem größten Erstaunen sah ich sie gerade zu mir herankommen, und zu gleicher Zeit erhielt ich Nachricht, daß der Feind vor Skenesborough sei und alle unsere Boote und bewehrten Fahrzeuge abgeschnitten habe. Dieses veranlaßte mich, meine Route zu ändern, damit ich nicht zwischen zwei Feuer käme, und auch zugleich im Stande wäre, den Obersten Warner an mich zu ziehen, dem ich den Befehl zusandte, sich, wenn er den Feind zu stark fände, gegen Ruthland zurückzuziehen, wo er mich antreffen würde, ihn zu decken, zumal dieser Ort gleich weit von uns beiden lag. Aber ehe meine Order bei demselben ankam, war seine Abteilung schon zerstreut, nachdem sie eine ziemliche Zeit ein sehr scharfes Gefecht ausgehalten hatte, in welchem der Feind sehr viel gelitten, daß er ihn nur eine kleine Strecke verfolgte. Unseren Verlust kann ich nicht bestimmen, glaube aber, daß solcher nicht über 40 Getötete und Verwundete sich belaufe. Gegen 200 von der Abteilung sind zu Ruthland und seit der Zeit zu mir gekommen; ein großer Teil aber wird noch immer vermißt und hat sich vermutlich nach Neu-England auf der Straße von Rumberfour hinab gewendet. Nach einem sehr beschwerlichen Marsche von 7 Tagen, in welchem die Armee sehr viel von üblem Wetter und Mangel an Provision ausgestanden, erreichte ich endlich am 12. dieses den General Schuyler. Ich werde vielleicht von denen, die die Lage nicht kennen, in welcher ich war, getadelt, daß ich die Miliz nicht eher zur Hilfe herbeigerufen habe. Ich glaube aber dem Kongreß schon gemeldet zu haben, daß ich dieses nicht tun konnte, aus Mangel an Proviant. Sobald ich eine Zufuhr erhielt, bot ich solche auf und es stießen an 900 noch den Tag vor der Evakuierung zu mir; sie kamen aber so schlecht versehen von Hause, daß sie nicht länger als nur einige Tage bei mir bleiben konnten, und auch nicht länger zu bleiben beschlossen. Auch die beiden Massachussetts Miliz-Regimenter, die einen Teil der Garnison ausmachten, deuteten mir an, daß ihre Dienstzeit in 2 Tagen verflossen, und sie daher nach Hause zu gehen gedächten. Vergebens bat ich ihre

Offiziere, allen Einfluß, so sie auf dieselben hätten, zu verwenden. Ihr nachheriges Verhalten überzeugte mich aber völlig, daß die Offiziere recht hatten sie zu tadeln. Sie blieben zwar bei mir noch 2 Tage auf dem Marsche, ihre Aufführung war aber so ausgelassen und ihr Beispiel fing an die Kontinental-Truppen anzustecken, daß ich mich in die Notwendigkeit versetzt sah, sie fortzuschicken.

In der Anlage folgt eine Kopie dessen, was im Kriegsrat besprochen wurde. Sie werden darin die Ursachen finden, die den Rückzug notwendig machten. Ich habe das größte Vertrauen auf die Billigkeit des Kongresses und berede mich, daß, ungeachtet der Verluste, die ich erlitt, wenn Sie unparteiisch überlegt haben, daß ich mit nicht viel mehr als 2000 Mann in einem Platze postiert gewesen bin, welchen zu verteidigen 10 000 Mann notwendig gewesen wären; daß diese 2000 Mann übel ausgerüstet und schlecht bewaffnet waren, zehn von ihnen kaum ein Bajonett, ein bei Verteidigung der Linien unentbehrliches Gewehr gehabt, daß ich mit diesen 2000 Mann einen guten Rückzug vor den Augen einer gewiß vier mal so starken Armee gemacht; daß meine Aufführung ihm wenigstens keinen Verweis zu verdienen scheint. Ich habe die Ehre zu sein — — —"

Die Geschichte hat dem General St. Clair dennoch nicht den Vorwurf erspart, Tyconderago viel zu spät geräumt zu haben, zumal er sich selbst so sehr unterlegen wußte.

Auch dieser Brief ist kennzeichnend für den Mut des Generalkongresses und Washingtons, mit solchen Männern, wie es die Milizen doch nun einmal waren, den Krieg gewinnen zu wollen. Wir werden noch lesen, wie selbst Washington darüber dachte.

London, 3. Oktober 1777

Alle Zeitungen, die man hier wegen der Operationen unserer Armeen in Amerika empfängt, sind immer widersprechend.
Der Hof hat indessen, wie man versichert, gestern Nachricht von dem General Burgoyne erhalten, daß er zu Saratoga angekommen sei, von wo sich 13 000 Amerikaner, unter dem Kommando des Generals Arnold, nach dem Fort Miller, welches auf einer Höhe an dem Flusse Mohawks liegt, retiriert hätten, wohin er ihnen folgen wolle, was er jedoch mangels Lastpferde nicht vor Ende September würde bewerkstelligen können.

London, 7. Oktober 1777

Heute kam ein Expresser bei dem Büro des Lord Germaine von dem General Howe mit dem zu Dover gestern Abend angelangten armierten Transportschiffe „The Lord Howe" an. Mit gedachtem Schiffe hat man die Nachricht, daß der General Howe den 16. August mit 16000 Mann zu Baltimore, in Maryland, etwa 40 Meilen von Philadelphia, marschiert sei, woselbst der General Washington damals im Lager gestanden. Ein Korps Provinzial-Truppen hat, seitdem der General Howe zu Schiffe gegangen, eine Landung auf Staaten Island gemacht und ein anderes Korps auf Long-Island, sie sind aber mit beträchtlichem Verlust zurückgeschlagen worden.

Aus einem Schreiben eines Offiziers in der Armee unter General Howe vom 20. August: „Nachdem wir 23 Tage auf der See waren, hin und her geworfen wurden, haben wir endlich unsere Landung in Baltimore gemacht, von da wir nach Hulk hinaus marschierten, wo wir jetzt kampieren, in der Erwartung, wie ich vermute, daß General Burgoyne herabkommen, und mit seiner Armee unsere Operationen unterstützen werde, auf welche Weise General Washington zwischen zwei Feuer kommen wird.

Die Stellung, in welcher General Howe sich gegenwärtig befindet, scheint in der Tat so vorteilhaft für ihn und seine Truppen, als nachteilig für Washington und die Provinzialen, sowie für den Kongreß zu sein, denn vermöge solcher Position und durch die Chesapeak-Bay, welche die englische Flotte bis Baltimore hinauf gegangen, und die jetzt völlig in ihrer Gewalt ist, sind der Kongreß und dessen Armee unter Washington von Virginien, den beiden Carolinas und Georgia völlig abgeschnitten, so daß sie nicht allein nichts daher erhalten, sondern auch diese Provinzen nicht unterstützen können, und dieselben lediglich sich selbst und ihrem Glück oder Unglück überlassen müssen."

Die Rechnung sollte nicht aufgehen, wie wir bald sehen werden. Nicht Washington kam zwischen zwei Feuer, sondern Burgoyne wurde daran gehindert, sich mit Howe zu vereinigen. General Gates hielt ihn in Saratoga fest, während Washington Howe beschäftigte.

London, 10. Oktober 1777

Ein Schreiben des Leutnants Preston an seinen Bruder in London aus Stantonhill am Delaware, acht Meilen von Philadelphia, den 1. September 1777 meldet folgendes:

„General Howe detaschierte ein kleines Korps gegen Philadelphia, um, wo möglich, die Situation der Rebellen zu rekognoszieren, von welchen wir wußten, daß sie die Jersey verlassen hatten, um diesen Platz gegen unsere Unternehmungen zu decken. Dieses Korps berichtete bei seiner Zurückkunft dem General, daß die Rebellen, wie wir vermutet hatten, nach Stantonhill marschierten, um daselbst einen vorteilhaften Posten zu besetzen, welches sie auch ausführten. Am 25. August langten wir vor dem Lager an, welches anderthalb Meilen an der Ostseite von dem Flusse entfernt ist. Sobald uns die Rebellen wahrnahmen, warfen sie sofort, um unsere Landung zu vereiteln, eine Batterie von 15 Achtpfündern auf, die uns sehr inkommodierten, indem sie mit Kettenkugeln schossen, so, daß wir 1 Kapitän, 2 Leutnants und 60 Füseliere verloren. Nachdem wir aber den Fluß etwa fünf Meilen weiter hinuntergegangen waren, stiegen wir am 26. ungehindert ans Land. Wir befanden uns damals 8 Meilen von Stantonhill, und setzten uns sofort in 3 Kolonnen in Marsch; die erste kommandierte Lord Cornwallis, die zweite General Kniphausen, und die Avantgarde der General Howe. Lord Howe ging inzwischen den Fluß wieder hinauf, um den Feind zu teilen, welches auch einige Wirkung tat. Da uns die Rebellen in dieser Lage sahen, zogen sie sich gegen Winterton um ihren Rückzug zu decken. Lord Cornwallis und der Major Ord griffen sie von der Seite an, und General Howe versuchte, sie von Winterton abzuschneiden, welches Manöver, wenn es gelungen wäre, ein aus 8000 Mann bestehendes Korps Rebellen, die General Maxwell kommandierte, genötigt haben würde, handgemein zu werden. Aber sie entschlossen sich auf ihrem Posten zu bleiben. Am 27. des Morgens griff Lord Cornwallis ihren linken Flügel an, und die Kniphausensche Brigade die Arrieregarde. Beide Armeen blieben in dieser Stellung bis um 5 Uhr des Abends, wo der rechte Flügel der Rebellen wich und eine gänzliche Niederlage erfolgte, so daß sie in größter Unordnung fliehen und ihre Bagage und Munition zurücklassen mußten. Das Treffen war sehr blutig. Die Rebellen haben gegen 2000 Mann Tote auf dem Wahlplatze gelassen, worunter sich auch der General befindet, und 3000 Mann Gefangene verloren. Wir haben an Toten und Verwundeten 1500 Mann. Morgen marschieren wir gegen Philadelphia, wo wir wenig Widerstand zu fürchten haben."

Vorstehender Bericht, so glaubhaft er auch geschildert ist, ist doch frei erfunden. Nach der Landung Howes am 25. August im Elk-Fluß kam es erst am 11. September zu größeren Kampfhandlungen mit Washington.

London in Erwartung

London, 10. Oktober 1777

Es scheint, als wenn der Hof in einer eben so großen Erwartung der Nachrichten von der Amerikanischen Armee sei, als das Publikum, denn es sind auf der Insel Wigth, zu Portsmouth und zu Falmouth Königliche Boten beständig zum Abgehen fertig, und von da bis London Relais gelegt, um jede ankommende Nachricht sogleich zu überbringen. Das Gerücht von der Landung der Armee in Maryland, welches das Schiff „Der Lord Howe" überbracht, erhält sich mit großer Beständigkeit, und, wie es scheint, nicht unbillig, da es mit der Bewilligung und gewissermaßen auf Befehl des Ministeriums geschah, daß diese Nachricht in Lloyds Kaffeehaus nach der gewöhnlichen Art angeschlagen wurde. Aber diese Nachricht enthielt bloß die Landung, die am 16. August zur George-Town, 70 Meilen von Philadelphia, bewürkt sei und die Annäherung dieser Armee nach Philadelphia auf 30 Meilen. George-Town liegt an der rechten Seite der Bay. Eine andere Nachricht sagt, die Landung sei zu Baltimore geschehen, das linker Hand der Bay liegt, wo daselbst, der ersten Nachricht gemäß, der General nur ein Detachement gelassen habe. Die Landung zu Baltimore würde die Unbequemlichkeit haben, daß die Armee erst den Susquehanna passieren müßte, welches einer der größten Flüsse ist. Das Projekt, in dieser Provinz vorzudringen, ist nicht ohne Schwierigkeiten.

London, 24. Oktober 1777

Es sind nunmehr gerade drei Monate, daß das Ministerium keine Nachrichten von dem General Howe hat. Dieser Fall ist in Absicht aller anderen Länder, außer Ostindien, in unserer Geschichte noch nicht dagewesen. Das Sonderbarste hierbei ist, daß auch die Gegenpartei keine näheren Nachrichten von dem guten oder bösen Erfolge erhalten hat und unsere besten öffentlichen Blätter schweigen so völlig von der Howeschen Flotte, als wenn sie nie in See gegangen wäre.

Einer der ansehnlichsten Kaufleute der Stadt, welcher in der vergangenen Woche dem Lord North in einem Privatgeschäfte aufwartete, nahm sich daher während der Unterredung die Freiheit, denselben zu fragen, ob er keine Nachricht von den Howes hätte. Der Lord versetzte hierauf: Dasjenige, was die Generale zu vollführen ausgegangen wären, sei von solcher Beschaffenheit, daß die Regierung vor dem 1. künftigen Monats keine Nachricht von dessen Bewerkstelligung erhalten könne.

„General Winter, Kapitän Frost und Admiral Eis"

London, 28. Oktober 1777

Noch ist das Schiff, welches die Depeschen aus Amerika für die Regierung am Bord haben soll, nicht angekommen. Dieser Verzug macht freilich das Publikum eines Teils begieriger auf Neuigkeiten, und veranlaßt andern Teils bittere Anmerkungen und boßhafte Scherze über die geheimnisvollen Operationen der Howes. Unter andern sagt ein hiesiges Morgenblatt: Das Ministerium ist über folgende aus Amerika unlängst erhaltene Nachrichten sehr unruhig geworden. General Winter ist mit einer fast unüberwindlichen Macht in vollem Anmarsch, um dem General Washington zu Hülfe zu kommen. Kapitän Frost, sein Generaladjutant, ist bereits bei dem Kongreß eingetroffen, und hat Ihre Hochmögenden versichert, daß der General Winter auf das Späteste um die Mitte des künftigen Monats zum General Washington stoßen würde, und um die Erlaubnis bäte, den Mut der Generale Burgoyne, Howe und Clinton abkühlen zu dürfen. Zugleich soll der Kongreß bei Abgang des Expressen die Nachricht erhalten haben, daß der Arriere-Admiral Eis aus Norden vor dem Hafen von New York und in dem Delaware aufs späteste gegen Ende des Novembers zu sein gedächte, und sich die Erlaubnis ausbäte, den Lord Howe nebst seiner Flotte bis künftigen Monat April in Beschlag nehmen zu dürfen.

Die ängstliche Nachfrage nach den beiden Brüdern soll, sagt ein anderes Blatt, seit einiger Zeit so oft in dem Palast einer hohen Person wiederholt worden sein, daß ein dortiger Papagei sie aufgeschnappt, und jetzt in seinem Bauer unaufhörlich schreit: Where are my Howes? wo sind meine Howes?

Erst am 31. Oktober bringen Londoner Blätter: daß sichere Nachrichten von General Howe eingetroffen seien, und zwar ein Schreiben des Generals vom 30. August aus dem Lager bei Head of Elk an George Germaine. Howe teilt in diesem, allerdings privaten, Schreiben mit: daß er Philadelphia genommen habe und General Burgoyne die Amerikaner tatsächlich aufs Haupt geschlagen habe. Diese neueste Nachricht wird zwar in der Hofzeitung bekanntgegeben, doch die Regierung nimmt davon keine Notiz, da es sich bei den Depeschen von Howe nicht um offizielle an die Regierung handle.

Nachstehend bringen wir diese privaten Nachrichten aus der englischen Zeitung.

Howe im siegreichen Angriff auf Washington

London, 31. Oktober 1777

Seit der Einnahme von Ticonderago hat man keine andere zuverlässige Nachricht aus Amerika erhalten, als daß die Gebrüder Howe's endlich wieder zum Vorschein gekommen sind. Mehr als einmal hat man daran zweifeln wollen; allein gegenwärtig ist man gewiß. Sie sind wirklich wieder erschienen, aber dieses ist fast auch alles, was man bisher von ihnen erfahren können. Sie haben zu verschiedenen Zeiten 3 Expressen abgefertigt, welche fast zu gleicher Zeit angelangt sind. Derjenige, welcher zuletzt von Chesapeak-Bay am 2. oder 3. September abgegangen war, sei den 22. bis zur Mündung des Flusses Elk mit vieler Beschwerde und Gefahr hinauf gesegelt, ohne gleichwohl viel gelitten zu haben; am 25., 26. und 27. wären die Truppen an das Land gesetzt, am 28. hätten sich dieselben formiert, und wären in zwei Kolonnen an beiden Ufern des Flusses Elk hinauf marschiert; am 30. haben die Armeen unweit der Quelle desselben kampiert, und sich in Verfassung gesetzt, am 1. September sich nach Philadelphia in Marsch zu setzen, und gerade nach dem Lager des Generals Washington vorzurücken, der sich auf einer Anhöhe unweit Wilmington verschanzt hätte, und, wie man glaubte, entschlossen war, den General Howe festen Fußes zu erwarten. Hier kann also etwas vorgefallen sein, wovon man nächstens Nachricht zu erwarten hat.

Mit den Fahrzeugen, welche die Briefe des Generals Howe mitgebracht haben, ist kein Offizier angekommen, und man zweifelt, ob die Regierung den Inhalt derselben bekannt geben werde. Man will indessen Nachricht haben, der letztere sei von Sir William Howe, auf dem Elkflusse, in Chesapeak-Bay, vom 2. September datiert, und an den Lord Germaine gerichtet, und folgenden Inhalts:

Nach einer sehr langweiligen und mühsamen Fahrt sei die ganze Flotte ohne alle widrigen Zufälle in besagter Gegend angekommen; etwa 50 bis 60 Meilen von Philadelphia, aber den Magazinen der Rebellen weit näher. An eben dem Tage, da der General dieses schrieb, wären alle Truppen ohne Widerstand ans Land gestiegen; General Washington, welcher vermutet, daß es eigentlich auf seine Magazine abgesehen sei, habe eine sehr vorteilhafte Position, um dieselben zu decken, eingenommen, und seine verschiedenen Bewegungen schienen zu erkennen zu geben, daß er entschlossen sei, ein Treffen zu wagen, um die Magazine zu behaupten; er hingegen, General Howe, mache alle nötigen Anstalten, den Feind ohne Zeitverlust anzugreifen, und da seine Armee sich in den besten Gesundheitszuständen, und überhaupt in bester Verfassung befände, so hoffe er bald imstande zu sein, eine zur Ehre der Waffen Sr. Majestät gereichende Nachricht von seiner Expedition einzusenden.

Alle Nachrichten kommen darin überein, daß die Armee des Generals Washington aus 15 000 Mann bestehe, und so postiert sei, daß sie sowohl Philadelphia als Lancaster, wo die Magazine sind, decke. Es scheint also, daß wir demjenigen Zeitpunkte nahe sind, der vielleicht mehr, als je bisher in diesem Kriege geschehen ist, entscheiden dürfte. Inzwischen sind viele der Meinung, die Eroberung von Philadelphia dürfte von nicht sehr großer Erheblichkeit, hingegen der Verlust der Magazine weit wichtiger sein.

Washington verlor beides; Philadelphia und die Magazine, wobei der Verlust letzterer tatsächlich von bedeutenderer Auswirkung war.

London, 4. November 1777

Die Regierung hat endlich ihre Depeschen aus Amerika erhalten, wodurch die neuliche Nachricht von dem General Howe und Washington bestätigt wird. Außerdem ist die angenehme Nachricht eingelaufen, daß General Howe sich wirklich Meister von Philadelphia gemacht, und General Burgoyne den General Arnold auf das Haupt geschlagen habe, und wiewohl die Regierung von diesem noch nichts bekannt machen lassen, so ist dennoch an dieser Nachricht nicht zu zweifeln.

Wenn die Regierung noch nichts von der Eroberung von Philadelphia bekannt machte, dann, weil sie in der Tat noch keine offizielle Bestätigung darüber von Howe in Händen hatte. Privatnachrichten durften ihr nicht maßgebend sein.

London, 4. November 1777

Man sieht der Zeitung von diesem Abend mit Verlangen entgegen, weil die Nachricht, daß Sr. William Howe den General Washington geschlagen, und sich Meister von Philadelphia gemacht habe, als unbegründet angesehen wird.

Die vorbemeldete Niederlage des Generals Washington hat den hiesigen Assecureurs ansehnliches eingebracht. Die geöffnete Police neulich war: für empfangene 100 Pfund 200 zurück zu zahlen, wenn am 16. oder vor diesem Tage Washington geschlagen wäre. Man sagt, daß auf beinahe 100 000 Pfund solchergestalt unterzeichnet worden.

London, 4. November 1777

Aus der New Yorker Zeitung vom 22. September: „Am Dienstag morgens ging hier die Nachricht ein, daß General Howe die Armee der Rebellen bei Christiana den 11. dieses angegriffen, und sie, laut den von ihnen selbst bekannt gemachten Nachrichten, mit Verlust von 750 Mann in die Flucht geschlagen habe. Die beiden Generale sind verwundet, einer, ein Franzose, wie man glaubt, tödtlich, und Sullivans Brigade ist beinahe abgeschnitten. Denselben Abend ging durch jemanden, der Philadelphia vorigen Sonntag verlassen, die Nachricht ein, daß Sullivans und Stirlings Brigaden fast sämtlich abgeschnitten wären, daß die Rebellen an Toten, Verwundeten und Gefangenen auf 5000 Mann verloren hätten, daß sie bis nach Schuylkin, 5 Meilen von Philadelphia, verfolgt worden, wo sie sich wieder gesetzt hätten, daß die Königliche Armee sie den Sonntag Morgen angegriffen und aufs Haupt geschlagen, doch wären die besonderen Umstände noch nicht bekannt geworden. Es wird ferner hinzugesetzt, daß viele Einwohner, in der Vermutung, daß die Königlichen Truppen noch den selben Tag in Besitz der Stadt sein würden, dieselbe verlassen hätten."

Auch liest man in den hiesigen öffentlichen Blättern ein von Chester den 11. September datiertes Schreiben des Generals Washington, worin derselbe die erlittene Niederlage eingesteht, und zugleich dem Kongreß meldet, daß er 8 Kanonen verloren habe. Er setzt hinzu, daß er sich hinter Chester wieder setzen wolle, und zu dem Ende die nötigen Verhaltungsbefehle erteilt habe. Der Marquis la Fayette sei in der Wade und der General Woodfort in der Hand verwundet worden.

Es handelt sich in diesem Bericht um die Schlacht bei Brandywine, in der Washington mit rund 1400 Mann Verlust am 11. September geschlagen wurde. Nur dem taktischen Verhalten des braven Generals Greene war es zu verdanken, daß die Niederlage sich nicht zur Katastrophe auswirkte. Washington schrieb damals an den Kongreß: „Ungeachtet des heutigen Unglücks freue ich mich doch, die Truppen bei gutem Mut zu finden, und hoffentlich werden wir zu einer anderen Zeit den jetzt erlittenen Verlust wieder gutmachen."

222

London, 7. November 1777

Aller Antiministerial-Aussprengungen ungeachtet, daß die amerikanischen Zeitungen, auf die man sich wegen der guten Neuigkeiten von dorther bezogen, erdichtet, und hier zu London gedruckt werden, versichern die Abendblätter, daß wirklich originelle Amerikanische Zeitungen bei verschiedenen Komptoiren aus Amerika eingelaufen sind, die von Wort zu Wort eben so lauten, als diejenigen, deren Autenticität man anfechten wolle.

„Glorreiche Neuigkeiten für Alt-England! Washington gänzlich geschlagen!"
General Howe besetzt Philadelphia

London, 7. November 1777

Das Ministerium hat noch keine Original-Berichte von dem General Howe, denn das Kriegsschiff „Isis", an dessen Bord sie sich befinden sollen, und welches bei den Scilly-Inseln gesehen worden, ist noch nicht angelangt, und soll bei den Stürmen in voriger Woche einige Masten verloren haben.

Ein zu Darmouth eingelaufenes Schiff berichtet, daß es dicht an selbigem vorbeigefahren, aber wegen des brausenden Wetters von den zugerufenen Neuigkeiten nichts habe verstehen können, als die Worte: „Glorreiche Neuigkeiten für Alt-England, und Washington gänzlich geschlagen!"

Lord Germaine hat einigen angesehenen Kaufleuten, welche ihn um Wahrheit der großen Veränderung in Pensylvanien befragten, zur Antwort gegeben: „Offiziell-Berichte habe er noch nicht, könne also bis jetzt noch nicht für die Wahrheit einstehen, doch halte er dafür, daß jene Berichte zum Teil wahr sein möchten."

Leipzig, 27. November 1777

Aus einer New Yorker Zeitung, die ein Privatmann über Halifax erhalten, veröffentlichen Londoner Blätter unterm 14. November folgendes:

„Verwichenen Mittwoch ist das Kriegsschiff „The Bienfaisant", von Halifax angekommen, und ein gewisser Herr Ommory soll einen Brief mit dieser Gelegenheit erhalten haben, worin eine außerordentliche Zeitung von New York eingeschlossen gewesen, welche einen Brief des Lord Howe enthalten, der mit der Kriegsschaluppe „The Dispatch" von Chesapeak-Bay an den General Clinton angekommen, desgleichen ein Schreiben von dem General Howe an Sir Parker zu Rhode Island, worin folgende umständliche Nachricht von demjenigen erteilt wird, was seit der Einschiffung der Truppen vorgefallen.

General Howe, heißt es nämlich, wäre den 11. September gegen 8 Uhr des Nachmittags auf die Rebellen gestoßen, nachdem er den Tag über mit den feindlichen Vorposten verschiedene Scharmützel gehabt. Die Rebellen wären endlich zu einer Hauptaktion gezwungen worden, welche bis in die Nacht gedauert, da dann Washington, unter Begünstigung der Nacht, sich in aller Eile zurückgezogen, und alle seine Kanonen, sein ganzes Gepäck und 1800 Mann Tote auf dem Schlachtfelde zurückgelassen. Wäre ihm die Dunkelheit nicht zustatten gekommen, so wäre wahrscheinlicher Weise seine ganze Armee aufgerieben worden. General Howe habe den Morgen darauf die Feinde bis nach Philadelphia verfolgt, welche Stadt sie sofort geräumt, vorher aber dieselbe an drei Orten in Brand gesteckt hätten, jedoch wäre das Feuer durch die Wachsamkeit der Truppen und mit Hilfe der Einwohner bald gedämpft worden, so daß eben kein sonderlicher Schaden geschehen. Auch hätten die Feinde 3 Fregatten im Hafen und verschiedene Floß-Batterien in Brand gesteckt. General Howe habe 3 Regimenter in der Stadt zur Besatzung gelassen und hätte in aller Eile mit den Grenadieren, der leichten Infanterie usw. den General Washington in die Jersey verfolgt. Alle Vorräte von Lebensmitteln wären aus der umliegenden Gegend nach Philadelphia geschafft worden, und die Einwohner hätten versprochen, die Armee mit allen Bedürfnissen überflüssig zu versorgen. Eben dieselbe Zeitung meldet zur gleichen Zeit, daß General Clinton den North-River hinauf gesegelt sei, um sich mit dem General Burgoyne, der bei Albany stehe, zu vereinigen, und die darin enthaltenen Nachrichten gehen bis zum 25. September. Die unter Autorität gedruckte Rhode-Island-Zeitung enthält ebenfalls einen Brief des Generals Howe an den Lord Cornwallis, worin der General die Niederlage der Washingtonschen Armee mit dem Zusatz meldet, daß er Philadelphia in Besitz genommen habe, 3 Regimenter zur Besatzung darin zurückgelassen, und mit der übrigen Armee im Begriff sei, die Rebellen zu verfolgen."

Die Nachricht stimmte so ziemlich mit den Tatsachen überein. Washington war aber über den Mißerfolg keineswegs entmutigt. Für ihn kam es darauf an, Howe zu beschäftigen, damit General Gates vor Saratoga reinen Tisch machen konnte. Der Kongreß war am 16. September noch rechtzeitig nach Lancaster ausgewichen und Howe nahm am 26. von Philadelphia Besitz.

Leipzig, 2. Dezember 1777

Niemals hat sich wohl ein so außerordentlicher Fall zugetragen, daß man in England aus einer in Rhode-Island gedruckten Zeitung über Halifax 3 Wochen eher von dem Sieg der Englischen Armee über einen feindlichen General Nachricht hat, als das Ministerium. Wir müssen noch bemerken, daß aus der Rhode-Island-Zeitung selbst erhellt, daß die Nachrichten nicht aus Briefen des Lords oder Generals Howe, sondern aus Privatquellen stammen.

Am 20. November hielt der König im Oberhaus eine Rede, in der er über Howes Sieg kein Wort sagte. London war sprachlos. Erst am 2. Dezember veröffentlichen die Londoner Blätter den ausführlichen Bericht Howes. Drei Tage lang herrscht großer Jubel, dann aber wird er weit überschattet von einer Kunde, die alle Hoffnungen in das gerade Gegenteil verändert.

6000 Engländer strecken bei Saratoga die Waffen
Trauer in England — Entsetzen im Parlament

London, 4. Dezember 1777

Von dem Burgoynischen Korps hatte der Hof keine neueren Nachrichten. Diejenigen, welche von Frankreich aus verbreitet werden, sind für dasselbe sehr traurig, aber auch noch sehr verdächtig, so wie alle aus Frankreich kommenden Amerikanischen Gerüchte.

London, 5. Dezember 1777

Die Nachricht von dem traurigen Schicksal der Burgoynischen Armee wird immer mehr bestätigt, und verbittert die Freude über die Siege der Howeschen Armee.

Der eingeschlossene und von allen Lebensmitteln entblößte General Burgoyne tat alles mögliche, um sich aus seiner unglücklichen Lage heraus zu ziehen. Endlich schritt er auch noch zu dem letzten Mittel, und detaschierte den Brigadier Fraser mit ausgesuchten 1000 Mann, um, wo möglich, irgendwo Luft zu machen, oder Lebensmittel zu erhalten. Fraser, welcher fast lauter Schotten bei sich hatte, wurde von dem General Arnold angegriffen. Das Gefecht war eines der hitzigsten, und keiner wich dem anderen einen Zoll breit auf dem Schlachtfelde. Endlich war das Schlachtfeld mit 800 Toten von dem Fraserschen Korps bedeckt, die übrigen 200 baten um Pardon. General Arnold wurde am Knie verwundet, und die Knochen waren so zer-

schmettert, daß eine baldige Abnehmung für unumgänglich gehalten
wurde, allein er starb während der Operation. Der Brigadier Fraser
verlor sein Leben in dem Gefecht. Kaum war die Nachricht von dem
traurigen Schicksale des Fraserschen Detaschements im Burgoynischen Lager angekommen, so verbreitete sich bei der ganzen Armee
die äußerste Bestürzung und es blieb nichts als eine verzweifelte Entschließung übrig. Indessen rückten die Amerikaner unter dem General Gates von allen Seiten auf die Burgoynische näher an. Der General Burgoyne tat einen wiederholten Versuch, um sich durchzuschlagen und bekam selbst drei Wunden. Den folgenden Tag bot er die
Kapitulation an, welche auch der General Gates annahm.

Dieser wichtige Vorfall ist den 17. Oktober in der Nähe des Forts
Edward geschehen. Das Burgoyn'sche Korps soll 5782 Mann stark
gewesen sein; nämlich 2500 Engländer, 1800 Braunschweiger und die
übrigen Kanadier.

General Arnold war nicht gestorben. Wäre er es, sein Ruhm wäre ein
allen späteren Generationen dankbares Blatt im Buche der amerikanischen
Geschichte gewesen. Heute spricht man darin von ihm nur als von dem
Verräter an der heiligen Sache der Freiheit.

London, 20. Dezember 1777

Aus dem Rapport des Generals Burgoyne:

„Die Armee war durch unaufhörliche und harte Beschwerden abgemattet. Alle bei uns dienenden Indianer waren davongelaufen.
Unter den bei der Armee befindlichen Kanadiern und Provinzialen
war Furcht und Desertion eingerissen. Alle Hoffnung einer Vereinigung mit der Howeschen Armee war aufgegeben. Unsere regu-
lären Truppen waren durch den Verlust der besten Leute bis auf
3500 Mann zusammen geschmolzen, worunter keine 2000 Engländer
waren. Auf 3 Tage hatten wir kaum noch Lebensmittel. Überdies
waren wir von einer Armee von 16 000 Mann umringt, und alle Aussichten zu einem Rückzuge waren abgeschnitten. Unter diesen Umständen habe ich alle Generale, Stabsoffiziere und Hauptleute in einen
Kriegsrat zusammen gerufen. Durch ihre einstimmige Meinung bin
ich endlich bewogen worden, mit dem General Gates zu kapitulieren."

London, 5. Dezember 1777

Als am 3. dieses das Unterhaus des Parlament beisammen war, erfuhr es mit Entsetzen die Nachricht von der Gefangennehmung der

Burgoynschen Armee. Der Oberste Barré forderte den Lord Germaine auf, vor dem Hause zu erklären, in wie fern die Nachricht wahr sei. Lord Germaine antwortete, er habe Depeschen von Quebeck mit der Nachricht erhalten, daß durch Überläufer zu Ticonderago die Nachricht eingegangen sei, daß sich der Überrest des Generals Burgoyne am 16. Oktober völlig den Rebellen ergeben habe. Dieser Zufall, setzte er hinzu, sei freilich betrübt; nichts als die äußerste Verlegenheit und das Übergewicht der Stärke, hätten einen General, wie Burgoyne, zwingen können, sich zu ergeben. Er wisse, daß er für seine erteilten Befehle einzustehen verpflichtet wäre. Diese wäre er erbötig, dem Hause nötigenfalls vorzulegen.

Dieses Bekenntnis des Lords überzog die Gesichter aller Mitglieder des Hauses, so wie ungefähr die Römischen Senatoren mögen ausgesehen haben, als die Niederlage bei Cannä dem Senat verkündet wurde. Der Oberste Barré rief endlich mit weggewendetem Blick aus: „Großer Gott, wer kann seinen Unwillen mäßigen, wenn er sieht, wie der, der diese schimpfliche Niederlage entwarf, solche so kaltblütig hererzählt. Wer kann ohne Verachtung auf den Mann niederblicken, der hierzu fähig war? Braucht man uns zu sagen, daß bloß die äußerste Verlegenheit und eine überlegene Macht Burgoyne zur Übergabe zwingen konnte? Er war ein Brite, stand an der Spitze von Briten, konnte sich also nicht ergeben, so lange die Möglichkeit da war, zu widerstehen. Wenn inzwischen die Liebe zur Wahrheit und Gerechtigkeit dieses Zeugnis abfordert, was sollen wir zugleich von dem Manne sagen, der einen so tapferen Offizier in den Fall setzte, entweder ohne Nutzen für sein Vaterland umzukommen, oder sich dem Gebot des Siegers schimpflich zu unterwerfen." Herr Burke, der in der Folge sprach, schob die ganze Schuld auf die Befehle, welche Lord Germaine dem Herrn Burgoyne zugefertigt hätte, zumal da der Lord erklärt hatte, daß, wenn dabei ein Versehen eingetreten, nicht der General Burgoyne, sondern er selbst dafür stehen müsse. Er fügte hinzu, daß unter diesen Umständen die Ursachen dieses Versehens genau zu untersuchen wären, bevor das Haus aufs neue Truppen votieren könne, sonst würde man dadurch Lord Germaine nur in den Stand setzen, Truppen nach Amerika zu senden, damit sie von den Amerikanern auf eine ähnliche schimpfliche Art herrenlos zurück gesandt würden. Herr Fox war, als er in der Folge aufstand, in seiner Rede sehr bitter; beklagte den General Burgoyne, der sich durch die Befehle eines Fehlermachers hätte müssen als ein Schlachtopfer hinschicken lassen. Es wäre ihm gesagt worden, er solle nach Albany vorzudringen suchen, und dort des Generals Howe Befehle abwarten. Dieser hätte davon nichts gewußt, sondern hätte eine ganz andere Marschroute, einen ganz anderen Operationsplan eingeschlagen. Burgoyne hätte also notwendig als ein verlorenes Schaf auf die Schlachtbank zueilen müssen.

Überhaupt hat die Nachricht von der Niederlage des Generals Burgoyne allgemeine Niedergeschlagenheit verbreitet. Die Stocks sind gestern 2½ Percent gefallen. Man zittert im voraus, die Übergabe von Ticonderago als eine Folge dieser Unfälle zu hören. Den Ton, in welchem die hiesigen antiministerialischen Blätter bei dieser Gelegenheit bei der hiesigen Pressefreiheit schreiben, kann man sich ungefähr vorstellen. Er ist aber für die keuschen Blätter Deutschlands zu zügellos.

Das unselige System, einen tausend Seemeilen entfernten Kriegsschauplatz vom grünen Tisch in London aus zu leiten, war die Hauptschuld an diesem und anderen Verlusten der Engländer. Übrigens erwähnt General Burgoyne später, daß es eine „peremtorische" Order war, die ihn verpflichtete, die Verbindung mit Howe herzustellen und daher zwang, den Hudson zu überschreiten und eine Passage nach Albany zu suchen. Aber nicht hier ist die Schuld von Lord Germaine oder Burgoynes zu suchen, sondern diese lag allein bei General Washington, der es bei Germantown am 4. Oktober auf eine für ihn fragliche Schlacht ankommen ließ, um Howe davon abzuhalten, Hilfstruppen noch rechtzeitig nach Saratoga zu werfen.

Spaßig ist der Hinweis der Zeitung auf die „keuschen" deutschen Blätter.

1778—1781

EIN NEUES VOLK SCHAFFT EINE NEUE WELT

Vom Bündnis mit Frankreich bis zu York-Town

Der Schlag von Saratoga hat Howes Sieg bei Philadelphia weit überschattet. Mit schlecht unterdrückter Verbitterung müssen die Lords auf den Regierungsbänken feststellen, daß das angeblich so ohnmächtige Amerika unter der Regie eines genialen Feldherren Wunder zu verrichten versteht. Selbst Lord North wird von Sorgen gequält und er tritt plötzlich mit einem Vorschlag, einer Bill, vor das Parlament, worin das Vorgefallene vergessen und es den Rebellen leicht gemacht werden soll, noch einmal ohne Schaden in den Schoß der Mutter zurückzukehren. Versöhnungsbill, nennt der Minister dieses Instrument und verspricht sich nun seinerseits Wunder davon. Ja, selbst unter den bisher unversöhnlichen Gegnern nehmen die versöhnlichen Stimmen derart an Stärke zu, daß es der greise Pitt, der alte Fürsprecher der Rebellen, mit der Angst bekommt, das Parlament könnte Frankreichs Ruf: „Die Amerikaner sind nicht länger eure Sklaven! Erklärt Amerika für unabhängig!", ernsthaft in Erwägung ziehen.

So schwach und hinfällig der alte William auch ist, er erhebt sich mühsam aus seinem Sessel und ruft den versöhnlich Gestimmten zu: „Nie werde ich zu einem so harten Antrage meine Einwilligung geben. Dieses tun, was heißt es anderes als sagen: nehmt alles hin, was euch beliebt, nur macht endlich Frieden! Ehe ich so etwas täte, Mylords, wollte ich lieber bis aufs äußerste für die Abhängigkeit Amerikas kämpfen. Wenn wir bei diesem Versuch unterlägen, so würden wir doch als Männer fallen und es ist möglich, daß wir fallen, aber wir fallen dann wenigstens als Engländer."

Das sind die letzten Worte, die dieser aufrechte Recke in seiner für Großbritannien so glorreichen politischen Laufbahn spricht. Ohnmächtig sinkt er zu Boden und muß aus dem Hause getragen werden. Vier Wochen später läßt Georg III. den Treuesten seiner Getreuen zu Grabe tragen, just zur Stunde, als aus Toulon die erste französische Hilfe, 16 000 Mann, nach Amerika ausläuft.

Eines der Schiffe hat auch einen Deutschen an Bord, der gewillt ist, dem amerikanischen Generalissimus seine unter Friedrich dem Großen erworbenen Fähigkeiten in der Organisation einer Truppe zur Verfügung zu stellen: Friedrich von Steuben, der, als er später in Valley-Forge, dem Quartier Washingtons, eintrifft beim Anblick des verwahrlosten Haufens armselig bekleideter und ausgemergelter Männer am liebsten wieder davongelaufen wäre. Daß er blieb und daß auch er seinen Namen mit ehernem Griffel in das Buch der Geschichte der Vereinigten Staaten von Nord-Amerika eintragen konnte, auch das ist das Verdienst von George Washington.

Die Hilfe Frankreichs erfolgt längst aller Welt offenkundig. Benjamin Franklin hat gute Arbeit geleistet. Daß er seine Dollars nicht allein dem dichtenden Beaumarchais, sondern auch dem aus England davongelaufenen Schotten Paul Jones zufließen läßt, dessen Kaperschiffe bald der Schrecken Großbritanniens werden sollen, wird reiche Früchte tragen.

Trotzdem aber kann England sich nicht zu einer Kriegserklärung an Frankreich entschließen, wenigstens nicht so bald, denn es wünscht seine kontinentale Lage nicht unnötig zu erschweren. Immerhin, seine Schiffe bekommen Befehl auf jeden Franzosen Jagd zu machen und so entbrennt denn nun ein lustiger Kampf auf allen Meeren. Ein Kampf, der für England manchmal sogar bedrohliche Formen annimmt, dem wir aber im Rahmen dieses Buches nur secundäre Aufmerksamkeit widmen können.

Auf dem amerikanischen Festlande geht der Kampf mit wechselseitigem Glück weiter und erstreckt sich bald über das gesamte Gebiet der 13 Kolonien. An des Feldherrn Genie, den Feind nie mit vereinten Kräften an sich herankommen zu lassen, werden große Anforderungen gestellt. Aber auch sonst hat es Washington nicht leicht. Widersetzlichkeiten, Mißgunst und Unfähigkeiten innerhalb seines eigenen Offiziersstabes, machen ihm das Leben reichlich schwer und als gar einer seiner tollkühnsten aber charakterlich schwächsten Generale offenen Verrat an der heiligen Sache des Vaterlandes übt und in das Lager des Feindes überläuft, hätte seine schier unüberwindliche Tatkraft wohl erlahmen können. George Washington jedoch überwandt auch das, selbst die offene Meuterei seiner Soldaten gegen den Kongreß, in die er allerdings, um des Endsieges willen, mit der Waffe eingreifen mußte.

Im Herbst 1781 erreicht der Kampf um Amerika seinen dramatischen Höhepunkt. Überall in der Welt, wo Zeitungen erscheinen, sind die Spalten angefüllt mit langen Berichten, die erkennen lassen, welch große Ereignisse sich in den Kolonien vorbereiten. Der englische General Cornwallis, der mit einer ansehnlichen Macht in York-Town in Virginien sitzt und das Unglück kommen sieht, versucht vergeblich nach Carolina durchzubrechen. Immer wieder wird er von den ihn langsam umzingelnden Amerikanern und Franzosen auf die Festung zurückgewiesen. Vergeblich ruft er Clinton, der New York besetzt hält, um Hilfe. Clinton wagt es nicht, sich aus der Stadt zu rühren, vor der er Washington wähnt. Wohl steht der amerikanische Feldherr vor New York, doch mit immer schwächeren Kräften, während das Gros seiner Truppen zur Verstärkung der Belagerungsarmee nach York-Town abrückt. Washington hält sein Scheinmanöver solange aufrecht, bis ihm das Einlaufen des französischen Admirals Grasse in die Chesapeak-Bay gemeldet wird. Jetzt eilt er mit dem Rest seiner Männer selbst nach York-Town und der arme Clinton, Washingtons List durchschauend, muß seinen Landsmann in Virginien seinem Schicksal überlassen.

Abermals an einem 17. Oktober strecken über 7000 Engländer die Waffen. Die letzte Schlacht im Kampfe um die Unabhängigkeit Amerikas ist geschlagen. In England gehen die Fahnen auf Halbmast.

Ein Brief, der einen Feldzug entscheidet
Der Kongreß an Franklin

Nantes, 6. Dezember 1777

Wie der Kongreß die bisherigen Vorfälle in Amerika erzählt und ansieht, erhellt aus folgendem Schreiben desselben an seine hiesigen Agenten. Der Brief ist mit einem eigenen Schiff aus Boston geschickt worden:

Kriegs-Kanzlei   den 25. Oktober 1777
Boston
Meine Herren!

Ohne Zweifel werden Sie sich wundern, daß ein Schiff mit Ballast von diesem Komtor an Sie adressiert ist, bis wir Ihnen berichten, es sei auf ausdrücklichen Befehl der Regierung wegen des allerwichtigsten Vorfalls, der jemals dieses Land betroffen hat, eingesandt.

Ehe wir aber zur Erzählung dieser glücklichen Begebenheit schreiten, glauben wir, wird es nicht unangenehm sein, wenn wir vorher einen allgemeinen Blick auf unsere öffentlichen Angelegenheiten seit der glücklichen Aktion bei Trenton und Princetown bei Schluß der letzten Kampagne werfen. Als General Howe fand, daß seine Kantonierungsquartiere getrennt wurden, so sah er sich genötigt, seine Armee zu und um Brunswick zu versammeln, wo er auf allen Seiten verschanzt und bedeckt, vor dem Angriff des Generals Washington eine Zeitlang gesichert stand, welcher sich begnügte, während daß er seine Armee rekrutierte, des Generals Howe Furagiere zurück zu treiben, dessen Vorposten zu beunruhigen, usw.

General Howe war, wie vermutet wird, eigentlich willens, durch die Jersey nach Philadelphia durchzudringen, welches er auch wirklich versucht hat; ob er es aber von Anfang nicht tunlich erachtet, oder im Versuch erst so befunden, können wir nicht bestimmen, in der Tat aber hat er sich nach Staaten-Island, einige Meilen von New York, zurück gezogen, und um Johannis schiffte er seine Truppen ein, da er dann nach einer langweiligen Überfahrt in Cheseapeak-Bay anlangte, wo er am Flusse Elk landete, und nachdem er durch ein schlechtes, sparsam bewohntes Land marschiert war, zu einem Fluß, ungefähr 30 Meilen von Philadelphia, Brandywine genannt, ankam.

Ungeachtet General Howe alles anwendete, seinen Gegner irre zu machen, so bemerkte es Washington mit der ihm eigenen Scharfsinnigkeit doch, und wählte das Ufer des Delaware zum künftigen Kampfplatze. In dieser Nachbarschaft begegnete General Washington dem Feinde, und kämpfte; aber ungeachtet es unseren Truppen nicht an Tapferkeit, noch unseren Offizieren an klugem Betragen fehlte, so war gleichwohl der Mangel einer gewissen Fertigkeit im Chargieren, und Geschwindigkeit im Schießen, die nur in wirklichen Aktionen erlernt wird, die Ursache, daß wir das Terrain verloren. Gleichwohl wurde es mit vielem britischen Blute erkauft; indem nach der leidlichsten Angabe die Zahl ihrer Toten und Verwundeten sich auf 2000 Mann beläuft, wir aber nach den genauesten Berichten kaum 1000 Mann verloren haben. Inzwischen nahmen doch die Sachen eine solche Wendung, daß entweder General Howe das offene Land und General Washington die Stadt haben sollte, oder aber umgekehrt. Washington wählte das Land, und ein starkes Fort auf dem Delaware, dessen Paß so gut mit Spanischen Reitern etc. besetzt ist, daß auch schon der „Rheebuck", ein Englisches Kriegsschiff von 40 Kanonen, in Grund gebohrt, und 2 andere zurückgeschlagen sind, welche zur Stadt gewollt; auch hat dieses die ganze Flotte bisher abgehalten.

Die zweite wichtige Aktion war nahe bei Germantown, wo der Feind angegriffen, zurückgetrieben und zerstreut wurde. Ihre Artillerie hatten wir wirklich im Besitz, und der Sieg war so gut als in den Händen des Amerikanischen Helden, da eine unglückliche Begebenheit den Kranz des Sieges ihm von der Stirne riß. Ein Teil des Korps der Reserve der Amerikanischen Armee wurde beordert, näher zu ihren Siegern zu rücken, verirrte aber in dem dicken Nebel. Der Rauch der Artillerie samt der von den auf General Howes Order angesteckten Stoppelfeldern brachte unsere Truppen in Verwirrung, und verursachte einen Rückzug unsererseits, worauf der Feind sich wieder schloß, und nachdem er seine Artillerie wieder bekommen, stellte er sich in seine vorige Linie. Einige Stabs- und Feldoffiziere von beiden Seiten wurden getötet und verwundet. Wir haben in der ganzen Aktion, welche über 2 Stunden gedauert, an Offizieren und Gemeinen, Getötete und Verwundete, nur 700. Hingegen sind alle Kriegssachverständige der Meinung, daß noch zwei solche, obwohl von unserer Seite unglücklich ausgefallene Aktionen, des Generals Howe sämtliche Projekte vernichten dürften, indem der Abgang an Getöteten, Verwundeten, Kranken und Deserteuren, eine Armee, welche keinen beständigen Zufluß hat, unbeschreiblich verschmelzen muß.

Einige Vorteile erhalten die Feinde in der Tat durch ihre Flotte, und General Vaughan und Tryon sind neulich mit einigen Irländischen und Deutschen Truppen den Hudsonfluß hinauf gesegelt, und haben die unsrigen, ehe wir selbige verstärken konnten, angegriffen, und mit vielem Blutvergießen auf ihrer Seite das Fort Montgomery, einen starken Paß auf diesem Flusse, erobert, wodurch wir genötigt wurden, auf dem festen Lande zwei Kontinental-Hukerts zu vernichten. Es wird auch gesagt, sie wären noch weiter hinaufgegangen, und hätten versucht, einiges Vieh wegzuführen und einige Häuser in Brand zu stecken. General Putnam aber wäre ihnen in den Rücken gefallen, und General Gates, welcher sich seiner Gefangenen entledigt und 4000 Mann zur Wiedereroberung von Ticonderago abgeschickt, sei bis Albany vorgerückt, und wir hoffen, er wird selbige nicht ungestraft hausen lassen. General Parson hat unterdessen Order, womöglich, New York zu berennen, und 8000 Mann unter General Spencer sind auf ihrem Rendezvous, in Absicht, Neuport und Rhode-Island wieder in Besitz zu nehmen. Überhaupt aber sind die südlichen Staaten, wie Süd- und Nord-Carolina und Virginien, in vollkommener Ruhe. Sie werden jährlich volkreicher und sind imstande, die Armee in den Quartieren zu rekrutieren. Die nördlichen Staaten haben von allen Seiten Zufluß und geben Rekruten, unsere eigenen Grenzen zu verteidigen, und unsere öffentlichen und Privat-Kriegsschiffe zu bemannen. Es ist wahr, die mittleren Staaten, York, Neu-Jersey, Maryland und Philadelphia, werden unter der Last von zwei oder drei streitenden Armeen gebeugt, aber sie widerstehen mit Herzhaftigkeit, und man darf sicher hoffen, daß, sobald unsere Feinde vertrieben sind, auch diese Provinzen sich in kurzem wieder erholen werden.

So sind wir von einem Ende zum anderen auf dem festen Lande herum geschwärmt und haben General Washingtons und Howes Armeen die Revue passieren lassen. Nun erlauben Sie, daß wir Sie auch nach Norden leiten, wo der Glanz der Ehre neues Glück auf die Amerikanischen Waffen verbreitet. Eine Armee, welche seit verschiedenen Jahren in England zusammengeworben war, marschierte mit ihren Alliierten in bestem Zustande von Kanada zeitig in diesem Frühjahr ab, und ehe wir es vermuteten, daß sie uns so nahe in diesem Teile von Amerika sein könnten, schlossen sie unsere Festung Ticonderago ein, den Hauptschlüssel zu den Staaten von Neu-England. Diese wichtige Festung, besetzt mit beinahe 4000 Mann, die gut bewaffnet und bezahlt waren, unter Befehl des Generals St. Clair, wurde, kaum angegriffen, auch schon geräumt, und zu unserer Verwunderung lag nun unser ganzes Land dem General Burgoyne offen, und unsere braven Soldaten zogen sich mit Verdruß, wenn auch nicht mutlos, zurück, indem sie eben so sehr über ihren eigenen, wie über den feindlichen General murrten. Die Miliz aber, welche aus dem besten Teile des Volkes bestand, war niedergeschlagen, und da sie fanden, daß alle Güter dieses Lebens in Gefahr schwebten, eilten sie mit heißem Eifer ins Feld. Der Kongreß nahm sogleich dem General St. Clair das Kommando und bestellte den General Gates, ein Korps braver Leute anzuführen, denen es bloß an gehörigen Offizieren gefehlt hatte. Dieser zog unsere zerstreute Armee wieder zusammen, und so viel wohlverdientes Vertrauen setzte ein jeder in diesen großen Mann, daß, sobald er Befehl zum Stehen erteilte, kein Mann einen Fuß breit mehr zurück wich. Burgoyne war immer weiter vorgerückt, und die Einwohner hatten besonders von den wilden Kanadiern gelitten. Die erste Vorbedeutung seines widrigen Schicksals war ein Unfall, der ihm bei dem Fort Schuyler zustieß. Ein Oberster, St. Leger, mit einem aus Engländern, Waldeckern und auch einigen Wilden bestehendes Korps, wurde durch diese brave kleine Besaßung, unter Kommando des Obersten Gauswoort, welchen der General Harkimer unsererseits unterstüßte, überfallen und zerstreut. Kurz danach wurden 2500 Mann Engländer detachiert, um bei Benington Posto zu fassen, mit dem übereilten Befehl, tiefer ins Land zu dringen. Diese wohlbewaffneten und disziplinierten Truppen seßten sich verschanzt einige Meilen früher als ihre Bestimmung war, fest, und wurden zu zwei Malen durch eine Partei von der Miliz unter Befehl des braven Generals Starks, welcher durch 300 inländische Truppen von Oberst Warners Bataillon verstärkt waren, in ihren Linien angefallen, und davon die Hälfte getötet und gefangen genommen. Der Feind selber gesteht diesen Verlust auf 1000 Mann ein. Hierauf folgte eine noch beträchtlichere Aktion auf der Höhe von Bemus's, ungefähr 40 Meilen von Albany, und nur die Nacht war Schuld, daß die Amerikaner nicht einen zweiten Sieg erfochten. Die leßte Unternehmung dieser Armee bestand in einem Anfall auf die linke und mittlere Division von General Gates Armee, unter Kommando der Generale Lincoln und Arnold. Eine Schlacht, welche unglücklicherweise durch die Wunden dieser braven Generale bezeichnet wurde, endigte sich zu Ehren der Amerikanischen Waffen; indem General Frazer merkte, daß die Division, welche aus dem Kern der Britischen Armee bestand, sich in Unordnung und mit großem Verlust zurück zog, und wir in ihre Linien rückten, ihr Hospital mit 300 Kranken und die Bagage eines Deutschen Bataillons erbeuteten, so wurde ihr Lager zerstört und ihre Regimenter zerstreut. Man rechnet, daß von 10 000 Mann, welche General Burgoyne aus Kanada geführt, wenigstens 4000 Mann teils getötet, teils gefangen, und teils desertiert sind, ehe die Kapitulation zustande kam, durch welche der Überrest gezwungen wurde das Gewehr zu strecken, so wie er, seinen Degen in die Hände seiner Überwinder abgegeben hat.

Wir haben die beste Hoffnung, daß dem General Howe ein ähnliches Schicksal treffen werde, da der nordischen Armee nicht das geringste Hindernis, sich mit dem General Washington durch die Jersey zu vereinigen, im Wege steht.

Dieser Brief überzeugte Ludwig XVI. vollkommen. Der Bruch mit Großbritannien konnte nun offenkundig werden. Franklin ließ dieses historische Dokument, wie die „Leipziger Zeitung" am 29. Dezember mitteilt, in Tausenden von Exemplaren verteilen.

England bindet den Helm fester
Generalmobilisation

London, 12. Dezember 1777

Der bekannte Unfall des Burgoynischen Korps erhält das hiesige Publikum noch immer in Bewegung. Kleine und niedrige Seelen weiden sich mit Spott und Verunglimpfung; winselnde Patrioten wehklagen und prophezeien; nur starke Seelen bleiben unerschüttert, und zeigen sich auch in Widerwärtigkeiten groß, welches hier desto leichter geschehen kann, da das diesem Korps begegnete Unglück keine Folge unserer Ohnmacht, sondern irgend eines noch unbekannten Fehlers, entweder in der Entwerfung des Planes, oder in dessen Ausführung ist. Wo ist wohl je ein Krieg geführt worden, der nicht seine Unfälle gehabt hätte? Und bei unserer halb republikanischen Regierungsart sind oft Unfälle nötig, unseren Entschließungen Mut und Tätigkeit, und ihren Ausführungen Lebhaftigkeit zu geben.

Eben so geht es im Parlament. In der ersten Hitze drang alles auf einen Vergleich mit Amerika. Ein paar Tage ruhiger Überlegung zeigte bald, wie unweise und unpolitisch es sei, jetzt an einen Vergleich mit Amerika zu denken, wenngleich Lord Chatam, der, wie bekannt ist, einen Sohn unter den Amerikanern hat, und sie daher immer von Anfang an begünstigt hat, vermutlich, um demselben dadurch den Weg zu einem glänzenden Glück unter ihnen zu bahnen, alle seine After-Politik aufbot, diesen Vorschlag schmackhaft zu machen. Auch die Vorschläge, den Zustand der Nation zu untersuchen, dem Ursprunge der bisherigen Widerwärtigkeiten nachzuforschen usw. wurden von dem gesundesten Teile des Parlaments verworfen, weil es jetzt nicht Zeit ist zu grübeln, sondern zu handeln und zu wirken. Das Parlament hat daher die verlangten Hilfsgelder ohne Anstand bewilligt, und wird alles dazu beitragen, den Krieg mit der größten Tätigkeit fortzusetzen.

Die unserer Verfassung eigene Schläfrigkeit ist uns schon mehrmals nachteilig gewesen. Auch in diesem einheimischen Kriege war sie nebst andern Umständen Ursache, daß der Hof gezwungen war, sich um fremde Truppen zu bewerben. Vielleicht weckt der Unfall des Burgoynschen Heeres den Briten aus seiner Schlafsucht und spornt ihn an zu zeigen, was er vermag, wenn er nur will. Die Stadt Manchester hat bereits einen rühmlichen Anfang gemacht, denn sobald die unangenehme Nachricht von Quebeck eintraf, versammelten sich die Einwohner, und beschlossen einmütig, auf ihre Kosten ein Korps von 1000 Mann zu werben, welche in zwei Monaten beisammen sein und in die Dienste des Königs nach Amerika gehen sollen. Die dazu nötigen Summen wurden in zwei Stunden unterzeichnet. Wie sehr könnten wir aller fremden Truppen entbehren, wenn der britische Geist erwachen und seine Kräfte anstrengen wollte.

In heftigen Debatten gab die Opposition im Parlament dem Lord Germaine, Leiter der Kriegsoperationen in Amerika vom grünen Tisch in London aus, die Schuld an Saratoga. Der angegriffene Lord versprach eine scharfe Untersuchung, zu der später auch der unglückliche General Burgoyne, den die Amerikaner auf Ehrenwort beurlaubt hatten, in London erschien. Die Untersuchung verlief übrigens folgenlos für beide, überschattet durch andere, wichtigere Ereignisse im immer sichtbarer werdenden Ende des Ringens.

London, 26. Dezember 1777
Gewiß ist, daß der Hofadel und alle Glieder von der ministerialischen Partei im Parlament mit dem lebhaftesten Eifer beseelt sind, aller Orten, wo sie Einfluß haben, denselben wirken zu lassen, daß daselbst Truppen zu Königlichen Diensten aufgerichtet werden. Wenn jedes Kirchspiel in England nur 2 Mann zum Kriege stellt, könnte hierdurch eine Armee von 22 000 Mann aufgestellt werden. Schottland, sagt man, soll nur 1806 liefern. Andere aber wollen 50 000 ausgehoben wissen, und es sollen wirklich schon Befehle fortgeschickt sein, genaue Verzeichnisse aller Einwohner, die in den sämtlichen Kirchspielen von England und Wallis leben, einzusenden, um dem Parlament vorgelegt zu werden.

Englische Offiziere aus Frankreich zurückberufen

Paris, 12. Dezember 1777
Der hier residierende Königlich-Großbritannische Minister, Lord Stormont, soll allen hier befindlichen Englischen Offizieren angedeutet haben, unverzüglich nach England zurück zu kehren.

Sich widersprechende Nachrichten

London, 20. Dezember 1777
Da der Hof, wie man behauptet, noch keine Offiziell-Nachrichten von Philadelphia und New York empfangen hat, so haben die Erfinder guter und böser Vorfälle freie Hand in unseren öffentlichen Blättern. Denjenigen gemäß, die der Ministerial-Partei zugetan sind, ist

Muddy-Island und Fort Redbank erobert, und der General Washington mit großem Verlust in einem Angriff auf die Linien des Generals Howe zurückgeschlagen. Nach den Blättern aber, die der Opposition gewogen sind, ist der General Howe geschlagen, und mit kaum 3000 Mann zu seiner Flotte entwischt. Der General Vaughan mit seinem ganzen Korps ist von den Generalen Gates und Putnam zur Übergabe gezwungen worden, Burgoyne aber auf dem Marsch nach Boston oder in dieser Stadt gestorben. — Von allen diesen Gerüchten hat die Eroberung von Muddy-Island allein eine Art Gewißheit und scheint aus einer guten Quelle herzustammen, ungeachtet die Königliche Hofzeitung noch nichts davon erwähnt. — Die schlimmen Nachrichten sind sämtlich über Frankreich gekommen.

Am 15. November waren Red-Bank und Mad-Island von den Amerikanern geräumt worden, nachdem die Engländer seit dem 21. Oktober verschiedene große Stürme mit bedeutenden Verlusten auf die Werke und die Insel angesetzt hatten. Oberst Donop war dabei getötet worden. Die übrigen Nachrichten sollten sich nicht bestätigen.

Unglaublich, aber wahr

London, 26. Dezember 1777

Wer die Verfassung von Amerika kennt, zweifelte gleich, daß die Truppen, die bei Saratoga gebraucht worden, mit dem General Gates nach Philadelphia gehen würden, weil es lauter Landmiliz von Neu-England ist, die nur in dieser Provinz zu dienen verbunden ist. Nach der New Yorker Zeitung haben sie wirklich dem General Gates es abgeschlagen, ihm nach Philadelphia zu folgen.

In einem Briefe vom 7. Oktober 1777 an den Kongreß berichtet George Washington über die Miliz folgendes: „Seit dem Treffen (bei Germantown) hat die Brigade des Generals Forman aus der Jerseyer Miliz uns verlassen. Die Leute wurden über ihre Lage unruhig, sie sehnten sich nach Hause."

Franklins Werk trägt Früchte

Den Haag, 2. Januar 1778

In den letzten Briefen aus Paris schreibt man folgendes:

„Das letzte Kriegsglück der Amerikaner scheint eine nicht geringe Veränderung in den politischen Angelegenheiten von Europa zu verursachen. Man versichert, daß die meisten Mächte wirklich beschäftigt sind, die Verträge, die sie unter einander gemacht haben, zu erneuern.

Demzufolge ist zu Versailles ein großer Staatsrat gehalten worden, um hierüber auf das neue zu beratschlagen und sich auf alle Fälle in Bereitschaft zu setzen. Nach beendetem Staatsrat ist sogleich ein Kurier nach Madrid abgeschickt worden. Aus den getroffenen Anstalten läßt sich auch schließen, daß wir eher Krieg als Frieden zu erwarten haben."

Niederrhein, 5. Januar 1778

Hier will man über Paris Nachricht haben, der Französische Gesandte am Englischen Hofe sei vom Pöbel gröblich insultiert worden, und von London ohne Abschied weggegangen. Man weiß aber in London selbst kein Wort von einem dergleichen Auftritte.

London, 6. Januar 1778

Am 1. dieses, Nachmittags, ist ein Expresser von unserem Gesandten am Französischen Hofe, dem Lord Stormont, hier eingetroffen. Die mitgebrachten Depeschen müssen von Wichtigkeit gewesen sein, weil eben derselbe Kurier Tages darauf, Morgens um 4 Uhr, an gedachten Gesandten zurückgeschickt wurde. Den 3. dieses des Abends sehr spät, kam ein zweiter Expresser von erwähntem Gesandten an, worauf sogleich ein Kabinetts-Rat gehalten wurde. Den folgenden Morgen um 3 Uhr wurden Befehle nach Portsmouth geschickt, 8 Schiffe von der Linie bereit zu halten, um auf den ersten Wink in See stechen zu können.

Gestern erhielt endlich das Ministerium den dritten Kurier von dem Lord Stormont, dessen Depeschen ebenfalls große Aufmerksamkeit erregten. Aus dieser Lebhaftigkeit in den Unterhandlungen will man schließen, daß unsere Lage gegen Frankreich sehr kritisch ist. Man sagt, der Hauptinhalt der Antwort des Französischen Ministeriums auf das letzte Memorandum unseres Gesandten bestehe darin: daß der Französische Monarch die Ehre seiner Flagge in allen Fällen und an allen Orten, wo er es für gut befinden wird, besonders aber in dem Handel seiner Untertanen mit Nordamerika, behaupten werde. Wenn es übrigens wahr sein sollte, daß ein Vertrag zwischen Frankreich und den Vereinigten Amerikanischen Provinzen in Unterhandlung ist, so ist ein naher Bruch des Friedens gewiß zu befürchten. Von diesem Vertrag nennt man schon öffentlich einige Bedingungen, nämlich: „Den ausschließlichen Handel von Tabak, Reis und einigen anderen amerikanischen Produkten auf eine bestimmte Anzahl von

Jahren, die Freiheit des Fischfanges auf den Küsten, die öffentliche Anerkennung der Amerikanischen Unabhängigkeit, usw."

Die gegenseitige gute Unterrichtung beider Höfe über alles, was verhandelt wurde, kam durch die Betätigung von Paul Wentworth, dem englischen Chefspion, zustande, der nach beiden Seiten arbeitete. Obwohl Franklin dies wußte, benützte er diesen Spion, da er mehr Vorteile als Nachteile dabei erreichte.

London, 20. Februar 1778

Die Englischen Kriegsschiffe sollen Befehl haben, diejenigen Schiffe, welche sie in Verdacht haben, daß sie den Amerikanern Kriegsbedürfnisse zuführen, zu durchsuchen. Die Französischen Kaufleute haben dagegen beim König von Frankreich um Begleitschutz für ihre Schiffe angesucht, welches ihnen auch bewilligt worden. Aus diesen Umständen kann der Anlaß zum Ausbruch offener Feindseligkeiten zwischen England und Frankreich vielleicht früher, als man vermutet, sich ereignen.

Fox beschwört den Schatten Jakobs II.

London, 23. Januar 1778

Die Debatten im Parlament sind in diesen Zeiten immer sehr lebhaft gewesen. Aber noch nie ist in diesen Streitigkeiten etwas so kühnes gesagt worden, als was Herr Fox in seiner Rede wagte. Er sagte nämlich, das Ministerium suchte das Publikum durch den Pomp, mit dem es die Anerbietungen einzelner Städte und Personen bekannt machte, zu hintergehen, und es zu überreden, daß seine Maßregeln der Konstitution gemäß wären. Er für seine Person würde sich dadurch die Augen nie blenden lassen. Er sähe recht gut, daß die Anerbietungen von Leuten herkämen, deren Unterstützung dem Kredit des Ministeriums, welches sie erhielte, eben nicht zum Vorteil gereichen müßte. Schottland und Manchester wären diejenigen Länder die bereit wären, die Hand des Ministeriums zu stärken, weil dasselbe solche Maßregeln befolgte, die ihren eigenen Gesinnungen gemäß wären. Sie wären willig, eine Regierung aufrecht zu erhalten, die der Regierung ihres Günstlings Jakob II. so ähnlich wäre, welche zuletzt sich damit geendigt hätte, daß der König wäre abgesetzt worden.

Als Herr Fox so weit in seiner Rede gekommen war, so riefen verschiedene Mitglieder des Parlaments dem Sprecher zu, den Redner in Schranken zu halten, weil sie glaubten, Herr Fox würde fortfahren, eine Parallele zwischen der jetzigen Regierung und der Regierung Jakobs II. zu ziehen.

Herr Fox schien selbst zu fühlen, daß er sich durch seinen ungestümen Charakter zu weit hatte hinreißen lassen. Er sagte also, er wünschte, daß er die Beschuldigung, daß seine Ausdrücke etwas dem Hochverrat ähnliches hätten, wegerklären könnte. Das aber wollte er stets behaupten, daß ein jeder, der einen Versuch mache, der Konstitution zuwider zu handeln, kein Freund seines Vaterlandes sei, daß ein Versuch, 3 Millionen Menschen ohne ihre Einwilligung zu schätzen, konstitutionswidrig sei, und daß, so wie Jakob II. seine Krone verloren habe, weil er sich eine Gewalt anmaßte, die ihm nicht gehörte, so habe Großbritannien seine Herrschaft über Amerika verloren, weil es sich über dieses Land eine Gewalt angemaßt, die ihm die Konstitution versagte.

Die Wendung, die er seiner Rede durch diese letzte Erklärung zu geben suchte, bewies hinlänglich, daß es ihn gereue, etwas gesagt zu haben, welches freilich unsere öffentlichen Blätter viel lauter und ungestümer verbreiten, welches aber eine ganz andere Kraft in dem Munde eines Britischen Senators im Parlament selbst gewinnt.

Nach einmal ruft Lord North: „Versöhnung!"
Wettlauf der Nationen

London, 17. Februar 1778

Den 17. war alles auf Lord Norths Vorschlag aufmerksam, die er dem Unterhause als einen Versöhnungs-Plan den Kolonisten vorlegen will. Noch weiß zwar niemand das mindeste davon; aber man sagt, die beiden Howes würden nach seinem Vorschlag zurückberufen werden, und es sollten fünf Glieder des Unterhauses nach Amerika als Bevollmächtigte gehen, und den Insurgenten den Widerruf aller Parlaments-Akten, worüber sie sich nur beklagen, bewilligen. Wenn das alles nicht helfen sollte, so würde England mit verdoppelten Kräften das Möglichste tun, um sie wieder zum Gehorsam zu bringen.

Dieser Vorschlag fand bei allen Anwesenden, sowohl von der Hof- als Gegenpartei, allgemeinen Beifall. Nur die Herren Fox und Burke wendeten ein, daß es zu all dem schon zu spät sei, indem ja nicht unbekannt, daß der Kongreß mit Frankreich ein Bündnis geschlossen habe, und folglich die Unabhängigkeit von dieser Krone schon anerkannt sein würde. Lord North verteidigte das Ministerium, und widersprach dem vorgeblichen Gerücht von einem Bündnis der Amerikaner mit Frankreich, als einer Sage, die ihm zwar auch zu Ohren gekommen, die aber von den Gegnern nur erdichtet worden sei, um sich damit groß zu machen.

In seiner Rechtfertigungsrede sagte Lord North u. a. die folgenden bezeichnenden Sätze: „Ich bekenne aber, daß ich in meiner Hoffnung betrogen bin, und daß die ansehnliche Macht, die wir nach Amerika geschickt haben, weit weniger ausgerichtet hat, als ich davon erwartet habe. Als die Sitzung eröffnet wurde, wußte ich das dem General Burgoyne begegnete Unglück noch nicht; ich wußte auch nicht, daß die von dem General Howe erhaltenen Siege so wenig entscheidend wären, daß sie den General Washington nicht verhindern würden, mit einiger Obermacht im Felde zu erscheinen, und daß die Königlichen Truppen genötigt sein würden, sich zurückzuziehen und sich in ihren Winterquartieren zu verschanzen."

Frankreich hat die Unabhängigkeit Amerikas anerkannt

Paris, 13. März 1778

Man versichert heute für gewiß, daß unser Hof einen Handels-Vertrag (doch nicht ausschließlich) mit dem Englischen Amerika geschlossen, daß er soeben die Ratifikation hierüber erhalten, daß er die Vereinigten Kolonien als freie und unabhängige Staaten anerkannt habe, und daß er die Entschließung genommen, unverzüglich den verschiedenen Höfen von Europa Wissenschaft hiervon zu geben.

Am 20. März verließ der französische Gesandte London; in derselben Nacht verließ der englische Gesandte Paris. — Zu einer offiziellen Kriegserklärung kam es jedoch nicht, obgleich die nun einsetzenden gegenseitigen Handlungen kriegsmäßigen Charakter hatten. London verzichtete auf die förmliche Kriegserklärung, um den Krieg nicht auf den Kontinent ausgedehnt zu sehen.

So sahen viele in Europa den Konflikt England—Amerika

Leipzig, 19. März 1778

Es ist vor kurzem zweier von dem Lord North in Vorschlag gebrachten Parlamentsakten gedacht worden, deren eine das Taxations-Recht des Parlaments in Ansehung der Kolonien betrifft. Da dieses Recht und dessen Ausübung die erste Veranlassung zu dem Ausbruche des Unwillens zwischen England und seinen Kolonien gewesen, so wird es nicht unverdienlich sein, ein paar Worte davon zu sagen, zumal da der größte Teil des Publikums an diesen Streitigkeiten Teil nimmt, und doch wohl nicht alle von dem wahren Verhältnis Englands gegen seine Kolonien unterrichtet sein möchten. Es kommt dabei auf zwei Fragen an:

1. Hat das Großbritannische Parlament ein Recht, die Kolonien zu taxieren? und
2. hat es sie bisher wirklich taxieren wollen?

Was die erste Frage anbetrifft, so schreit ganz Nordamerika, und in England hallt es wider: kein Engländer kann von jemand anders, als von sich selbst taxiert werden; wir sind geborene Engländer, folglich hat niemand das Recht, uns zu taxieren, als wir selbst.

So scheinbar dieser Schluß ist, so leicht ist er doch zu beantworten, sobald man die Sache bei Licht besieht, und untersucht, wer denn eigentlich dieses Recht in England ausübt. Die Auflagen werden in England, wie bekannt ist, von dem Parlamente, und besonders vom Unterhause gemacht, und verteilt. Die Glieder des Unterhauses sind Bevollmächtigte, welche von ihren Orten und Grafschaften erwählt und mit den gehörigen Vollmachten versehen werden. Aber nur allein die Freeholders oder Freeman, das sind die Besitzer zinsfreier Güter, haben das Recht, Abgeordnete für das Parlament zu wählen, und diese taxieren nicht nur sich selbst und die, von welchen sie abgeordnet worden, sondern auch den ganzen großen Haufen ihrer nichtansässigen Brüder. Das Taxations-Recht ist also ein Recht, welches nicht auf die Person, sondern auf den Gütern haftet und zwar auf Gütern, welche in England liegen müssen und dieses Recht hergebracht haben. Jeder Engländer also, der nicht mit solchen Gütern angesessen ist, kann nicht sagen, daß er sich selbst taxiere, sondern er muß sich von seinesgleichen taxieren lassen.

Gerade in diesem Falle sind die Kolonien. Sie bestehen größtenteils aus Engländern, die ihr Mutterland verlassen haben, die keinen Fußbreit zinsfreien Landes in demselben mehr besitzen, die ihre Ländereien in Amerika (welches wohl zu bemerken ist) von der Krone haben, und zur Anerkennung des Obereigentums der Krone zu einem jährlichen, ob zwar geringen Grundzinses verpflichtet waren, welchen sie auch bis auf den Ausbruch der gegenwärtigen Unruhen unweigerlich bezahlt haben. Wie können sie auf ein Recht Anspruch machen, welches nicht auf den Engländer als Engländer, sondern nur auf gewissen Grundstücken in England haftet? Der Anspruch ist eben so ungereimt, als wenn ein Gutsbesitzer in Sachsen sein Gut verkauft, in eine andere Provinz zieht, und nun über Despotismus und Tyrannei schreit, wenn er hier nicht alle Vorrechte genießen kann, welche er vermöge seines Gutes in Sachsen besaß. Hierzu kommt noch, daß von den nach Amerika verpflanzten Engländern gewiß die allerwenigsten Freeholders, sondern nichtansässige Engländer waren, welche sich in England von ihresgleichen mußten taxieren lassen, und nun über Gewalt schreien, wenn eben diese Ihresgleichen sie in Amerika taxieren wollen.

Die zweite Frage, ob das Parlament die Kolonien wirklich beschatzen wollte, oder vielmehr ob es sie schon wirklich beschatzt hat? läßt sich auf verschiedene Art beantworten, je nachdem, wie man die Sache nimmt.

Alle Kolonien gaben von ihrer Entstehung an bis auf den Ausbruch der gegenwärtigen Unruhen zur Erkenntnis des Ober-Eigentumsrechts einen gewissen, obgleich sehr geringen, Grund- oder Erbzins, und wenn man diesen Schatzung nennen will, so hat England seine Kolonien von ihrem ersten Ursprunge an beschatzt, ohne daß sich jemand darüber beschwert hätte, weil dieses die wesentliche Bedingung war, unter welcher sie den Besitz ihrer Grundstücke erhielten.

Doch hiervon ist die Rede nicht, sondern von nachfolgenden willkürlichen Auflagen. Es kommt darauf an, was man unter Taxe und Schatzung versteht. Dem gewöhnlichen Sprachgebrauche nach ist es eine Auflage, welche von der Regierung auf die Grundstücke, das Gewerbe oder die Personen der Einwohner gelegt wird. In diesem Sinne hat das Parlament die Kolonien noch nie beschatzt.

Wohl aber hat es mehrmals auf aus- und eingehende Waren Zölle und Abgaben gelegt, ohne daß sich die Kolonien darüber beschwert hätten. Erst in den neuesten Zeiten fiel es ihnen ein, sich der Auflage auf den aus England in die Kolonien eingeführten Tee zu widersetzen, und um die Erbitterung zu vermehren, sich hinter den in England so verhaßten Namen einer willkürlichen Schatzung zu verstecken, womit es ihnen denn, wie bekannt ist, über ihre Hoffnung gelang. Aber wenn man nicht den ganzen Sprachgebrauch verwirren will, so kann Zoll auf ausgehende Waren nie eine Schatzung genannt werden. Wie oft werden nicht Zölle auf Waren gelegt, die aus einem Staate in einen anderen freien Staat gehen? Und wann hat wohl ein Staat dieses eine Schatzung oder gar Tyrannei genannt? oder deswegen mit dem anderen einen Krieg angefangen? War den Kolonisten der Tee gegen eine Auflage von einem Schilling auf das Pfund zu teuer, so stand es bei ihnen, ihn ungetrunken zu lassen.

Aber wer gab ihnen das Recht, die Schiffe zu stürmen, den Tee in das Wasser zu werfen, die Zollbedienten zu mißhandeln, kurz, die Fahne des Aufruhrs öffentlich aufzustecken, und alles dieses damit zu entschuldigen, oder vielmehr recht zu sprechen, das Parlament habe sie tyrannischerweise beschatzen wollen?

Dieser interessante Aufsatz zeigt, daß man 1778, in Deutschland wenigstens, immer noch nicht begriffen hatte, worum es bei dem Streit in Amerika letzten Endes ging.

Spanien soll sich entscheiden

London, 24. März 1778

An unseren Ambassadeur zu Madrid, den Lord Grantham, ist ein Expresser geschickt worden, um von dem Spanischen Hofe eine kategorische Antwort zu verlangen, ob Spanien den Französischen Hof in Ansehung des mit dem Englischen Amerika geschlossenen Vertrages unterstützen, oder eine genaue Neutralität beobachten wolle. Fällt die Antwort dahin aus, daß Spanien den Franzosen beistehen will, so soll Lord Grantham sogleich das Spanische Gebiet verlassen.

Spanien fürchtete das amerikanische Beispiel für seinen überseeischen Kolonialbesitz, auch hoffte es im geheimen von England für seine neutrale Haltung Gibraltar zurückzuverhandeln. Als ihm dies nicht gelang, trat es dann 1779, im April, dem französisch-amerikanischen Bündnis bei.

England ruft den Landsturm auf

London, 27. März 1778

Lord Weymouth hat am 23. dem Oberhause und Lord North dem Unterhause eine Königliche Botschaft überreicht, des Inhalts, daß der König für gut fände, zufolge des zwischen der Krone Frankreich und den revoltierenden Kolonien geschlossenen Vertrages, und der Französischen Rüstungen, die National-Miliz zusammen zu ziehen.

„Um keinen Preis die Unabhängigkeit"
ruft der sterbende Pitt
Dramatische Sitzung im Parlament

London, 10. April 1778

An dem vorigen Dienstage, als im Parlament über den Vergleich mit den Kolonien gestritten wurde, trat auch Lord Chatham auf, der wegen seiner Krankheit eine Zeitlang abgehalten worden, den Parlaments-Sitzungen beizuwohnen, und noch so entkräftet war, daß man Mühe hatte, seine Rede zu verstehen:

„Ich bedaure es sehr, Mylords, daß meine Krankheit mich seit einiger Zeit gehindert hat, unter Ihnen zu erscheinen: aber es freut mich herzlich, daß ich soviel Kräfte habe sammeln können, um imstande zu sein, Ihnen bei dieser wichtigen Krise meine geringe Meinung über die gegenwärtige Lage der Sachen mitzuteilen. Ich preise mich glücklich, daß ich noch auf diesen meinen Krücken mich halten kann, und das Grab mich noch nicht eingeschlossen hat, um Ihnen bezeugen zu können, daß ich jede Maßregel in aller Absicht mißbillige, welche darauf abzweckt, Amerika von unserem Vaterlande zu trennen, oder die Unabhängigkeit der Kolonien anzuerkennen.

Mylords! Ich hoffe, ich werde es nie erleben, daß man die Rechte unseres Vaterlandes so schimpflich aufgibt. Ich habe das Vertrauen zu dem Geiste Großbritanniens, daß man nie einen Schritt tun werde, welcher den Glanz der Krone zu sehr beflecken, und uns vor der ganzen Welt verächtlich machen würde. Ich hoffe, Mylords, daß England manche Anti-Bourbons hat, Männer, die lieber sterben, als die Krone Großbritanniens von dem Hause Bourbon gleichsam zur Lehn tragen wollten. Mylords, die Krone von England ist immer frei und herrschend gewesen. Sie widerstand den Einfällen der Dänen, den Eroberungen der Normänner; sie vernichtete die furchtbaren Absichten Spaniens, und schlug seine unüberwindliche Armada, ja Frankreichs äußerste Bemühungen mit Spanien vereint, hat England bisher vereitelt. Und sollen wir jetzt, ohne einen Streich zu tun, alles aufgeben, und bloß deswegen, weil Frankreich es haben will?

Mylords, nie werde ich dazu meine Einwilligung geben. Frankreich sagt: ‚Erklärt Amerika für unabhängig! Die Amerikaner sind nicht länger eure Untertanen. Wir haben mit euren Kolonien ein Handels-Abkommen geschlossen. Sie waren unabhängig, als sie diesen Vertrag geschlossen, und wir sind willens, sie dabei aufrecht zu erhalten.‘

Dieses tun, was heißt es anderes als sagen: nehmt alles hin, was euch beliebt, und schenkt uns Frieden? Ehe ich so etwas täte, Mylords, wollte ich lieber bis aufs Äußerste für die Abhängigkeit Amerikas kämpfen; ich würde den Schimpf, den man uns antut, zu rächen suchen; ich würde es wagen. Ich will nicht sagen, wie das geschehen müsse; soviel aber ist gewiß, wenn wir bei dem Versuche unterlägen, so würden wir als Männer fallen. Es ist möglich, daß wir fallen, aber wir würden als Engländer fallen.“

Lord Chatham erklärte sich noch in der Folge, daß er nie in die Anerkennung der Unabhängigkeit willigen würde. Die Rechte der Krone ließen sich nicht veräußern. Man könnte dem Thronerben nichts von seinen angeerbten Rechten vergeben. Er schloß, indem er dem Hause für die Nachsicht dankte, womit sie ihn angehört hätten, und sagte: „So lange ich noch in das Parlament kriechen kann, will ich mich nach allem Vermögen jedem Antrag widersetzen, der darauf abzweckt, die Oberherrschaft über Amerika von meinem Vaterlande abzubringen, und wenn ich der einzige wäre, so will ich mein Mißfallen wenigstens durch einen Protest in dem Parlaments-Protokoll hinterlassen."

Diese Rede des Lord Chatham wurde durch eine vorangegangene, ines Briten und Pair höchst unrühmliche Rede des Herzogs von Richmond, veranlaßt, worin er England in den letzten Zügen seiner Macht und seines Wohlstandes schilderte, und daher den feigen Rat gab, die Kolonien für unabhängig zu erklären, alle Truppen aus Amerika zu ziehen, das gegenwärtige Ministerium abzusetzen, und sich, es koste auch, was es wolle, mit dem Hause Bourbon auszusöhnen.

Lord Chatham, dessen Körper ohnehin noch geschwächt war, griff sich in seiner Antwort so an, daß er am Ende derselben ohnmächtig wurde und hinausgetragen werden mußte. Das Haus geriet dadurch in die äußerste Bestürzung und schloß für diesen Tag seine Beratungen.

Pitt erholte sich von seinem Schlaganfall nicht wieder; er starb am 11. Mai. Da er zu arm war, um auf seine Kosten seiner Würde gemäß bestattet zu werden, ließ ihn der König auf Kosten der Krone beerdigen.

Französische Hilfe naht

Leiden, 16. April 1778

Privatnachrichten von Paris gemäß wird Herr Gerard, der als Französischer Minister an den Kongreß geht, wie es anfangs hieß, nicht erst nach Madrid reisen, sondern mit Herrn Deane nach Toulon, woselbst er sich auf der Flotte des Grafen von Estaing einschifft.

Wenn diese Nachricht begründet ist, so leidet die Bestimmung dieser Flotte keinen Zweifel.

Am 13. April segelte d'Estaing mit 14 Linienschiffen, 15 000 Mann Truppen und den Herren Gerard und Deane, von Toulon nach Amerika ab. Erst

am 8. Juli sollten sie auf dem Delaware eintreffen. — Gerard sollte in Philadelphia seinen Posten als ersten Französischen Gesandten einnehmen.

Das Nein des Kongresses

London, 9. Juni 1778

Die neuesten Nachrichten von Philadelphia und New York gehen
bis auf den 5. und 7. Mai. Sie enthalten:

daß General Howe die zwei Aussöhnungs-Bills dem Kongreß mitgeteilt, daß selbiger sie gelesen, untersucht, verworfen und dann an
General Howe zurückgeschickt habe, mit der Erklärung, welche die
zur Untersuchung bestellten Kommissionen abgegeben, nämlich, daß
liese Bills der Kommission dazu eingerichtet zu sein schienen, die
Hoffnung und Furcht des Volkes zu erwecken, um eine Uneinigkeit
unter demselben, und eine Abweichung von der gemeinsamen Sache
zu verursachen;

daß sie die Folgen wären von der geheimen Absicht, die seit der
Stempelakte dieses Land in so viel Unruhe gebracht hätte, und verursachen könnten, daß diese fortwährten;

daß die Vereinigung, die bisher zwischen den Kolonien statt gehabt
habe, zur gemeinschaftlichen Verteidigung ihrer Rechte und Privilegien errichtet worden, und daß demzufolge jede Versammlung oder
Person, die eine Konvention treffe, für einen deklarierten Feind der
Vereinigten Staaten müsse angesehen werden und daß die Vereinigten Staaten sich daher mit den Großbritannischen Staaten nimmer in
einige Unterhandlung einlassen können, es habe denn Großbritannien vorher seine Flotten und Armeen zurück gerufen, und die Independenz der Staaten auf eine deutliche und bestimmte Art erkannt
und damit die Staaten in keine Sorglosigkeit verfallen mögen, so
ollen dieselben allerseitig ermahnt werden, ihre Truppen auf das
hurtigste zusammen zu ziehen.

Philadelphia wieder amerikanisch

London, 24. Juli 1778

Von der Räumung von Philadelphia erzählt man im Publikum aus
Privatbriefen noch folgende Umstände. Eine große Anzahl Einwoh-
ner, die sich der Königlichen Sache zu sehr angenommen, haben die
Stadt verlassen, und sind mit der Armee nach New York gegangen.
So wie dieses an der einen Seite zu einer Verstärkung des dortigen

Korps der Königlichen Provinzialen Gelegenheit geben wird, so wird es an der anderen Seite eine Teurung und einen Mangel an Lebensmitteln hervorbringen. Der General Washington hat sogleich wieder von der Stadt Besitz genommen und durch ein Manifest den Einwohnern Schutz und Sicherheit versprochen, wenn sie sich ruhig verhielten. Ein Teil der Armee hat die durch die Jersey sich zurückziehenden Truppen verfolgt, sie beständig beunruhigt, und ihnen große Verluste zugefügt. Dieses Korps ist nicht völlig durch die Jersey marschiert, sondern endlich ebenfalls zu Schiffe gegangen, und zu Wasser nach New York gebracht worden. Das erste war nicht wohl möglich, da dieses Land in feindlichen Händen ist, und sie notwendig durch einen Teil der Gateschen Armee hätten gehen müssen. Die Ursache, warum man einen Teil zu Lande machen lassen, war die Verhütung der Verwirrung bei der Einschiffung, die schon auf 400 Transportschiffen geschehen sein soll.

Clinton hatte Howe abgelöst. Er war noch rechtzeitig über den Delaware (22. Juni) gekommen, kurz bevor der Graf d'Estaing mit seiner Flotte aus Europa dort eintraf. Das hätte leicht ein zweites Saratoga für England geben können. Der Franzose begab sich nun nach Rhode-Island, um dort einen entscheidenden Streich auszuführen; jedenfalls hofften dies die beiden amerikanischen Generale Greene und Sullivan.

Probe der Waffenbrüderschaft bei Rhode-Island gescheitert
Schwere Vorwürfe gegen d'Estaing

London, 15. September 1778

Unser Publikum, welches so lange mit traurigen oder zweideutigen Nachrichten niedergeschlagen worden, ist in diesen Tagen durch verschiedene erwünschte Vorfälle sehr aufgerichtet worden. Das vornehmste und wichtigste von denselben ist die Vereinigung eines Teils der Byronschen Flotte mit der Howeschen, und die darauf erfolgte Zurückziehung der Estaingschen aus dem New Yorker Kanal. Diese Nachricht wurde ehegestern durch den mit dem Schiffe „Yarmouth" überkommenden Obersten Grant an den Lord Germaine überbracht.

London, 15. September 1778

Es bestätigt sich, daß die Französische Flotte in Nordamerika den 22. Juli Sandy-Hook verlassen, und sich nach Rhode-Island gewandt hat, wohin ihr der Admiral Howe nachgesegelt ist.

London, 16. Oktober 1778

Endlich haben wir aus Amerika zuverlässige Nachrichten, welche uns von der bisherigen Ungewißheit befreien, und zugleich die vorgeblichen Eroberungen widerlegen, welche die Französische Flotte, Berichten aus Frankreich zufolge, auf Rhode-Island gemacht haben soll. Gestern machte nämlich der Hof durch eine außerordentliche Zeitung verschiedene Berichte seiner Befehlshaber bekannt, welche bis zum 8. September gehen (den Französischen Berichten nach sollte Rhode-Island den 10. August erobert sein) und welche wir nur im Auszug mitteilen können.

General Clinton schreibt an Lord Germaine, daß, nachdem die Französische Flotte ihre Station bei Sandy-Hook verlassen, er sogleich vermutet, ihr Absehen würde nun auf Rhode-Island gerichtet sein, daher Lord Howe am 6. mit der Flotte in See gegangen sei. Die Berichte des Kommandanten auf Rhode-Island, dem Generalmajor Pigot, zeigten nun, daß er sich in seiner Vermutung nicht geirrt und enthalten den Ausgang der dortigen Vorfälle.

General Cornwallis meldet aus New York vom 6. September, daß die Französische Flotte Rhode-Island verlassen habe. Da aber die Rebellen dem ungeachtet, ihre Angriffe auf die Insel fortsetzten, so wäre General Clinton endlich in Person zu deren Entsatz mit den Britischen Grenadieren durch den Sund abgegangen und hätte Rhode-Island von den Rebellen gesäubert, so daß am 31. August Abends kein Mann mehr auf der Insel gewesen sei.

London, 16. Oktober 1778

Nach Privatberichten hatte der Kongreß selbst den Plan zum Angriff von Rhode-Island gemacht, und waren es 18 000 Mann, worunter 3000 Französische Matrosen, welche nebst Mitwirkung der Flotte anfänglich durch einen Coup de main, und als dieser vereitelt wurde, durch Anrückung mit schweren Kanonen die Insel zu erobern suchten. Die Erscheinung des Lord Howe aber nötigte d'Estaing, in die See hinaus zu gehen.

London, 15. November 1778

Ein Offizier von der Clintonschen Armee schreibt aus New York unterm 18. September folgendes: „Nichts freut mich so sehr, als daß die Amerikaner unter sich selbst uneinig werden, und dem Französischen Admiral d'Estaing öffentlich vorwerfen, es wäre ihm kein Ernst, ihnen getreulich beizustehen, weil sonst die Unternehmung auf Rhode-Island, welche dem Kongreß so sehr viel gekostet, unmöglich hätte mißlingen können."

London, 6. November 1778

Man sieht nunmehr auch von Amerikanischer Seite Berichte von den in den letzten Tagen des Augusts auf Rhode-Island sich zugetragenen Begebenheiten, woraus erhellt, daß die Amerikaner die Schuld der fehlgeschlagenen Unternehmung auf den Grafen d'Estaing schieben, als welcher sich einheischig gemacht hatte, den Hafen gedachter Insel so lange eingeschlossen zu halten, bis die ausgesetzten Truppen, das Ziel ihrer Unternehmung, nämlich die gänzliche Eroberung der Insel, erreicht haben würden. Da aber d'Estaing vor der Hand mit der Flotte nach Boston gesegelt sei, haben die eingeschlossenen Briten dadurch auf einmal Luft bekommen.

Die Amerikaner sollen sich unter allerhand Drohungen an den Königlichen Minister gewandt, und verlangt haben, den Vorgang seinem Hofe zu berichten, mit dem Zusatze, daß sie solchergestalt kein Vertrauen auf den Französischen Admiral setzen könnten. Hierzu kommt noch das Mißvergnügen der Einwohner zu Boston, die in großer Gärung sein sollen, daß die Franzosen eine ihrer Kirchen zu Ausübung ihres Gottesdienstes eigenmächtig genommen haben.

Paris, 21. Dezember 1778

So sehr man bisher auch den Nachrichten von der Uneinigkeit der Glieder des Kongresses unter sich widersprochen hatte, so werden solche doch nunmehr in allen unseren Privatbriefen bestätigt. Eben dieselben bestätigen auch, daß zwischen den Amerikanern und unseren Truppen nichts als Uneinigkeit und Mißvergnügen herrsche. Der Tod des Herrn Saveur, welcher bei einem Auflaufe des Pöbels ermordet wurde, ist ein Beweis, wie das Volk daselbst gegen seine Bundesgenossen gesinnt ist. Nur noch ein paar Begebenheiten dieser Art, so wird unsere bisher schwärmerische Bewunderung der Amerikaner gar sehr bald herabgestimmt werden.

Natürlich sind die Berichte über die tatsächlich vorgekommenen Zerwürfnisse mit den Franzosen stark übertrieben. Ursache hierzu war der Fehlschlag auf Rhode-Island, der, wenn d'Estaing tatkräftig seinen Mann gestanden haben würde, mit einem Erfolg für Amerika hätte endigen müssen. Der Franzose dachte aber an Schonung seiner Flotte, die er lieber zur Rückgewinnung von Kanada anzuwenden gedachte, als für die Amerikaner zu riskieren. D'Estaing bekam nun Order, mit seiner Flotte nach Europa

zurückzukehren. Wir werden noch lesen, daß dies nach einem zweiten
— diesmal aber unverschuldeten — Mißgeschick der Fall sein sollte. Der
Tod des Franzosen Saveur bestätigte sich; Franklin hatte darum schwere
Tage in Paris, hielt aber auch nicht hinterm Berg, daß die Klagen der Amerikaner voll berechtigt seien.

General Arnold fällt in Ungnade

London, 6. April 1779

Wenn man den New Yorker Briefen glauben darf, so nehmen die
Uneinigkeiten zwischen den Gliedern des Kongresses, zwischen dem
Kongresse selbst und den Amerikanischen Generalen von Tag zu Tag
zu. Unter anderem soll eine sehr ernste Unstimmigkeit zwischen dem
Exekutiv-Konseil von Pensylvanien und dem General Arnold, der
gegenwärtig in Philadelphia kommandiert, entstanden sein. Dieses
Konseil soll nämlich am 3. Februar einstimmig beschlossen haben,
daß man die Aufführung dieses Generals untersucht und gefunden
habe, daß er bei verschiedenen Gelegenheiten die getreuen Untertanen dieses Staates zu drücken gesucht, und sich überhaupt garnicht
seinem Range gemäß aufgeführt habe. Dem General-Prokurateur sei
daher aufgetragen worden, ihn diesfalls anzuklagen und seine Verteidigung anzuhören.

Philadelphia, 3. Februar 1779

Auf Befehl des Kongresses wird jetzt dem General Arnold der Pro-
zeß gemacht. Sein Betragen während seines Kommandos ist nach der
Sentenz des Rates dieser Provinz gewesen:

1. Unterdrückung für die getreuen Einwohner dieses Landes,
2. unter der Würde eines solchen Offiziers,
3. darauf abzielend, daß die Verteidiger der Freiheit von Amerika
   den Mut verlieren sollten,
4. schändend für den der Obermacht dieses Staates gebührenden Gehorsam.

Arnold war zweifellos der Tapfersten einer. Tollkühn, aber auch rück-
sichtslos, zudem sehr rechthaberisch und ehrgeizig. Durch seine Verwundun-
gen zu Kommandantendiensten abgestellt, begann er ein zügelloses Leben,
unterstützt von einer verschwenderisch veranlagten Frau. Er war ständig in
Geldverlegenheit und präsentierte dem Kongreß Rechnungen, die diesem
die Haare zu Berge stehen ließen und schließlich nur noch zum Teil hono-
riert werden konnten. Daß Arnold sich nun an den ihm unterstellten Bewohnern schadlos hielt, dürfen wir — nach allem, was von ihm noch folgen
wird — gern glauben.

Washington überrumpelt Stony-Point

Paris, 14. September 1779

Ein von Philadelphia angekommener Expresser bringt die Neuigkeit, daß in der Nacht vom 15. zum 16. Juli der General Wayne, an der Spiße von 4 Bataillons leichter Infanterie, 620 Mann betragend, um Mitternacht das Fort Stony-Point überrumpelt habe, welches kürzlich von dem General Clinton am Hudsonfluße bei Kings-Ferry erbaut worden. Die Amerikaner drangen bis in das Fort, ohne einen Schuß zu tun, und zwangen die Feinde mit dem Bajonette, sich zu ergeben. Die Garnison bestand aus ungefähr 500 Mann, welche der Oberste Johnston kommandierte, und hatte 12 Kanonen bei sich. Die Amerikaner haben bei diesem Überfall nicht mehr als 4 Mann an Toten eingebüßt. Der General Wayne ist am Kopfe leicht verwundet.

Die Amerikaner zerstörten die Werke und zogen sich in ihr Lager zurück.

Das Neueste von Paul Jones

London, 15. Oktober 1779

Die Hofzeitung vom 12. enthält einen umständlichen Bericht von dem merkwürdigen Gefecht, worin die Fregatte „Serapis" von Paul Jones erobert wurde. Kapitän Pearson, der diese Fregatte kommandierte, hat diesen Bericht eingesandt. Er ist datiert von Bord der „Pallas", die der Kapitän Pearson eine Französische Fregatte im Dienste des Kongresses nennt, im Texel, den 9. Oktober.

Als der „Serapis" dem Paul Jones bis auf einen Musketenschuß nahe gekommen war, ließ Kapitän Pearson fragen, wer er wäre. Jones ließ antworten, es wäre „The Princeß Royal", ein Englisches Schiff. Weil aber Kapitän Pearson auf einige andere Fragen verdächtige Antwort erhielt, drohte er, darauf zu schießen. Jones schoß zuerst, und sogleich gab Kapitän Pearson ihm eine volle Lage. Nun wurden von beiden Seiten verschiedene Lagen nacheinander abgegeben. Jones wollte entern, wurde aber zurückgeschlagen. In diesem hartnäckigen Kampfe gerieten beide Schiffe so nahe an einander, daß die Mündungen der Kanonen an die Seiten der Schiffe stießen. So fochten sie von halb 9 bis halb 11 Uhr. In dieser Zeit hatten die Leute von Jones Schiffe so viel und so mancherlei brennbare Sachen, und an so verschiedenen Orten auf die Englische Fregatte geworfen, daß zehn- oder zwölfmal an verschiedenen Orten Feuer entstand, welches mit der äußersten Anstrengung gedämpft wurde. Zu gleicher Zeit segelte eine andere Fregatte von des Jones Geschwader um die „Serapis" herum, und beschoß dieselbe auf allen Seiten. Um halb 10 Uhr kam, entweder durch eine Handgranate oder einen anderen Zufall, eine Patrone auf dem Verdeck in Brand; das Feuer ergriff alle Patronen, die in der Reihe lagen, alle dabei befindlichen Offiziere und Leute wurden so beschädigt, daß der Kapitän wegen des Lebens der meisten besorgt ist. Darüber konnten die Kanonen auf dieser Seite in dem ganzen übrigen Gefechte nicht mehr gebraucht werden. Um 10 Uhr wurde von Jones Schiffe Quartier erbeten. Kapitän Pearson ließ den feindlichen Kapitän hervorrufen, zu fragen, ob er sich ergeben wolle. Er bekam keine Antwort; er ließ darauf entern. Kaum aber waren die Engländer an Bord, so fanden sie eine weit stärkere Mannschaft verborgen, mit Piken bereit, sie zu empfangen. Die Engländer retirierten sich also, und begaben sich wieder an ihre Kanonen. Um halb 11 Uhr gab die feindliche Fregatte der Englischen eine Lage auf das Hinterteil, die Engländer waren aber nicht im Stande, eine einzige Kanone mehr zu gebrauchen; zugleich wurde eben ihr Hauptmast weggeschossen. Nun sah Kapitän Pearson weiter keine Hoffnung, ergab sich also, und fand, daß es Paul Jones war, mit dem er gefochten hatte. Das Schiff des Paul Jones „Le bon Homme Richard", ist mit vielem Volk, das verwundet gewesen, gesunken. Er hatte, als Kapitän Pearson sich ergab, 306 teils Tote, teils Verwundete. Kapitän Pearson schmeichelt sich, daß er, ob er gleich so unglücklich gewesen, er dennoch dem Staate zwei wesentliche Dienste geleistet habe, erstlich dadurch, daß er den Paul Jones verhindert, seine Absichten weiter auszuführen, zweitens, daß die beträchtliche Kauffahrteiflotte, die Kapitän Pearson begleitete, gerettet worden.

Die Zeitung beschäftigt sich viel mit Paul Jones; wir aber wollen uns auf diesen einen Bericht beschränken. Paul Jones war ein aus England geflüchteter Schotte, mutig und unternehmungslustig. Benjamin Franklin stellte ihm eine Flotte Kaperschiffe und Mannschaften, mit denen Jones lange Zeit der Schrecken der Engländer war und der amerikanischen Sache großen Nutzen brachte. Sein Kommandoschiff „Le bon Home Richard" wurde so in Anlehnung an den ersten Kalender getauft, den Franklin 1739 als Philosoph in Philadelphia unter dem Namen „Der arme Richard" herausgegeben hatte.

Vorbildliche Gefangenenhaltung

Göttingen, 22. November 1779
Die bei Saratoga gefangenen Engländer und Braunschweiger blieben bis im November vorigen Jahres bei Cambridge hinter Boston,

in Neu-England. Nun aber wurden sie auf Befehl des Kongresses weiter südwärts herunter nach Virginien gebracht. Der Marsch von Boston bis in die Counte-Albemarle in Virginien dauerte vom 10. November 1778 bis zum 16. Januar 1779, und war unbeschreiblich beschwerlich, denn oft mußten sich die Leute des Nachts in Wäldern auf 4 bis 5 Fuß hohen Schnee lagern. Nachdem sie einige Monate in Charlottesville gewesen, wurden sie im Frühjahr noch 40 Englische Meilen tiefer hinein in das Land, jenseits der blauen Gebirge, in die Grafschaft Augusta verlegt. Hier halten sich die Offiziere zu Staunton auf, einem schlechten Orte von 30 Häusern; die Soldaten aber sind 34 Englische Meilen von da in Baracken oder leichten Verschlägen von Brettern, worin man leicht entweder erfrieren, oder im Feuer verbrennen und im Rauch ersticken kann. Als der Sommer kam, fiel es den Soldaten ein, sich vor langer Weile ihre Baracken bequemer und ihr Leben erträglicher zu machen. Die Engländer bauten also bedeckte Gänge vor ihren Baracken, und alle ihre Straßen gleichsam ähnlich dem Braunschweiger Jungfernstiege. Die Deutschen hingegen legten unzählige Gärten an, und, um Federvieh zu ziehen, machten sie sich Höfe zurecht, die mit Staketen umzogen sind. Diese deutschen Gärten, nicht weit von dem Missisippi und Ohio, ziehen Besuche von 60 und mehr Meilen herbei, und ein Hahn, der sonst für 1 Schilling zu haben war, wird, wenn er kriegerischen Mut zeigt, schon mit einer halben Guinee bezahlt. In der Folge hat das 21. Englische Regiment sich eine große Kirche erbaut. Zwei Amerikaner haben Gasthöfe angelegt, worin schon zwei Billards existieren. Eine Gesellschaft Englischer Soldaten hat ein Komödienhaus aufgebaut, worin wöchentlich zweimal gespielt wird. Auf dem Vorhange ist Harlekin abgemalt, der mit dem Pritschholze auf die Worte zeigt: „Wer hätte dies allhier gedacht?" Die Offiziere leihen den Akteuren die notwendigen Kleidungsstücke. Tambours werden in Königinen und Schönen verwandelt. Man führt sehr gute Stücke auf, die aber wegen der satyrischen Zusätze den Herren Amerikanern nicht immer gefallen, weswegen es ihnen auch von ihren Vorgesetzten verboten ist, diese Komödien zu besuchen.

Franzosen und Amerikaner scheitern vor Savannah

London, 17. Dezember 1779
    Aus Amerika haben wir noch keine Nachrichten bekommen, sehen ihnen aber mit Verlangen entgegen. Denn über Frankreich erfahren

wir, was Unparteiische schon vorher vermutet hatten, daß nämlich die Unternehmung des Grafen d'Estaing auf Georgien verunglückt ist, und daß folglich die Triumphlieder, die man seit einigen Monaten jenseits des Meeres anstimmte, ein wenig zu früh waren.

London, 20. Dezember 1779

In der heutigen Hofzeitung hat der Hof die von dem General Clinton denselben Morgen erhaltene Nachricht bekannt gemacht, daß der Graf d'Estaing, nachdem er sich mit dem Amerikanischen General Lincoln vereinigt, und den 9. Oktober einen Sturm auf die Stadt Savannah in Georgien unternommen, mit vielem Verlust zurückgeschlagen worden. Das vorzüglichste dieser Nachricht besteht in folgendem:

Zu Anfange des Septembers erhielt der General Prevost Nachricht, daß der Graf d'Estaing mit der Französischen Flotte an der Küste angekommen sei. Den 8. schiffte er seine Truppen aus, vereinigte sich mit den Kolonisten, und berannte die Stadt, welche sich in schlechter Verfassung befand, indem nicht mehr als 8 bis 10 Kanonen in Bereitschaft waren. Allein der Kapitän Moncrieffe traf in der größten Eile die besten Anstalten und ließ in wenigen Tagen 80 bis 90 Kanonen von den Schiffen herbeischaffen. Bald darauf fingen die Franzosen und Kolonisten an, ihre Batterien zu errichten. Der Major Graham tat mit drei Kompanien leichter Infanterie einen Ausfall, mußte sich aber mit einem Verlust von 15 Mann wieder zurückziehen. Den 17. kam der Oberstleutnant Maitland zu Wasser zu Savannah an, nachdem er sich durch den Feind geschlagen hatte. Man versenkte verschiedene Schiffe in der Mündung des Flusses, um das Einlaufen zu verhindern. Den 3. Oktober fingen die feindlichen Batterien an zu spielen; sie bestanden aus 30 schweren Kanonen und 10 Mörsern. Nachdem die Stadt Tag und Nacht beschossen worden, unternahm der Feind, welcher aus 4000 Mann Franzosen und 4000 Mann Amerikanern bestand, den 9. einen Hauptsturm. Der vornehmste Angriff geschah auf die Redouten an dem Wege nach Augusta, wobei der Graf d'Estaing in Person kommandierte, aber durch das Feuer der Engländer gar bald in Verwirrung gebracht wurde. Ein Korps Französischer Grenadiere griff die alte Redoute an dem Wege nach Ebenezer mit vielem Ungestüm an, ward aber auch zurück geschlagen, worauf sich der Feind in der größten Verwirrung zurück zog. Die Engländer verloren in dem Sturm den Kapitän Taw und 20 Soldaten. Der feindliche Verlust soll sich auf 1500 Mann an Toten und Verwundeten erstrecken. Der Graf d'Estaing ward selbst in den Arm und in dem Dickbein verwundet. Der polnische Graf Pulawsky ward getötet.

Am 20. gingen die Franzosen wieder zu Schiffe, nachdem sich die Amerikaner schon vorher zurückgezogen hatten. Die unsrigen machten (welches sehr sonderbar ist), nicht den geringsten Versuch, einen von beiden Teilen zu verfolgen. Nach dem mißlungenen Sturme wurden die Franzosen und Amerikaner so uneinig, daß sie sich selbst aufzureiben drohten. Da man den Grafen d'Estaing für einen so erfahrenen und tätigen Befehlshaber ausgerufen hatte, so wundert man sich, daß er den Angriff so lange verschoben, bis die Besatzung sich in gehörigen Verteidigungszustand gesetzt und durch den Oberstleutnant Maitland verstärkt worden. Man sagt, das erste Mißverständnis unter den Franzosen und Amerikanern sei daher entstanden, daß der Graf d'Estaing im Namen des Königs von Frankreich habe auffordern lassen.

Paris, 24. Dezember 1779

Den 22. ist endlich der Graf d'Estaing in einem Hofwagen zu Versailles angekommen. Er ist verfallen, abgezehrt, kaum mehr erkenntlich, und geht mühsam an einer Krücke. Der König empfing ihn bei dem Herrn Sartines (Kriegsminister) auf das gnädigste, und unterredete sich eine halbe Stunde lang mit ihm. Auch der Graf schiebt alle Schuld der mißlungenen Unternehmung auf die Amerikaner, daher Herr Franklin bei Hofe sehr scheel angesehen wird, und bereits die bittersten Vorwürfe bekommen. — Es heißt, dem Doktor Franklin sei angedeutet worden, er müsse für die Treue der Kolonien stehen, daher er jetzt nicht sowohl als Gesandter, sondern vielmehr als Geisel anzusehen sei.

Die Angriffe auf Franklin sind Fabeln. Der offizielle französische Hofbericht, den die Zeitung unterm 7. Januar 1780 aus Paris veröffentlicht, betont ausdrücklich: „Zwischen den kombinierten Truppen ist die größte Einigkeit vorhanden gewesen".

George Washington gestorben?

London, 7. Januar 1780

General Washington soll seit einiger Zeit eine Art auszehrende Krankheit haben.

Brest, 16. Januar 1780

Eine Fregatte, welche nach einer Reise von 25 Tagen aus Boston hier angelangt ist, hat die Nachricht mitgebracht, daß General Washington den 25. November zu Philadelphia gestorben ist. Der Kongreß versammelte sich sogleich, einen neuen Befehlshaber zu erwählen, mußte aber wegen der großen Unruhe in der Stadt unverrichteter Dinge wieder auseinander gehen. Den folgenden Tag versammelte sich derselbe von neuem, und faßte, wie man sagt, den einmütigen Entschluß, ernstlich am Frieden mit England zu arbeiten.

Washington hat wohl seit Beginn der Kämpfe sechsmal in der Zeitung sterben müssen. Es ist erstaunlich, mit was für plumpen Mitteln die Propaganda damals schon arbeitete.

Die beste Antwort auf Savannah

Paris, 29. Februar 1780
Es ist kein Geheimnis mehr, daß wir den Engländern in Kanada einen Besuch machen werden. Der Herr de Rochambeau wird mit 10 Kriegsschiffen und 12 000 Mann dahin absegeln, und seit vorgestern, da der Entwurf bekannt geworden, haben sich schon über 500 Offiziere bei ihm einschreiben lassen, und ihre Dienste angeboten.

Es hatte noch Zeit, bis Herr Rochambeau, der Helfer im Endkampf, in Amerika eintraf. Der Hinweis auf Kanada kann als eine List gewertet werden, um vom wahren Ziel abzulenken.

Die Königin weint

London, 16. Mai 1780
Es war am verwichenen Sonnabend eine rührende Szene in der Königlichen Kapelle, da die Worte des neuen Kirchengebetes: „Lenke auch, Allmächtiger! die Herzen der aufrührerischen Untertanen des Königs in Amerika, und mache dadurch fernerem Blutvergießen ein Ende!", verlesen wurden, und die Königin sich dabei an der Seite des Königs nicht der Tränen enthalten konnte. Dieser Anblick hat auf alle Anwesenden großen Eindruck gemacht.

Die Engländer siegen bei Charles-Town
Wegen des Gordon-Aufstandes
finden zu Ehren dieses Sieges keine Illuminationen statt

Leipzig, 20. Juni 1780
Fast in allen Zeitungen liest man einen weitläufigen Bericht des Generals Clinton an den Lord Germaine zu London von der Lage

der Sachen bei Charlestown, welcher von einem Amerikanischen Kaper mit List soll aufgefangen worden. Allein die Umstände, wie solches geschehen sein soll, sind so befremdend, und trägt das Gepräge der Erdichtung so sehr an der Stirn, daß wir uns unmöglich überwinden konnten, fünf bis sechs Zeitungsblätter damit zu füllen.

Es waren in den Wochen vorher, auch von der Leipziger Zeitung, immer wieder Nachrichten über die Eroberung von Charles-Town gebracht worden, die sich nachher nicht bewahrheiteten. Die Stadt ist aber tatsächlich am 12. Mai von Clinton erobert worden.

London, 16. Juni 1780

Ehegestern Abends kam der Graf von Lincoln, Adjutant des Generals Clinton, am Bord des Schiffes „Perseus", zu Spithead an und traf gestern Morgen bei Hofe mit der wichtigen Zeitung, daß Charles-Town in Süd-Carolina am 12. Mai erobert worden sei, ein.

Das Wesentliche von dem, was General Clinton in dem Hauptberichte meldet, ist dieses:

„Als er nach vielen Widerwärtigkeiten den 23. März an der Außenspitze von Charles-Town angelangt, und die Sandbank vor dem Platze durch Hilfe des Admirals Arbounoth passiert war, wurden seine Operationen durch die Flotte ferner sehr unterstützt. Er war auch durch ein Korps Truppen verstärkt worden unter dem General Paterson, aus Georgien, nach einem Marsche von 12 Tagen am Aschley-Fluß ungehindert angekommen.

Die ganze Armee brach den folgenden Tag auf, und faßte den 1. April Posto innerhalb 800 Ruten von den feindlichen Werken. Am 8. waren die feindlichen Batterien schon demontiert. Zu dieser Zeit lief der Admiral, ob zwar unter einem heftigen Feuer von Sullivans-Island, in den Hafen von Charles-Town ein. Man fand jetzt für gut, die Stadt aufzufordern. Den folgenden Tag wurden die Batterien geöffnet, wodurch das feindliche Feuer sehr geschwächt wurde. Den 19. April war eine zweite Parallele zu Stande gebracht; hierdurch wurde das Approchieren gesichert, und nun befand man sich nur 450 Ruten mehr von der Stadt.

Der General detaschierte hierauf 1400 Mann unter dem Oberstleutnant Webster, um dem Feinde die noch übrige Kommunikation mit der Landseite abzuschneiden. Diese Unternehmung glückte. Die gänzliche Niederlage der Amerikanischen Reiterei und Miliz verschaffte dem Obersten Webster den Besitz der ganzen Landstrecke, die ihn mit vielen Lebensmitteln versorgte; und er bekam daher Gelegenheit, Posto zu oberst am Wando-Flusse zu fassen, wodurch der Stadt aller übrige Zugang gesperrt wurde, da inzwischen einige Schiffsmacht, die von dem Admiral in Servee-Bay, und eine andere, die in Spencers Julet gelegt war, die Umzingelung der Stadt auf der Seeseite vollends bewerkstelligte.

Am 6. Mai waren die dritte Parallele und die Batterien in denselben zu Stande gebracht, und jetzt konnte man des Feindes Werke an der Landseite deutlich sehen. Im Umfange dessen Linien zeigten sich 80 Mörser und Kanonen.

Weil nun der Feind, da es noch Zeit war, dem Äußersten eines Sturmes vorzubeugen, gleichwohl von seiner Unbescheidenheit nicht abließ, so wurde das Geschütz der dritten Parallele entblößt. Hierdurch bekam unser Feuer sogleich ein augenscheinliches Übergewicht, kraft dessen man sich der Kontreescarpe des Außenwerkes, welches den Graben flankierte, bemeisterte, und den Graben selbst passierte.

Hierauf willigte General Lincoln den 11. Mai in die Artikel, die General Clinton ihm zwei Tage vorher zugeschickt hatte. Den 12. Mai nahm der Generalmajor Leslie die Stadt in Besitz."

Durch die Eroberung von Charles-Town, dessen Hafen eine der größten Hilfsquellen der nordwärts kämpfenden Amerikaner war, hoffte Clinton den Krieg mit einem Schlage zu beenden.

Ursache der Kapitulation war hauptsächlich, daß in der Stadt die Blattern herrschten und dadurch die Verteidigungskräfte dezimiert waren. Statt der geforderten 9000 Mann konnte der Kongreß nur 500! auf die Beine bringen und einige Fahrzeuge schicken.

London, 16. Juni 1780

Aushang des Staats-Sekretariats:

„Weil die wichtige Neuigkeit, die man heute aus Amerika empfangen hat, viele Sr. Majestät getreue Untertanen anspornen möchte, ihr Vergnügen darüber durch Illuminationen und andere Freudenbezeugungen an den Tag zu legen, welches aber einigen Übelgesinnten im Volk einen Vorwand verschaffen könnte, sich von neuem zusammen zu rotten, und zu versuchen, die jüngst gedämpften Unruhen zu erneuern; so wird durch Gegenwärtiges einem jeden ernstlich empfohlen, keine dergleichen Freudensbezeugungen anzustellen, da diese in dem gegenwärtigen Zeitpunkte der öffentlichen Ruhe nachteilig sein können."

London hatte gerade eine der schwersten Belastungen mitten in seinen Kriegsanstrengungen gegen Amerika hinter sich. Der sogenannte Gordon-Aufstand, eine religiöse Revolte, war soeben blutig zusammengeschlagen worden und die Stadt zur Zeit mit den vielen Hinrichtungen der gefaßten Aufrührer beschäftigt. Zur Illustrierung der großen Schwierigkeiten der englischen Regierung in diesem revolutionären Volksaufruhr bringen wir aus der Fülle der uns vorliegenden Berichte einen kleinen Ausschnitt.

Vom Gordon-Aufstand in London am 2. Juni

London, 6. Juni 1780

Am 2. war der bestimmte Tag, an dem Lord Gordon die Petition der protestantischen Assoziation überreichen wollte ... Der große Haufen, wohl an die 50 000 Mann stark, ging über die London-Brücke in ziemlicher Ruhe eben dahin ... Ihre Zahl wurde immer stärker. Als sie an das Parlament kamen, so besetzten sie alle seine Zugänge, noch ehe die meisten Mitglieder des Parlaments angekommen waren. Bis dahin war alles ziemlich ruhig abgegangen. Aber nun bemächtigte sich allmählig Wut und Aufruhr des ganzen Haufens. Viele Parlamentsmitglieder wurden hart behandelt, besonders viele des Oberhauses, so z. B. die Erzbischöfe von York und Canterbury, vornehmlich der letzte, dem sie die Perrücke abrissen und den Kragen mit großen Beleidigungen ausbanden und in Stücke rissen. Lord Townshend, Hilsborough, Dudley, besonders aber Lord Boston wurden aufs ärgste behandelt, und mußten sehr viele körperliche Beleidigungen ertragen, von denen man besonders an dem Lord Boston, als er in das Parlament kam, sehr viele Beweise sah. Herr Welbore Ellis wurde durch Westmünster und Guildhall gejagt, endlich eingeholt und entsetzlich mißhandelt. Die Fenster von besagten Gebäuden wurden eingeschlagen. Die meisten kamen ohne Haarbeutel, ohne Hut und mit zerrissenen Kleidern in das Parlament. Über Lord Stormont geschah auf der Stelle ein gerichtlicher Ausspruch, durch den er in eine Geldstrafe von 200 Pfund verdammt wurde, und man hielt ihn bis dahin (bis zu deren Bezahlung) fest. Lord Germaine sah sich auf eine Stunde lang großen Beleidigungen ausgesetzt, unter anderm goß ihm ein Kerl ein Maß Port-Wein in das Gesicht. Erst gegen 9 Uhr erschien der Oberrichter Addington zu Pferde mit einem starken Detaschement Kavallerie und Infanterie, welche die vornehmsten Posten des Parlaments besetzten ...

Charles-Town's Fall bestürzt Paris

Paris, 22. Juni 1780

Alles befindet sich hier in der größten Bestürzung. Niemand zweifelte hier bisher an der geschehenen Aufhebung der Belagerung von Charles-Town, an dem Tode des Generals Clinton, und an dem Rückzuge der durch Krankheit bis auf das äußerste geschmolzenen Englischen Armee, als die außerordentliche Zeitung des Londoner Hofes diese süßen Träume auf einmal zerstreute und uns die Eroberung von Charles-Town verkündete. Diese Nachricht ist ein Donnerschlag für die Nation, zumal, da Charles-Town der Sitz unserer Handlung mit den südlichen Kolonien war. — Der Herr Beaumarchais verliert dabei ein Schiff und Güter von sehr großem Wert.

Pierre Beaumarchais' Interesse an der amerikanischen Revolution war durchaus nicht rein ideell, wie dies Schriftsteller noch in jüngster Zeit behaupten. Wenn er bei diesem Experiment sein Vermögen verlor, dann nur, weil er sich hier als Geschäftsmann betätigte und als solcher viel riskieren mußte. Man kann es der amerikanischen Regierung nicht verdenken, wenn sie nach dem gewonnenen Kriege für den Schaden nicht aufkommen wollte. Aber höchst anerkennenswert ist es, wenn sie einer späteren Generation des Dichters noch eine beträchtliche Summe auszahlen ließ.

Den Haag, 27. Juni 1780

Seit kurzem haben sich sowohl hier als in Amsterdam wieder verschiedene Amerikanische Kommissare eingefunden, welche neue Geldunterhandlungen zum Dienste des Kongresses in Auftrag haben. Allein alle ihre Bemühungen sind bisher vergebens gewesen.

Herr Lafayette läßt sich nicht wankend machen

Paris, 11. August 1780

Ein den 30. vorigen Monats zu Rochelle aus Boston angekommenes Amerikanisches Schiff berichtet, daß Herr de la Fayette von dem Kongreß mit offenen Armen aufgenommen worden, und daß dieser, wie man sagt, in der festen Entschließung verharre, Frankreich und Spanien zugetan zu bleiben, und von keiner Aussöhnung mit England, als unter Garantie dieser beiden Mächte etwas hören will.

Lafayette kam das zweite Mal nach Amerika.

Ein großer Fang

London, 7. Oktober 1780

Das dem Kongreß zugehörige Schiff „Der Merkur", das von Philadelphia abgesegelt war, hatte den Herrn Heinrich Laurens, ehemaligen Präsidenten des Kongresses an Bord, welcher als Gesandter nach Holland gehen sollte. Vorgestern Abends ist dieser Herr Laurens in dem Admiralitätsamte erschienen; die Minister werden wohl viele Fragen an ihn zu tun haben. Man macht allerhand bedenkliche Glossen über die Absichten unserer alten Nachbarn und Bundesgenossen, die einen Geschäftsträger von unsern empörten Provinzen annahmen. Vermutlich würde er diese Stelle ganz heimlich versehen haben, wenn nicht anders dieselben (Holland nämlich) im Sinne gehabt hätten, öffentlich mit uns zu brechen.

Die Gefangennahme Laurens war allerdings für den Kongreß peinlich. Laurens wurde von den Engländern in den Tower gesperrt, zur Zeit der Friedensverhandlungen aber wieder auf freien Fuß gesetzt und als Vermittler bei den Vorverhandlungen verwendet.

Die Amerikaner bei Camden geschlagen

London, 9. Oktober 1780

Diesen Morgen kam Kapitän Roß von dem General Cornwallis in Süd-Carolina mit der angenehmen Nachricht an, daß der General den 16. August einen vollständigen Sieg über die Armee der Kolonisten unter der Anführung des Generals Gates erfochten habe. Der letztere hatte sich bisher ansehnlich verstärkt, und rückte immer näher auf Charles-Town zu, daher Cornwallis ihn anzugreifen beschloß, obwohl er nicht mehr als 1400 dienstfähige Männer und 4 bis 500 Mann Miliz und Nord-Carolinische Flüchtlinge hatte, der Feind aber mit dem Detaschement des General Sumpters 7500 Mann stark war. Als der englische General den 15. noch drei Meilen von dem Feinde entfernt war, kam ihm dieser entgegen, und suchte ihn anzugreifen; allein, weil es schon spät ward, so verschob Cornwallis das Treffen bis auf den folgenden Tag. Den folgenden Morgen erfolgte der Angriff; das Feuer ward von beiden Seiten drei Viertelstunde lang sehr lebhaft unterhalten, nach welcher Zeit der Feind in Verwirrung geriet und überall die Flucht ergriff, aber von der Reiterei 22 englische Meilen weit verfolgt ward. Er verlor dabei sämtliches Gepäck, eine Menge Fahnen, und 7 metallne Kanonen. Zwischen 8 und 900 Mann blieben auf dem Platze. Der Verlust der Engländer war weit geringer und betrug nicht über einige hundert Mann.

Der Verlust der Schlacht ist auf einen taktischen Fehler Gates zurückzuführen, weil er sein Zentrum und den linken Flügel vorteilhaft für den Feind in letzter Stunde umgruppierte. — In dieser Schlacht die übrigens den Amerikanern rund 2000 Mann kostete, fiel auch Baron Kalb schwer verwundet in die Hand der Engländer.

Super-Waffen nicht erwünscht

London, 20. Oktober 1780

In dem gegenwärtigen Kriege hat die Menschlichkeit an dem Viscount Townshend, Chef der Königlichen Artillerie, einen warmen und edlen Freund gefunden. Sein Betragen macht seinem erhabenen Stande und seiner hohen Geburt Ehre. Seit einigen Jahren sind ihm mehr als eine schreckliche Erfindung vorgelegt worden, wodurch man über den Feind einen unmännlichen Vorteil hätte erhalten können.

1. Ein durch Versuche bewährter Plan, feindliche Schiffe in einer Entfernung von 500 Ellen durch einen brennenden Spiritus in Brand zu setzen,

2. Eine Maschine, die feindlichen Segel durch feurige Pfeile anzuzünden.

Der großmütige Viscount legte alles dieses zwar dem Königlichen Kabinettsrate vor, erklärte aber dabei:

„er werde zu so unmenschlichen Entwürfen nie seine Einwilligung geben. Der Krieg sei schon schrecklich und zerstörend genug; man bedürfe zur Vermehrung des Blutvergießens solcher Greuel nicht; und so lange Großbritanniens Flotten noch von Britischen Seeleuten regiert würden, könnten sie nie so tief sinken, daß sie zu dergleichen Mitteln ihre Zuflucht nehmen müßten."

Verräter Arnold

London, 14. November 1780

Gestern Morgen ist der Kapitän St. George und zwei Offiziere von der Flotte allhier angekommen, jener mit Depeschen von den Admirals Arbuthnot, Graves und Rodney. Folgendes ist davon vor der Hand bekanntgemacht worden.

Sir Henry Clinton hatte mit dem General Arnold seit einiger Zeit Unterhandlungen gepflogen, nach welchen letzterer seine, aus beinahe 6000 Mann bestehende Armee dergestalt postieren wollte, daß selbige mit Leichtigkeit von den britischen Truppen könnten umzingelt werden. Um diese Unterhandlungen zu Stande zu bringen, ward der Major St. Andree heimlich von dem General Arnold abgeschickt, bei welchem er einige Zeitlang, wie einige Papiere melden, unter dem Namen eines Kammerdieners sich aufgehalten. Gedachter Major Andree wollte wieder nach New York verkleidet zurückkehren, hatte aber das Unglück, den Vorposten der Washingtonschen Armee in die Hände zu fallen, und ward, ungeachtet seiner Verkleidung, aus den bei sich habenden Papieren bald als Spion erkannt. Die Folge davon war, daß General Washington ihn als Spion behandelte, und ihn aufknüpfen ließ. Washington, der sich des Generals Arnolds gern in aller Stille bemächtigen wollte, ließ ihm sagen, daß er den anderen Tag, nebst einigen bekannten Offizieren bei ihm zu Mittag speisen sollte. Arnold, der das Schicksal des Majors St. Andree bereits erfahren, antwortete, daß ihn die Ehre, die er ihm zudächte, sehr freue; rettete sich aber unverzüglich mit einem Wallfischboot und gelangte glücklich nach New York, woselbst er unter den Königlichen Armeen Dienst nahm und mit einem starken Korps, unter dem Kommando des Brigadiers Leslie, den Chesepeak hinauf ging.

Die Schilderung dieses ersten Berichtes aus London entspricht voll den Tatsachen. Arnold genierte sich nicht, das Maß seiner Charakterlosigkeit voll zu machen, indem er nun — der Held von gestern — mit Niederbrennung amerikanischer Landstriche den Amerikanern alle Wohltaten, die er von diesen erhalten hatte, dankte. Die Gebeine des Majors Andree wurden im Jahre 1822 in der Westminster-Abtei in London beigesetzt, wo schon viele Jahre vorher ein Standbild des Unglücklichen aufgestellt worden war.

Wo der Wunsch der Vater des Gedankens ist

London, 17. November 1780

Es gehen heute Gerüchte in der Stadt und auf der Börse um, die von der größten Wichtigkeit wären, wenn sie sich bestätigten. Es sollen nämlich die feindlichen Generale Knox, Sullivan, Howe und Maxwell dem Beispiele des Generals Arnold gefolgt, und glücklich zu New York angekommen sein; General Washington soll von seinem ganzen Stabe verlassen sein, und aus Vorsicht jetzt alle Vorposten mit

Kapitänswachen besetzt haben. Auf Rhode-Island soll ein ganzes Regiment die Waffen gestreckt haben und sich weigern, unter den Franzosen gemeinschaftlich zu dienen. Die Zeit wird alles aufklären.

Keines dieser Gerüchte bewahrheitete sich.

Die Lage Amerikas ist keineswegs rosig

London, 2. Februar 1781

Unter den Briefen, die in einem aufgefangenen Felleisen in Connecticut gefunden worden, ist auch einer von dem General Sullivan, der vom 15. November datiert, und an den Präsidenten des Rats von Newhampshire gerichtet ist. Er schreibt unter anderem folgendes:

„Die Lage unserer Sachen ist leider! nicht so beschaffen, daß sie den Freunden von Amerika Vergnügen machen könnte. Die vorigen Kongresse haben Fehler gemacht, und diese müssen verbessert werden. Unwissenheit in Finanz-Angelegenheiten haben die größten Schwierigkeiten verursacht. — Jetzt wird die Armee auf einen neuen Fuß eingerichtet; die Staaten sollen Leute und Bedürfnisse liefern, und in den Departements werden ökonomische Grundsätze befolgt. — Es wird von Frankreich eine Anleihe gesucht. — Die Staaten haben nicht immer getan, was der Kongreß befohlen; daher ist die Armee in Gefahr gewesen, zu verhungern oder zu erfrieren. — Jetzt haben wir kein Geld in der Schatzkammer. — Durch das herabgesetzte Geld wird unsere Nationalschuld mehr als verdoppelt, und wegen der Einlösung der Billets mit Silber und Gold entsteht ein Verlust von einigen Millionen Thalern. — Unsere Armee hat keine Mondierungen, und ist fast nackend, obgleich seit 18 Monaten Mondierungsstücke für selbige zu Kap-Francois liegen, auch haben wir in Frankreich 20 000 Gewehre und für 49 000 Mann Mondierungsstücke gekauft, die aber noch nicht angekommen sind. Kurz, dieses Jahr ist es sehr unglücklich für uns. Man bemüht sich jetzt, das Gewehr und die Mondierungsstücke zu erhalten; aber dem Schaden, der aus der Herabsetzung des Geldes entsteht, kann nicht so leicht vorgebeugt werden. — Von unseren militärischen Sachen kann ich Ihnen nur schreiben, daß sich Lord Cornwallis nach der Niederlage des Ferguson nach Cornwallis zurückgezogen, daß General Green statt Gates kommandiert, und daß sich die zu Portsmouth in Virginien gelandeten Englischen Truppen noch daselbst befinden. — Hier ist alles sehr teuer. Der Tisch kostet 8 harte Thaler. Für Trinken und Feurung wird besonders bezahlt. Wer Pferde hält, bezahlt täglich 40 Thaler. Ein Sattel kostet 21 Pfund Sterling. Mit 1000 Kontinental-Thalern kann man jetzt nicht so viel als sonst mit 5 Thalern kaufen."

Der Brief übertrieb nicht. Es sollte aber noch schlimmer kommen und General Washington noch persönlich Proben höchster Entschlußkraft bestehen, ehe er mit seinem Werk zufrieden sein konnte.

Aufstand in der Washingtonschen Armee

London, 9. Februar 1781

Man hat hier verschiedene Nachrichten von einem gefährlichen Aufstande, welcher den 1. Januar unter einem Teile der Washingtonschen Armee ausgebrochen, welcher sich von dem übrigen getrennt, und sich nach New York gewandt. Die Königliche Zeitung dieser Stadt vom 6. Januar erzählt den Vorfall folgender Gestalt:

Die Unzufriedenheit der Truppen der Kolonien über die seit langer Zeit ausgebliebenen Zahlung an barem Gelde, und den entstandenen Mangel an Proviant ging endlich so weit, daß vorigen Montag, als an welchem Tage bei vielen die Dienstzeit aus war, dieselben Bezahlung oder Abschied forderten. Beides wurde abgeschlagen. Sogleich hierauf trennten sich alle Truppen von Pensylvanien unter der Anführung des Generals St. Clair und der General-Brigadiers Wayne, Hand und dem Nachfolger des verstorbenen Generals Poor. Nachdem sie alle Kanonen vernagelt und alle Gerätschaften zu Grunde gerichtet hatten, nahmen sie vier Feldstücke, alles Pulver und die sämtliche Kriegsmunition mit fort. Sie wurden von der Miliz verfolgt, diese aber ward mit Verlust eines Obersten, 2 Majors, 2 Leutnants und einer nicht genannten Anzahl Soldaten zurückgetrieben. Sie marschierten nach Veals-Town, 22 Meilen von Elisabeth-Town, und vorigen Mittwoch verschanzten sie sich daselbst, steckten die Fahne auf, wählten sich ein Oberhaupt und nahmen 400 Stück Vieh und alle Pferde aus der Nachbarschaft weg. Es wurden ungefähr 100 Jäger detaschiert, um sie anzugreifen, allein die Jäger verließen ihre Offiziere und vereinigten sich mit ihren Kameraden. Ihre Anzahl beläuft sich auf 2200 Mann, und nimmt noch täglich zu. Gestern früh um 3 Uhr hörte man Gewehr- und Kanonenfeuer vor Veal-Town und soeben ist das ganze Korps auf dem Marsch begriffen. Man vermutet, es wird nach Amboy, dem nächsten Hafen von New York marschieren; sie haben, wie es heißt, den Herrn Box, der früher im 43. Regiment

Sr. Majestät diente, an ihrer Spitze. Die einzigen Kontinental-Truppen, die sich gegenwärtig in den Jerseys im Dienste des Kongresses befinden, bestehen in der Brigade des Generals Dayton; dieses Korps besteht aus 3 schwachen Regimentern, die etwa 700 Mann ausmachen. Vorigen Donnerstag erhielten wir die Nachricht, daß es in Carolina zu einem Treffen gekommen sei. Obgleich niemand an der Wahrheit dieses Berichtes zweifelt, so erwartet man die Bestätigung.

Aus der Geschichte wissen wir, daß die Generale St. Clair und Wayne bei den Aufrührern vermitteln wollten, von diesen aber gezwungen wurden, sich zu entfernen. Da General Washington die Forderungen der Soldaten für berechtigt ansah und es ablehnte, sie durch soldatische Disziplin in die Schranken zu weisen, überließ er die Regelung den bürgerlichen Behörden. — Leider sollte das Beispiel der Pensylvanier Schule machen und den Obergeneral zwingen, nunmehr militärisch einzugreifen. Es zeugt aber von der Gesinnung jedes Einzelnen, daß die Meuterer, als der Engländer Clinton Unterhändler zu ihnen schickte, um sie zur Fahnenflucht zu überreden, diese Unterhändler an Washington auslieferten, der sie kurzerhand aufhängen ließ.

New York, 28. Januar 1781

Heute meldet man aus Staaten-Island, daß die revoltierte Jersey-Brigade von dem Kongreß verabschiedet worden, und bis auf 150 Mann auseinandergegangen ist, wodurch die Kontinental-Armee um 16 bis 1700 Mann schwächer wird. Daß ein kleiner Teil der Drytons-Brigade ebenfalls revoltiert hat, aber wieder zum Gehorsam gebracht worden, hat sich bestätigt.

Baron Steuben verliert eine Schlacht

London, 20. März 1781

Die New Yorker Zeitung hat den 3. Februar ein außerordentliches Blatt bekannt gemacht, worin von der Expedition des General-Brigadiers Arnold Nachricht gegeben wird. Die Flotte desselben war den 26. Dezember durch einen Sturm getrennt worden, kam aber den 30. in Hampton-Read bis auf 3 Transportschiffe vor Anker. Die Truppen gingen den 31. mehr als 4000 Mann stark den Jamesfluß herauf, nahmen den 3. Januar eine Batterie bei Hoodsfort von vier eisernen Kanonen und einer Haubitze, und wurden am 4. bei Westhoven ans Land gesetzt, sie marschierten nach Richmond, und zerstörten bei Westham eine vortreffliche Kanonengießerei. Alle öffentlichen Güter

wurden zu Richmond zerstört. Das Hauptquartier blieb bei Westhoven, von welchem Orte aus sie am 8. 400 Mann feindliche Kavallerie überraschten, und einige davon töteten und gefangen nahmen.
Am 10. ging das ganze Korps nach Flour de Hundred, woselbst sie
ein Korps von 800 Mann unter dem Kommando des Barons Steuben
über den Haufen warfen, und ihnen einige Kanonen abnahmen. Am
20. marschierte die Armee nach Portsmouth, wo sie sehr willkommen
war und noch zeitig genug ankam, die Amerikaner abzuhalten, die
Stadt anzuzünden.

Der Name des Baron Steuben wird nur sehr selten in den Zeitungen erwähnt. Er wirkte als Organisator des Heeres meist im Verborgenen. Gegen
den Verräter Arnold hatte er eine heillose Wut und wünschte nichts sehn-
licher, als ihn gefangen zu nehmen. Daß ihm dies bei Flour de Hundred
mißlang, kat er lange nicht überwinden können. Wir bringen den Bericht
dieser kleinen Episode, weil er einer der wenigen ist, worin der Name
Steubens erwähnt wird.

Niederlage der Amerikaner bei Guildford und Camden

London, 8. Juni 1781

Die Hofzeitung vom 5. dieses liefert endlich die Original-Depeschen
des Grafen Cornwallis von dem Siege, den er am 15. März bei Guildford über den General Green erfochten, der an diesem Tage mehr als
7000 Mann kommandierte und von einer weit schwächeren Armee,
die durch einen Marsch von 600 Meilen abgemattet war, geschlagen
wurde. Die Rebellen ließen 300 Tote auf dem Schlachtfelde, die Verwundeten entkamen, und Gefangene konnten wegen des sehr dichten
Waldes nicht gemacht werden. Graf Cornwallis lobt die Tapferkeit
seiner Offiziere und Truppen, namentlich das Hessische Regiment von
Bose, und dessen Kommandeur, Major du Puy, sehr. Oberstleutnant
Webster und der Garde-Kapitän Maynard sind an ihren Wunden gestorben. An Toten haben wir 12 und an Verwundeten 88 gehabt.
Nach der Schlacht waren die Soldaten 2 Tage ohne Brot und das ganze
umliegende Land so von Lebensmitteln entblößt, daß man die Fou-
rage 9 Meilen weit herbeischaffen mußte. Graf Cornwallis ließ 70 Verwundete in einem Versammlungshause der Quäker zurück, brach am
18. März von Guildford auf, und kam am 7. April zu Wilmington an,
von welchem Orte sein letzter Brief vom 18. April datiert ist. Bei dieser Abwesenheit des Grafen Cornwallis rückte der feindliche General
Green wieder mit 1500 Kontinentalen und verschiedenen Milizkorps

in Südkarolina ein und zwar bis Camden, woselbst Lord Rawdon mit 800 Engländern und Provinzialen stand, der aber nicht erst warten wollte, bis General Green mehrere Verstärkungen an sich gezogen hatte, sondern ihn am 25. April in seinem Lager Hobkirks mit vieler Entschlossenheit und Tapferkeit angriff, in die Flucht schlug und 3 Meilen weit verfolgte. Die feindlichen Kanonen wurden durch einen Zufall gerettet, indem sie in einem Hohlwege von unseren Truppen nicht bemerkt und hierauf von der Kavallerie abgeholt wurden. Der feindliche Verlust besteht in 400 Toten und Verwundeten, der Englische in 100. Nach dieser Niederlage zog sich General Green nach Rugelys-Mill, 12 engl. Meilen von Camden, zurück. Der Garde-Oberst Watsonader wurde mit 500 Mann von den östlichen Grenzen der Provinz zurückgerufen, um den Lord Rowdon zu verstärken.

Greens Absicht war es, Carolina wieder zu gewinnen und vor allem den in der Provinz Virginien mordenden und sengenden Benedikt Arnold zu fassen. Trotz seiner Niederlagen kam Green am Ende aber doch zu seinem Ziel: nämlich: Cornwallis in York-Town einzuschließen. Seine Ausdauer und Geschicklichkeit sollten somit zu der glücklichen Endphase des Krieges entscheidend beitragen.

Auf das Konto des Verräters Arnold

London, 26. Juni 1781

Von Arnolds Bericht sind die wesentlichen Umstände folgende:

Am 18. April gingen die leichte Infanterie, das 76. und 80. Regiment, die Jäger der Königin und einige andere Korps zu Portsmouth zu Schiffe, und nachdem sie auf dem Chickhaomanny verschiedene feindliche Schiffe zerstört, auch an verschiedenen Orten gelandet, einige Kanonen vernagelt und Miliz-Gruppen verjagt hatten, landete dieses ganze Korps am 24. April bei City-Point und rückte am 25. früh nach Petersburgh, woselbst der amerikanische General Mühlberg mit 1000 Milizen Widerstand tun wollte, aber mit Verlust von 100 Mann an Toten und Verwundeten in die Flucht getrieben wurde. Der englische Verlust hierbei bestand aus 1 Toten und 10 Verwundeten. Der Feind konnte nicht verfolgt werden, weil er die Brücken abgetragen hatte.

Am 26. April wurden hierauf zu Petersburgh 4000 Oxhoft Tobak, 1 Schiff und verschiedene Fahrzeuge vernichtet und verbrannt.

Am 27. April stieß General Philips zum General Arnold, und wurden zu Chesterfield-Courthouse Baracken für 2000 Mann und 300 Fässer Mehl verbrannt. An eben diesem Tage rückte Arnold bis Osborne vor, woselbst der Feinde eine ansehnliche Schiffsmacht zusammengezogen hatte, die General Arnold aufforderte, aber von dem amerikanischen General die Antwort erhielt: er wolle sich bis aufs äußerste verteidigen.

Gleich hierauf ließ General Arnold am Ufer Batterien errichten und ungeachtet die feindlichen Schiffe mit einigen 100 Milizen am entgegengesetzten Ufer ein heftiges Feuer machten, so mußten doch die Kongreß-Schiffe „Renown" von 26, „Tempest" von 20 und „Jefferson" von 14 Kanonen streichen, und die ganze Flotte fiel in Königliche Hände, von der sich jedoch viele amerikanische Seeleute mit der Flucht ans Ufer retteten, nachdem sie einige Schiffe in Brand gesteckt hatten, die nicht gelöscht werden konnten.

Zwei Schiffe, 3 Brigantinen, 5 Sloopen und 2 Schoner, sämtlich mit Tobak, Mehl und Tauwerk beladen, fielen in Königliche Hände; 4 Schiffe, 5 Brigantinen und mehrere kleine Schiffe wurden versenkt und verbrannt. Auf der ganzen Flotte, von der auch kein Schiff entkommen, wurden 2000 Oxhoft Tobak erobert und zerstört. Den ganzen Tag hatten die Königlichen keinen Toten und Verwundeten, aber der Feind litt stark.

Den 28. wurden die gemachten Prisen in Sicherheit gebracht, und den 29. die Truppen wieder eingeschifft.

Den 30. wurden zu Manchester 1200 Oxhoft Tobak verbrannt. Der Marquis von Lafayette stand mit seiner Armee Manchester gegenüber, zu Richmond, und sah dem Feuer zu. Denselben Abend wurden zu Warwick 500 Fässer Mehl, die schönen Mühlen des Obersten Cary, 150 Oxhoft Tobak, 5 Schiffe und verschiedene Magazine mit Stricken, Tauwerk und Häuten verbrannt. Indessen hatte der Marquis von a a ette mit seiner Armee eine Bewegung nach Williamsburg gemacht und mit forcierten Märschen nach Petersburgh zu kommen versucht, worin ihm General Arnold aber zuvor kam und 2 Amerikanische Majore, 1 Kapitän, 5 Leutnants und 1 Kommissar zu Gefangenen machte.

Am 10. Mai zeigte sich der Marquis von Lafayette wieder, rekognoscierte die Britische Armee, und am 12. ging er nach Richmond zurück, um sich, dem Vernehmen nach, mit General Wayne, der mit der Linie von Pensylvanien daselbst angelangt sein soll, zu vereinigen.

New York, 24. Mai 1781

Von den Operationen des Generals Arnold in Virginien werden Sie in London schon zur Genüge unterrichtet sein; ich setze also bloß hinzu, daß der Schaden, den dieser General daselbst den Kolonien durch Zerstörung der Schiffe, Magazine, Munitionen und des Tobaks getan hat, auf eine Million Pfund Sterling geschätzt werden kann und eigentlich unschätzbar ist, weil alle diese Sachen für Geld in Virginien nicht so leicht wieder zu haben sind.

Die Amerikanischen Generale von Steuben und Lafayette waren hierbei größtenteils Zuschauer in der Ferne und hatte letzterer noch den Verdruß, bei Manchester zu sehen, daß 120 Grenadiere, welche er mit von Washingtons Armee gebracht hatte, auf einmal zur Königlichen Armee übergingen, wo sie den Eid der Treue schworen und Dienst genommen haben.

London, 28. August 1781

Übrigens hat man nun aus New York den näheren Bericht, daß General Arnold nicht nach Chesapeak-Bay, sondern nach dem Delaware gegangen ist, um Newcastle in Besitz zu nehmen; daß General Clinton auch in Person dahin hat folgen wollen, aber durch die Manöver des Generals Washington, welcher sich mit den Franzosen vereinigt, daran verhindert worden. General Washington brach nämlich am 4. Juli aus seinem Hauptquartier zu Neu-Windsor auf, ging über den Nordfluß, vereinigte sich mit den Franzosen in der Weißen Ebene, nahm sein neues Hauptquartier in der Gegend Spiker-Devil, und machte Miene, New York anzugreifen, in welcher Absicht er den festen Posten von Kings-Bridge, welcher der Schlüssel von der Insel New York ist, mit einer starken Macht berennt, aber bei Abgang des Schiffes noch nicht eingenommen hatte.

Auch Charles Lee lief über?

London, 28. August 1781

Wegen des Überganges des Generals Carl Lee zur Königlichen Armee hat man folgende Umstände von einem Amerikaner aus Winchester in Virginien: Man bemerkte, daß ein ehemaliger Hessischer Soldat öfters nach Martinsbourg kam, um mit den daselbst befindlichen Gefangenen von Saratoga zu sprechen. Da sein Betragen höchst verdächtig schien, so nahm man ihn fest, und hing ihn, um ihn zu schrecken, zweimal auf, ohne zuzuknüpfen, da er denn, um dem unvermeidlichen Tode zu entgehen, die Ursache seines öfteren Kommens eingestand, auch denjenigen nannte, der ihn geschickt hatte, welcher sogleich arrettiert wurde, und in dessen Hause man viele Guineen, Bestallungen und andere Papiere fand, woraus man ersah, daß General Lee der Kommandeur en chef dieser Leute sein sollte. Man sandte sogleich ein Detaschement leichter Reiterei nach dem Leeschen Hause; allein der General hatte sich fortgemacht, und soll, nach eben dieses Amerikaners Berichten zu Williamsburg bei dem Grafen Cornwallis angelangt sein.

Diese Geschichte mag eine schöne Erfindung sein, aber sie lag durchaus im Bereiche des Möglichen. Das Maß des Hitzkopfes Charles Lee war wegen des schimpflichen Rückzugs bei Monmouth voll. Ein Kriegsgerichtsurteil stieß ihn aus dem Heere aus wie zuvor General Arnold. Lee's Haß gegen die Männer des Kongresses ist deshalb begreiflich. Immerhin, wir finden nichts in den Zeitungsberichten, die diese Nachricht der Fahnenflucht bestätigen.

Das amerikanische Schiff sinkt, sagt London

London, 20. Juli 1781

Alle Nachrichten von dem festen Lande in Amerika melden, daß die Sache der Kolonien dem völligen Sinken sehr nahe ist, wenn nicht bald wahre und kräftige Hülfe und Unterstützung aus Frankreich für sie kommt.

Der Kreis beginnt sich zu schließen
Geht es gegen New York oder gegen Cornwallis?

London, 25. August 1781

Man hat Nachricht, daß der Graf von Rochambeau sich mit dem General Washington und dem zu Rhode-Island gestandenen Korps Französischer Truppen vereinigt hat und daß sie gesonnen sind, New York gemeinschaftlich zu belagern. Allein, diese beiden Offiziere werden dort einen sehr lebhaften Widerstand finden, weil sich in dem Platze mehr Truppen befinden, als sie selbst zur Belagerung anwenden können. Man glaubt also hier, daß von dieser Unternehmung wenig zu befürchten sei, zumal da die nach Boston zurückgegangenen Französischen Schiffe dieselbe nicht unterstützen kann.

New York, 14. Juli 1781

Die Franzosen haben eine Landung auf Long-Island bei Reck mit 400 Mann getan. — Washington mit den Französischen Truppen drohen uns mit einer Belagerung und versprechen ihren Armeen reiche Beute. Sie haben einige Versuche auf unsere äußersten Posten bei Kingsbridge gemacht, wurden aber mit Verlust zurückgeschlagen.

London, 5. Oktober 1781

Wenn die Anstalten unserer Feinde in Nordamerika zur Belagerung von New York weiter nichts sind als eine Kriegslist, so dürfte der Graf Cornwallis in Virginien einen sehr ernsthaften Angriff zu erwarten haben. In den letzten Depeschen, welche der Hof von diesem General erhalten hat, soll derselbe gemeldet haben, daß er sich der Posten Glocester und York bemächtigt habe, welche die Mündung des Yorkriver schließen, und auf einem und dem anderen Ufer dieses Flusses liegen, und daß seit seiner Ankunft in Virginien, daselbst nur einige Scharmützel vorgefallen wären.

Paris, 15. Oktober 1781

Der Plan unserer Generale ist, die Armee des Lord Cornwallis anzugreifen, und die Engländer noch vor dem Winter gänzlich aus den südlichen Provinzen zu vertreiben. Demzufolge soll diese Expedition von der ganzen Macht des Herrn von Rochambeau unterstützt werden, und seine Armee, welche sich am 16. August bei den Whiteplains befand, sollte sich am 24. in Bewegung setzen, um in Virginien zu rücken, wo sie etwa zur gleichen Zeit mit dem Geschwader ankommen kann, da sie wenigstens einen Monat zu ihrem Marsche gebraucht. Lord Cornwallis, der ohne Zweifel schon von diesem Entwurfe benachrichtigt war, hatte sich gegen Portsmouth gezogen, wo er sich befestigt hat. Sein von der Seeseite offenes Lager machte schon an der Landseite ein ehrwürdiges Ansehen. Fünftausend Mann werden diesen Posten verteidigen. Allein, da derselbe lebhaft wird angegriffen werden, und der General keine Hilfe von der Seeseite zu erwarten hat, so ist es wahrscheinlich, daß er daselbst wird angegriffen werden.

Die Amerikaner rüsten Schaluppen und andere armierte Fahrzeuge aus, welche der Flotte des Herrn von Grasse behülflich sein sollen, sich der Küste zu nähern, wie auch zum Transport der Truppen des Herrn de la Fayette, welche den Jamesriver herunter kommen sollen. Dieser General hat 4000 Mann der schönsten Kontinental-Truppen bei sich, die Miliz ungerechnet, und wenn man die 4 bis 5000 Mann dazu nimmt, welche der Herr von Grasse hinführt, nebst den 4000 Mann von Rochambeau, so wird man nicht zweifeln, daß Cornwallis sich in einer sehr kritischen Situation befindet. Während dieser

Zeit wird Washington dem General Clinton zu schaffen machen, Letzterer kann gar keine Verstärkung zu Lande nach Süden schicken, und da wir Meister zur See sein werden, so wird er solches auf diesem Elemente nicht wagen wollen. Wir haben daher alle Ursache, uns von dem Ende dieser Kampagne in jenen Gegenden noch große Vorteile zu versprechen.

Erstaunlich ist, mit welcher Präzision der Bericht die kommenden Ereignisse voraussagt. Die Unterlagen hierfür waren am 12. Oktober durch den Befehlshaber der französischen Fregatte „Ariel", die am 25. August von Rhode-Island abgegangen war, nach Versailles gebracht worden. Der französische Admiral Grasse war ursprünglich mit seinem Geschwader ausgefahren, die Engländer bei den kleinen Antillen zu beschäftigen. Jetzt war er plötzlich über die Courland-Bay in Tabago an die Nordamerikanische Küste geeilt, um noch kurz vor der Nase des englischen Admirals Rodney in die Chesapeak-Bay einzulaufen.

London, 27. Oktober 1781

Wenn die Transportschiffe und Fregatten mit Lord Cornwallis ihren Schutz in York-Fluß nehmen, so ist die Mündung im Stande, durch Batterien sich gegen die ganze Seemacht des Herrn Grasse zu verteidigen. Alle Sicherheit aber hängt von der Natur des Landes und anderen Umständen ab, welche er hoffentlich nutzen wird. Lord Cornwallis ist freilich in einer üblen Lage, Green, Weyne und Stevens stehen auf der einen Seite mit der rebellischen Armee, und der Marquis de la Fayette mit 6000 Franzosen auf der anderen. Hier geschehen aber dennoch Wetten, daß Herr von Grasse keine drei Wochen mehr in der Chesapeak bleiben werde, entweder sei er genötigt eine Aktion zu liefern, oder sich in aller Eile nach Rhode-Island zu retten.

London, 9. November 1781

Die letzte Hofzeitung teilt verschiedene Berichte aus Nordamerika mit, welche indessen nur bis zum 26. September gehen.

Aus den Berichten des Lord Clinton sieht man indessen, daß sich Lord Cornwallis allerdings in einer bedenklichen Lage befindet, daß sie aber bei weitem nicht so verzweifelt ist, als viele glauben. Hier sind seine Berichte selbst:

New York, 7. September:

In meiner Depesche vom 20. August hatte ich die Ehre, Ew. Herrlichkeit zu melden, daß General Washington plötzlich sein Lager in den weißen Ebenen verlassen; mit gegenwärtigem gebe ich Ihnen von seinen weiteren Bewegungen Nachricht. Er ging am 19. vorigen Monats über den Croton, und nahm seine Stellung einige Meilen von diesem Flusse. Am 23. und 24. ging er über den Northriver, und durch die Position, die er nahm, schien er Staaten-Eyland zu bedrohen; allein am 29. wandte er sich plötzlich gegen den Delaware. Anfänglich hielt ich dies für eine List; allein da ich fand, daß er mit einem Teil seiner Avantgarde wirklich über gedachten Fluß ging, und öffentlich davon sprach, daß Herr von Grasse alle Augenblicke in der Chesapeak erwartet würde, um mit ihm gemeinsam etwas zu unternehmen, so suchte ich augenblicklich, sowohl zu Wasser als zu Lande, den Lord Cornwallis von meinen Besorgnissen zu benachrichtigen; zugleich meldete ich ihm, daß ich mein möglichstes tun würde, entweder ihn zu verstärken, oder aber die beste Diversion für ihn, so ich nur könnte, zu machen. Unterdessen war auf die Nachricht, daß die Rhodeisländische Flotte in See gegangen sei, der Konteradmiral Graves, wie schon neulich gedacht, mit seiner und Sir Sam. Hoods Flotte am 31. vorigen Monats ausgelaufen, und da Lord Cornwallis Briefe vom 31. v. M. und 2. dieses, welche ich am 4. und gestern erhielt, mir meldeten, daß der Graf von Grasse mit einer ansehnlichen Flotte in der Chesapeak sei; so erwarte ich stündlich die Nachricht, daß der Konteradmiral Graves entweder den Barras aufgefangen, oder dessen Flotte, oder beide in der Bay angegriffen. Inzwischen habe ich 4000 Mann eingeschifft, mit welchen ich augenblicklich zum Entsatz des Lords Cornwallis abgehen werde, sobald ich weiß, daß die Passage zu ihm offen ist.

Zweites Schreiben Sir H. Clintons,
New York, den 12. September

Ew. Herrlichkeit habe ich die Ehre zu melden, daß die Expedition, welche ich gegen Neu-London ergehen lassen, von dannen wieder zurück gelangt ist, nachdem sie alle daselbst gelegenen Schiffe (bis gegen 16, die sich den Fluß hinauf geflüchtet) und eine unermeßliche Quantität Schiffsvorrat, Europäische Manufaktur- und Ost- und Westindische Waren zerstört hat. Es tut mir aber leid, daß bei Ausführung dieses wichtigen Dienstes nicht verhindert werden können, daß die Stadt mit abgebrannt ist, welches durch Auffliegung einer großen Quantität Kanonenpulver in den in Brand gesteckten Magazinen verursacht worden. Ich lege Ew. Herrlichkeit des Brigadier-General Arnolds Rapport mit der Liste der Getöteten und Ver-

wundeten bei; ich habe das Vergnügen, Ihnen zu melden, daß der
Brigadier mit höchstem Lobe von der guten Konduite, Disziplin und
Tapferkeit aller Offiziere und Leute, die ihn bei dieser Unternehmung
begleitet haben, spricht. Aber nach meiner Meinung können Worte
ihnen nicht Gerechtigkeit genug tun und so will ich bemerken, daß
der Sturm auf das Fort Griswold (welches als ein Werk von großer
Stärke beschrieben wird) und die Eroberung desselben durch Sturm,
ungeachtet der hartnäckigen Verteidigung der Besaßung, ohne Zweifel Eindruck auf den Feind machen und ihn alles von der Hiße der
Britischen Truppen wird befürchten lassen; und wird man sich dieser
Unternehmung allezeit zu größter Ehre des 49. und 54. Regiments
und deren Anführer, als welche die Ehre des Angriffs hatten, erinnern;
ob wir gleich jeßt den schweren Verlust an manchen braven Offizieren
und Leuten, welche bei der Unternehmung geblieben sind, bedauern
müssen.

Der Angriff auf Fort Griswold sollte Washington auf den Plan rufen,
der sich aber nicht von seinem größeren Vorhaben, Cornwallis zu vernichten, abhalten ließ. Die gesamte Garnison von Griswold wurde nieder-
gesäbelt.

New York, 24. September 1781
General Washington ging den 25. v. M. mit seiner an 6000 Mann
starken Armee über den Northriver, und marschierte in 3 Divisionen
durch Neu-Jersey nach der Chesapeak. An der Mündung des Elkriver
seßte er sich mit seinen Truppen zu Schiffe, und ging unter Bedek-
kung der Französischen Flotte die Bay hinunter, um sich mit den
aus Westindien gekommenen Französischen Truppen der Armee
unter dem Marquis de la Fayette zu vereinigen, und ist die Vereinigung vermutlich inzwischen erfolgt. Lord Cornwallis ist zu Yorktown
von 16000 Mann eingeschlossen, die mit einem starken Train Artillerie angewachsen sein mögen. — Eine Macht, werden viele bei dem
ersten Anblick denken, die mehr als hinreichend ist, Lord Cornwallis
kleine Armee zu verschlingen, aber eine kleine Überlegung wird die
Besorgnisse mindern. Cornwallis hat an die 8500 Mann bei sich. Sein
Posten ist von Natur schon, und durch die Kunst in kurzem so viel
als möglich noch mehr befestigt worden. Er hat, sagt man, auf 2 Monate Proviant, und Kenner des Plaßes sagen uns, daß sein Posten
nicht könne gestürmt werden. Wenn dem also ist, so kann er nur
durch reguläre Approschen eingenommen werden, und auch dazu soll

das Terrain nicht sehr günstig sein, kurz, man darf hoffen, daß die Feinde werden so lange aufgehalten werden, bis wir entweder eine hinlängliche Seemacht haben, ihn zu entsetzen, oder bis die Franzosen durch Mangel an Provisionen und anderen Bedürfnissen gezwungen sein werden die Bay zu verlassen.

New York, 24. September 1781

Eine Person, welche den Lord Cornwallis zu Yorktown in der Nacht vom 20. dieses verließ, sagt, daß Se. Herrlichkeit sehr stark verschanzt wäre, und einen Angriff von den Franzosen und Rebellen eher wünsche als fürchte. Es war damals noch kein Mann von den Feinden nahe um ihn; unsere Kavallerie streifte täglich auf 1 bis 3 Meilen weit herum, und trieb eine Menge Vieh nach der Garnison. Dieser Bote sagt, daß einige Tage vor seinem Abgange tausend Stück Vieh zusammen gebracht und eingetrieben worden. Lord Cornwallis hatte einige Feuerschiffe zurechtmachen lassen, mit welchen er einen Versuch auf die im Yorkriver liegenden Französischen Schiffe zu machen gedachte.

London gibt Cornwallis bereits auf

London, 16. November 1781

Gestern erhielt der Hof neue Nachrichten aus Nordamerika, sie gehen aber nur bis zum 12. Oktober aus der Chesapeak-Bay, und bis den 19. von New York. Den 18. hatte man in New York einen Kriegsrat gehalten, und darin einmütig beschlossen, dem Grafen Cornwallis mit der ganzen Flotte und einem Teil der Armee zu Hülfe zu kommen. Sir Heinrich Clinton schiffte sich daher den 19. mit 6000 Mann ein, und die ganze Flotte ging noch denselben Tag, 29 Kriegsschiffe, 19 Fregatten und 8 Feuerschiffe stark, unter Segel. Vielleicht kommt sie zu spät, denn alle Anstalten, welche man hier seit einigen Wochen machen sieht, scheinen zu verraten, daß der Hof das Korps des Grafen Cornwallis bereits verloren gegeben hat.

Dieser befand sich den 12. Oktober in einer sehr bedenklichen Lage. Zwar war er noch im Besitze der Posten York und Gloucester; allein er war in der Nähe von 600 Schritten überall mit Feinden umgeben. „Den 19. Oktober, schreibt er, haben sie mich so hitzig bombardiert, daß ich an Toten und Verwundeten über 100 Mann hatte, und den 11. verlor ich noch 30 Mann."

Clinton kam zu spät.

London, 23. November 1781

Noch haben wir keine weiteren Nachrichten von dem Lord Cornwallis erhalten. Unsere Unruhen wegen des Schicksals dieses braven Generals sind daher immer noch dieselben.

Eigenartig, daß in London von dem Ende bei Yorktown am 23. November noch nichts bekannt war, während Versailles bereits am 19. November die erste Siegesmeldung bringt.

Sieg der Freiheit
Der Unabhängigkeitskrieg ist zu Ende

Versailles, 19. November 1781

Heute kamen der Herzog von Lauzun und Herr du Plessis Pascau aus Nordamerika hier an, und brachten dem Hofe die wichtige Neuigkeit, daß die Armee des Cornwallis, welche sich bei der Stadt York in Virginien verschanzt hatte, den 19. Oktober kapituliert, und sich ungefähr 6000 Mann stark zu Kriegsgefangenen ergeben habe.

London, 27. November 1781

Was man bereits seit einiger Zeit befürchten konnte und mußte, nämlich den Verlust des Cornwallischen Korps, ist unglücklicher Weise eingetroffen. Da die Umstände davon auswärts, wie wir hören, bereits bekannt sind, so teilen wir für jetzt nur die Rede mit, womit der König heute das Parlament eröffnete, und demselben diesen Verlust bekannt machte.

(Aus der Rede.)

„Meine emsige Bemühung, die weit ausgebreiteten Staaten meiner Krone zu sichern, ist in diesem Jahre nicht mit demjenigen Erfolge gekrönt worden, welcher sowohl der Gerechtigkeit als auch der Aufrichtigkeit meiner Absichten gemäß gewesen wäre, und es ist mir unangenehm, daß ich Ihnen melden muß, daß der Erfolg des Krieges in Virginien traurig gewesen, und sich mit dem Verluste meiner daselbst befindlichen Armee geendigt hat.

Es hat von meiner Seite an keinen Bemühungen gefehlt, denjenigen Geist des Aufruhrs zu ersticken, welchen unsere Feinde in den Kolonien anzufachen und bisher zu unterhalten gewußt, und meinen verblendeten Untertanen in Amerika diejenige Glückseligkeit wieder zu schenken, welche sie ehedem unter dem schuldigen Gehorsam gegen die Gesetze genossen. Allein das letztere Unglück in diesen Gegenden fordert Ihren standhaften Mut und Ihre tätige Beihülfe nachdrücklich auf, die Absichten unserer Feinde zu vereiteln, welche dem Amerika im Grunde eben so nachteilig sind, als Großbritannien."

London, 27. November 1781

Am Sonntage langte der Kapitän Melcombe, Befehlshaber der Königlichen Schaluppe „Die Rattlesnacke" mit Depeschen von dem Konteradmiral Graves, datiert den 29. Oktober, bei der Admiralität an, welche die unangenehme Nachricht enthalten, daß Lord Cornwallis sich genötigt gesehen, sich zu ergeben. Als unsere Flotte auf der Höhe der Mündung von Chesapeak angekommen war, fand Lord Cornwallis Mittel, den Admiral Graves zu benachrichtigen, daß die Franzosen und Amerikaner den linken Flügel seiner Armee angegriffen, und nach einem sehr heftigen Widerstande 2 seiner besten Redouten erobert hätten; daß durch das Feuer einer ihrer Batterien 2 von seinen Magazinen in die Luft geflogen wären; daß bei dieser Lage ein Versuch, ihn zu entsetzen, für den Rest der Britischen Armee von sehr schlimmen Folgen sein könnte; daß eine Seeschlacht zwischen beiden Flotten unschicklich und gefährlich sein würde, da die feindlichen Schiffe eine so vorteilhafte Stellung hätten. Alle diese Umstände ließen ihn stündlich befürchten, er werde sich genötigt sehen, zu kapitulieren. Dieses unangenehme Schicksal fand auch wirklich den 19. Oktober, sieben Tage nach der dem Admiral Graves erteilten Nachricht Platz. 7000 Mann, das Schiffsvolk, womit Cornwallis seine Armee verstärkt hatte, mit eingeschlossen, legten die Waffen nieder.

1781—1783

ENGLAND GIBT DAS RENNEN AUF

Der Kampf um den Frieden

York-Town hat den englischen Festlanddegen zerbrochen. Man ahnt es mehr, als daß man es weiß. Dieses Amerika gleicht einer Hydra mit tausend Köpfen. Kaum hat man ihm einige abgeschlagen, daß der geschundene Körper sich in Krämpfen windet, so wachsen ihrer mehrere aus den blutenden Wunden hervor. England ist gewiß groß und mächtig, aber es ist doch kein Herkules und ganz besonders nicht, wenn es gegen das eigene Blut zu fechten hat. Hier liegt der große Unterschied gegenüber allen anderen Kriegen und die Quelle der Uneinigkeiten im eigenen Hause, des Zögerns und der Halbheiten, der Spaltungen der Meinungen im Parlament, wie im Volke: Brüder schießen nicht auf Brüder!

Und so gibt es nach York-Town ein heilloses Durcheinander auf den Regierungsbänken, wie in einem aufgestöberten Ameisenhaufen. Lord Nugent ist der Meinung, es sei unvernünftig, sich noch länger gegen die Unabhängigkeit Amerikas zu stemmen. Lord Germaine erwidert empört: „Wenn wir die Souveränität über Amerika aufgeben, ist England verloren. Ich fordere daher die Fortsetzung des Krieges." Lord North hebt bedächtig den Finger; er schwört auf ein Mittelding, er will, daß der Krieg fortan defensiv geführt werde. Da stellt am 22. Februar 1782 das Mitglied der Opposition, General Conway, in einer glänzenden Rede den Antrag: den Krieg gegen Amerika sofort zu beenden und alle Aufmerksamkeit dem wahren Feinde auf dem Kontinent zuzuwenden, wenn England nicht untergehen wolle! Mit 19 Stimmen Mehrheit geht dieser Antrag durch. Der König muß, wohl oder übel, seinen Konsens dazu geben. Auf den Regierungsbänken aber beginnt nun das große Sterben. Lord Germaine dankt ab: „Niemals werde ich meine Hand dazu hergeben, unter die Unabhängigkeit Amerikas meine Unterschrift zu setzen", ruft er aus und bald darauf folgt ihm auch Lord North, der große Gegenspieler der Amerikaner und ihm folgt sein gesamtes Ministerium. Der Oppositionsführer, Marquis von Rockingham, nimmt den Posten des Premier ein und bestellt den Grafen von Shelburne zu seinem Staatssekretär. Der Weg zum Frieden wird nun frei.

Aus den Zeitungen können wir diesen frei gewordenen Weg vorerst nur ungenau ablesen. Die hochgespannte Erwartung der Umwelt bietet unkontrollierbaren Gerüchten einen großen Raum, die durch überstürzte und eigenmächtige Eilfertigkeit der Londoner Hauptakteure wunderbar genährt werden. So bieten sie dem Kongreß in Philadelphia einen dreijährigen Waffenstillstand an, um ihm im selben Augenblick, wo der Verteidiger von Quebeck vor dem Kongreß darum verhandelt, die unbedingte Unabhängigkeit auf den Tisch des Hauses zu legen. Zum Segen Amerikas und nicht zuletzt demjenigen von Benjamin Franklin, weist der Kongreß alle Verhandlungen mit England, die er übrigens für hintergründig hält, ab, solange nicht auch sein hoher Alliierter, Frankreich, in die Friedensverhandlungen eingeschaltet wird. Dem Weisen von Passy fällt eine Zentnerlast von der Seele, als er diesen ritterlichen Entschluß aus Philadelphia vernimmt. Längst hat er seinen Plan vorbereitet, der zwar die ritterliche Haltung seiner Auftraggeber verleugnen, dessen ungeachtet jedoch zum Segen Amerikas ausgehen soll.

Weniges und nur Verworrenes, lesen wir hierüber in den Zeitungen; auch nichts darüber, daß Franklin längst beste Verbindung mit Shelburne aufgenommen hat und daß in seinem Hause in Passy die englischen Meisterspione Bancroft und Wentworth ein- und ausgehen. „Der schlaue Mann", wie er in England genannt wird, weiß sehr wohl, wer und was die beiden Zuträger sind, kann es auch nicht verhindern, daß durch diese so manches über den Kanal gelangt, was besser verschwiegen geblieben wäre. Aber er weiß auch, daß ihm die beiden Spione mehr vorteilhaft, als schädlich sind und ausschlaggebend für Franklin war immer das zu erwartende Endresultat einer Sache.

Erst gegen Sommer 1782 laufen die Dinge bei offenen Türen und König Ludwigs Minister, Vergennes, erkennt immer deutlicher, daß der bescheidene Gelehrte in Passy, von dem die Welt behauptet, er habe dem Blitz geboten, nun ihn, den Diplomaten alter Schule, an der Nase herumgeführt hat, indem er, entgegen den Instruktionen des

Kongresses, einen Separatfrieden mit Großbritannien verhandelt. Vergennes weiß, was dies für Frankreich bedeutet: entweder Mutter und Sohn gegen sich zu haben und dabei alles zu verlieren, oder gute Miene zum bösen Spiel zu machen und sich schleunigst auch mit England zu versöhnen, um zu retten, was zu retten ist.

Daß Franklin so und nicht anders handeln konnte, dazu trug wohl in erster Linie auch der englische Admiral Rodney bei, der am 12. April 1782, wie weiland Francis Drake im Jahre 1588, Großbritannien das Leben rettete, weil er bei den kleinen Antillen die vereinigte französisch-spanische Flotte schlug und in alle Winde zerstreute. Noch einmal wurde Englands Herrschaft über die Meere vor aller Welt demonstriert und über York-Town ein Schatten des Vergessens gesenkt.

Am 29. November ist es endlich so weit: die Engländer kommen nach Passy. Amerikas Bevollmächtigte: Franklin, Jay und Adams, ersterer im schlichten schwarzen Rock, empfangen die Beauftragten gleicher Zunge und geleiten sie an den kleinen bescheidenen Tisch, auf dem sie nun das historische Dokument unterzeichnen und auf dem der Kongreß in Philadelphia später die Unterschrift Frankreichs vermissen wird. Franklins Hand aber zittert nicht, als er als Letzter seinen Namen unter den Vertrag setzt. Noch am gleichen Abend teilt er dem Franzosen seine Eigenmächtigkeit mit. Vergennes ist längst vorbereitet, ja, er lächelt sogar, er nennt die Hinterslichtführung einen Akt staatsmännischer Kunst und denkt dabei an den Dritten im Bunde, Spanien, das nun allerdings unwiderruflich auf sein Gibraltar verzichten muß. Im Grunde war dem Franzosen das ewige Bohren um den Felsen am Mittelmeer schon längst leid geworden und beherrscht von dem Wunsche aus jeder Lage das Beste zu machen, war es ihm nur recht, endlich die Hände frei zu bekommen, um Frankreich den Frieden zu bringen, den auch er dringend brauchte.

Am 5. Dezember muß dann Georg III. den schweren Gang ins Parlament antreten und zur Geburt der U.S.A. seinen Segen geben. Der Jubel über die Beendigung des unnatürlichen Blutvergießens war sowohl in Amerika wie auch in England gleich groß, und als der geniale Washington seinen Degen in die Hände des Kongresses zurücklegen konnte, sprach er einen Satz aus, den wir heute Lebenden in seiner prophetischen Bedeutung so recht zu ermessen vermögen: „Unser Schicksal wird das von vielen noch ungeborenen Millionen bestimmen."

Der Sündenbock

Aus England, 2. Dezember 1781

Jedermann, der die Lage von Amerika kennt, mußte notwendigerweise aus dem letzten Berichte des Generals Clinton die Gefangennehmung des tapferen Lord Cornwallis einsehen. Es ist nicht zu verantworten, daß man Washington so ruhig nach Trenton, Elk-Spitze und Croton-Fluß hat ziehen lassen. Seine ganze Armee war nur 6340 Mann stark, und Clinton, welcher 15 000 Mann regulierte und 6000 Provinzial-Truppen hatte, litt, daß diese 6000 Mann vor ihm vorbei marschierten, ohne solche anzugreifen. Washingtons erste Bewegung, über den Croton- und Hudson-Fluß zu setzen, war ein klarer Beweis, daß er südwärts marschieren würde. Sollte man nun sein Vorhaben, einen Marsch von 100 Meilen zu machen, nicht eingesehen haben? Sollte ein General an der Spitze von 20 000 Mann ihn nicht bis Paulus-Hook oder in die Jerseys getrieben haben? Niemals ist die Nation so übel bedient worden, als jetzt. Wenn der Französische General nicht geschen hätte, daß Clinton durch Paradierung seiner Truppen wenige Wochen vorher wäre erschreckt worden, und sich nicht unterstanden hätte, solche anzugreifen, so würden sie gewiß einen so gefährlichen Marsch nicht unternommen haben. Er fürchtete sich, die Feinde möchten Staaten-Island bedrohen. Man hätte solches gewünscht. Seine Verteidigung und Betragen ist ein Beweis seiner Nachlässigkeit, da er den Feind so ruhig hin marschieren ließ, wohin er wollte. Er war stark genug, von 20 000 Mann 7000 abzugeben, um einen Marsch von 60 Meilen zu unternehmen, sich mit dem Feinde zu schlagen, und die Vereinigung der Rebellen und Franzosen zu verhindern. Solche und andere Urteile werden jetzt über den General Clinton, den ehemaligen Liebling des Volkes gefällt.

Der Verfasser des Berichts übersah oder wußte wohl nichts davon, daß Washington, während er seinen Marsch nach York-Town richtete, vor New York Scheinmanöver aufführen und das Gerücht verbreiten ließ, daß der französische Admiral Grasse mit seiner Flotte auf Sandy-Hook zu landen beabsichtige. Clinton konnte sich einfach nicht so ohne weiteres aus New York fortrühren.

Ratlosigkeit im englischen Parlament
Krieg oder Frieden, das ist die Frage!

London, 4. Dezember 1781

Im Unterhause waren dieser Tage große Debatten, ob wir unsere Truppen aus Amerika ziehen, und die Kolonien bloß durch eine Seemacht zum Gehorsam bringen sollen, so daß wir nur eine starke Besatzung zu New York, Halifax, Savannah und Charlestown, ohne eine Armee im Felde zu haben, halten sollen. Hierauf gab ein Herr zur Antwort und bewieß, daß die Handlung, Manufakturen und Seemacht, ja, das Wohl des Reichs von der Wiedereroberung der Kolonien abhingen. Sollten wir also unsere Plätze in New York und Charlestown verlieren, so müßten sie unfehlbar den Verlust von ganz Nordamerika, Westindien und allen auswärtigen Besitzungen nach sich ziehen. Wir wissen, daß Frankreich sich durch einen feierlichen Vertrag verbunden hat, dem Kongreß in Austreibung der Britischen Macht beizustehen; allein zur Dankbarkeit für diese große Gefälligkeit machte sich der Kongreß anheischig, Frankreich zur Eroberung unserer Westindischen Inseln behülflich zu sein. Sollten wir also bei Fortdauer des Krieges New York und Charlestown verlieren, so müßte Quebeck, Halifax, Neufundland und Georgien, wo unsere Besatzungen sehr schwach sind, notwendigerweise fallen. Wir haben noch keine weiteren Nachrichten aus Amerika, als diejenigen, welche der Kapitän Melcombe mitgebracht hat. Man vermutet, General Cornwallis werde ehestens hier eintreffen. Er wird allgemein bedauert, und man wünscht nur, daß er General en Chef von allen Truppen in Amerika gewesen wäre.

London, 26. Februar 1782

Die Hofzeitung vom 23. dieses meldet zwar die Ernennung des Generals Charleton zum obersten Befehlshaber in Nordamerika, man glaubt aber nicht, daß der Krieg dort wird fortgesetzt werden. Denn am 22. dieses, in einer der merkwürdigsten Verhandlungen des Unterhauses, da General Convay den Vorschlag tat, den Krieg in Amerika aufzugeben, wurde sein Vorschlag zwar verworfen, aber nur durch die Mehrheit einer einzigen Stimme, indem für ihn 193 und gegen ihn 194 Stimmen waren. Man glaubt also, diese Sache werde noch einmal auf das Tapet kommen.

London, 1. März 1782

Der 27. Februar war für unsere öffentlichen Angelegenheiten einer der wichtigsten Tage, weil die Opposition die Beendigung des Amerikanischen Krieges an demselben von neuem in Bewegung brachte. Das Parlament war sehr zahlreich, und die ganze Stadt war in der größten Erwartung. Selbst die fremden Minister warteten in der ganzen Nacht auf die Entscheidung und hielten Kuriere in Bereitschaft, dieselbe an ihre Höfe zu berichten.

Der General Conway machte im Parlament den Anfang, und widerlegte die Gründe, welche man seinem Vorschlage in der vorigen Versammlung entgegengesetzt hatte, erklärte aber auch, daß seine Absicht nicht sei, daß England die Festungen, welche es noch in Amerika besäße, räumen, sondern nur dem ganzen Vorhaben, die Kolonien durch die Gewalt der Waffen zu bezwingen, entsagen sollte. Sein ganzer Vorschlag bestand demnach darin, daß beschlossen werden sollte: „daß die Fortsetzung des Krieges auf dem festen Lande in Amerika Englands Kräfte gegen seine Feinde in Europa schwäche, und den Bruch Englands mit seinen Kolonien immer größer mache." Nach langen Erörterungen von beiden Seiten kam es endlich in der Nacht um halb zwei Uhr zum Stimmensammeln und da fand sich für die Opposition eine Mehrheit von 19 Stimmen. Conway tat hierauf sofort den Antrag, dem Könige durch eine Adresse von diesem Beschlusse Nachricht zu geben, und auch dieser ging um halb drei Uhr ohne Widerspruch durch.

Die Nachricht von diesem Vorgange machte in der ganzen Stadt eine heftige Bewegung und der Hof fürchtete einen Aufstand, daher auch der Lord-Mayor die in solchen Fällen gewöhnlichen Gegenanstalten vorkehrte.

Am 5. März gab der König seine Einwilligung zu den Beschließungen des Parlaments und sagte dabei: „Alle meine Bemühungen sollen auf eine tätige Weise gegen meine Europäischen Feinde gerichtet sein, bis ein solcher Friede erhalten wird, der mit den Interessen und dem Wohlstand meines Königreiches übereinstimmt".

Lord North machte alle Anstrengungen, das Parlament davon zu überzeugen, daß der Krieg in Amerika zu einem Krieg gegen Frankreich geworden sei und deshalb aktiv fortgesetzt werden müsse. Im Laufe der hitzigen Debatte und in Verkennung der wirklichen Lage in den Kolonien, entschlüpfte ihm der Satz: „Ist jemand so töricht, zu glauben, daß der König von Frankreich zu Gunsten der bedrängten Dame Freiheit ein irrender Ritter geworden ist? Wer das glaubt, muß gewiß ein Idiot sein."

Die am Krieg verdienten

London, 22. Dezember 1781

Unter den bewilligten Summen für die Landmacht verdienen in Ansehung der Deutschen Hilfstruppen angemerkt zu werden:

43 660 £ für 1559 Markgräfl. Anspachische Truppen,
23 818 £ für 933 Mann Fürstl. Zerbstische Truppen,
367 203 £ für 13 472 Mann Landgräfl. Hessischer Truppen,
61 108 £ für 2094 Mann Landgräfl. Hanauischer Truppen,
17 498 £ für ein Regiment des Fürsten von Waldeck,
93 947 £ für 4300 Mann Herzogl. Braunschw. Truppen,
56 074 £ für 5 Hannöversche Bataillons,
55 469 £ für Proviant der Deutschen Truppen in Amerika,
27 683 £ für die Artillerie der Deutschen Truppen,
15 499 £ Zuschuß an die Hessischen Truppen am 6. 4. 1781,
 3 282 £ Zuschuß für die Anspachschen Truppen am 2. 3. 1781,
 4 942 £ Zuschuß für die Zerbstischen Truppen am 18. 4. 1781.

Lord Germaines letztes Wort

London, 22. Dezember 1781

Lord Germaine hat in einer der letzten Debatten mit viel Würde gesprochen: „Ich denke wegen Amerika noch immer so, wie ich während des ganzen Krieges gedacht habe und es erfolge auch, was da wolle, so werde ich nie der Minister sein, der die Amerikanische Unabhängigkeit unterzeichnet; denn das ist von je her mein Grundsatz gewesen, und er ist es noch jetzt, daß, sobald das Parlament die Unabhängigkeit von Amerika anerkennt, das Britische Reich verloren ist. Diese Nation kann nicht mehr als ein großes und mächtiges Volk existieren, wenn unser Souverän nicht zugleich der Souverän von Amerika ist. Hiervon bin ich völlig überzeugt, und ich will mich lieber öffentlich tadeln lassen, als das Werkzeug sein, wodurch die Konstitution dieses Landes verletzt wird. Durch mich soll sie nicht fallen, und in dem Augenblick, da die Unabhängigkeit von Amerika anerkennt wird, werde ich mein Amt niederlegen; denn das Volk muß sein Land behalten."

Lord North dankt ab

London, 22. März 1782

Als Lord North vorgestern die gänzliche Veränderung des Ministeriums ankündigte, sagte er: Er habe zu sprechen verlangt, um einen Antrag zu tun, der, wie er hoffe, die im Hause geäußerte Hitze dämpfen, und die uneinigen Parteien vereinigen würde. Man wolle den Königlichen Ministern sein Vertrauen entziehen. Nunmehr wolle er dem Hause eröffnen, daß einer neuen Einrichtung nichts mehr im Wege stünde. Er habe zu sprechen verlangt, um dem Hause anzuzeigen, daß eine gewisse Person, die er, zufolge der Ordnung des Hauses nicht nennen könne, beschlossen habe, die gegenwärtigen Minister sofort zu entfernen, und daß er berechtigt wäre, zu sagen, daß diese Minister in der Tat nicht mehr wären. Sie führen zwar fort, die laufenden Geschäfte ihrer Ämter zu besorgen, in Absicht auf eigentliche Regierungsgeschäfte täten sie aber nicht das geringste mehr.... Er ziehe sich jetzt ins Privatleben zurück, mit einem reinen Gewissen, und in der ernstlichen Hoffnung, daß die folgende Regierung fähiger, stärker und glücklicher sein werde, als die seinige gewesen. Einen fähigeren, weisern und unternehmenderen Minister würde man zwar wohl, aber nicht einen eifrigeren und um die Beförderung der Wohlfahrt des Reichs ängstlicher bekümmerten Minister finden, als er gewesen. Er getraue sich zu behaupten, daß er, wenn gleich nicht glücklich, dennoch rechtschaffen gehandelt habe und wünsche seinem Nachfolger von Herzen mehr Glück.

Am 20. März waren die Whigs, die Liberalen, ans Ruder gekommen.

Großer Seesieg Englands
Die Franco-hispanische Flotte vernichtet — Frankreich verliert den Frieden

London, 20. Mai 1782

Unsere heutige Hofzeitung berichtet, daß Lord Grafton, Königlicher Kapitän des Schiffes „Formidable", und Kapitän Byron von der „Andromache", allhier angekommen und von dem Admiral Rodney mitgebracht habe, daß Gott den Königlichen Waffen über die Französische Flotte, unter dem Herrn Grasse, der mit seinem Schiffe und vier anderen selbst gefangen genommen ist, am 12. April einen glänzenden Sieg verliehen hat. Das Gefecht dauerte von 7 Uhr des Morgens bis 7 Uhr des Abends, da der Sonnenuntergang dem Streit ein Ende machte. Beide Flotten litten sehr, und die Englischen Schiffe haben an Segel- und Tauwerk viel gelitten, der große Schiffsvorrath aber, den wir in Westindien kürzlich erhalten, wird solche bald ausgebessert haben. Der Verlust der Mannschaft ist sehr gering, und verdient das Betragen der Offiziere und der Gemeinen das größte Lob und Ehre.... In allem haben wir 230 Tote und 759 Verwundete.

Dieses Treffen fiel vor zwischen den heiligen Inseln und der Insel Dominique. Die Winde ließen nicht zu, daß ein Teil der mittleren Division mit den feindlichen Hinterschiffen zum Treffen kommen konnte, und folglich 16 tapfere Offiziere bei dem Gefecht bloß Zuschauer zu ihrem größten Verdruß abgeben mußten. Der „Royal Oak" und „Montague" haben sehr gelitten, und Se. Majestät haben 2 tapfere Offiziere an dem Kapitän Bayne und Blair von dem „Alfred" verloren. Der Feind empfing aber mehr Schaden, als er uns verursachte. Lord Grafton und Kapitän Byron erzählen, daß der „Cäsar" nach der Eroberung Feuer gefangen, und in die Luft geflogen sei, wobei viele Personen umgekommen sind. Lord Robert Manners, Bruder des Herzogs von Rutland, starb auf der Überfahrt nach hier in der „Andrimache"; es waren ihm beide Arme und Füße abgeschossen. Zu Belvois Castle bei Bristol wird er mit allen Ehrenbezeugungen begraben werden.

Alle Minister haben Se. Majestät über diesen glücklichen Sieg des Admirals Rodney ihre Glückwünsche abgestattet. Die Kanonen wurden im Tower und im Park abgefeuert, und abends war in der ganzen Stadt eine allgemeine Beleuchtung, wer keine veranstaltete, dem wurden vom Pöbel die Fenster eingeschmissen. Auf dem Schiffe „Die Stadt Paris" sind 12 Kisten mit Geld gefunden worden, mit dem die Französischen Truppen bei der Landung auf Jamaica bezahlt werden sollten. General Rodney wird also das Kommando in Westindien fortbehalten. Jamaica wäre verloren gewesen, wenn dieser glückliche Zufall sich nicht würde ereignet haben.

Wir haben nun die Oberhand wieder in Ost- und Westindien.

Rodney war wegen seiner Plünderungen auf der Insel St. Eustaz verklagt worden und sollte gerade durch Admiral Pigot im Kommando ersetzt werden, als es ihm glückte, diese große Schlacht zu schlagen. Natürlich blieb er Admiral der Flotte und wurde obendrein noch Baron und Pear.

Der Kampf um den Frieden beginnt
Drei Jahre Waffenstillstand — Souverän, aber nicht unabhängig

London, 28. Mai 1781
Da man seit zwei Monaten unaufhörlich von Friedensverhandlungen geschrieben und gesprochen hat, so ist man nunmehr im Stande, von dieser ganzen Angelegenheit folgende Nachricht zu erteilen, welche für zuverlässig ausgegeben wird:
„Wenige Tage nachher, nachdem das neue Ministerium (20. 3.) seinen Anfang genommen hatte, schickte Herr Adams aus dem Haag einen Abgeordneten, namens Diggs (Digby), welcher bald darauf mit

General Carleton nach Amerika abgegangen ist, an das neue Ministerium und gab Nachricht, daß sich von Seiten des Kongresses fünf Kommissare in Europa befänden, welche mit genügend Vollmachten versehen wären, wegen eines Friedens zu unterhandeln, und denselben zu schließen. Herr Laurens, einer dieser fünf Kommissare, wurde sogleich zu den Ministern gerufen, befragt, und seiner Bürgschaft, vermöge welcher er sich jederzeit vor Kings-Bench zu stellen hatte, entledigt. Gleich zu Anfang des Aprils wurde Herr Oswald (Freund des Henry Laurens), mit Aufträgen wegen einer Unterhandlung an das Französische Ministerium und den Dr. Franklin geschickt, welche besser angenommen und beantwortet wurden, als erwartet werden konnte. Ähnliche Anfragen geschahen zu Madrid und im Haag, und Herr Greenville reiste nach Paris ab."

Dieses ist der wahre Verlauf der ganzen Sache. Zugleich soll dem Herrn Greenville zu Versailles zu verstehen gegeben worden sein, daß auf folgende Bedingungen ein Friede zu Stande kommen könne:

1. Frankreich soll alle eroberten Inseln, Grenada ausgenommen, zurück geben und St. Lucie und Pondichery wieder zurück bekommen.
2. Spanien soll Menorca behalten, und dafür Puerto Rico an England abtreten, so wie es sein Recht auf Jamaica für Gibraltar gänzlich aufgeben, und das eroberte Florida an den Kongreß abtreten soll.
3. Holland soll alle demselben genommene Plätze zurück und einen freien neutralen Handel erhalten.
4. Amerika soll unabhängig sein, und einen freien allgemeinen Handel haben, soll die Fischerei von Neu-England und Neu-Fundland mit England zu gleichen Teilen besitzen, soll England in dem ruhigen Besitz von Kanada und den nördlichen Gegenden lassen, und dafür Charlestown, Savannah und New York erhalten.

Tatsache war, daß General Carleton, dem an Stelle von Clinton das Kommando über alle Truppen in Amerika übertragen war, zusammen mit Digby zum Kongreß geschickt wurde, um Amerika erst einmal einen dreijährigen Waffenstillstand anzubieten.

Henry Laurens traf bald darauf bei Franklin in Passy ein.

Grenville war Vertrauter von Minister Fox.

Die vorstehenden Friedensbedingungen waren nur ein Gerücht. Franklin der schon im März den Besuch von Oswald, dem Vertrauten von Shelburne, empfangen hatte, führte diesen bei dem französischen Minister Vergennes ein. Im übrigen arbeitete Franklin im Geheimen an „seinem" Frieden.

London, 11. Juni 1782

Die Bill, worin ein Waffenstillstand den Amerikanern auf 3 Jahre angeboten wird, in welcher Zeit man mit den Friedensbedingungen einig zu werden hofft, ist nun beschlossen.

London, 18. Juni 1782

Gestern wurden die von dem General Clinton aus New York mitgebrachten Depeschen im geheimen Rat erwogen. So viel man jetzt vernimmt, hat der General Carleton gleich nach seiner Ankunft zu New York einen Kurier an den Kongreß mit einer Abschrift seiner Vollmachten, wodurch er berechtigt ist, mit den Amerikanischen Provinzen wegen eines Vergleichs Unterhandlungen zu pflegen, mit beigefügter Eröffnung der Bedingungen abgefertigt, unter welchen Großbritannien ihnen die Hände bieten will.

Der Kongreß soll eine günstige Antwort auf diese Anträge gegeben, man soll sogleich von einem Waffenstillstand auf 3 Jahre und anderen Präliminarien der Wiederversöhnung zu handeln angefangen haben.

London, 18. Juni 1782

Der Plan, welcher nun in Rücksicht auf Amerika in Bewegung ist, und wodurch, wie man hofft, Amerika wird bewogen werden, noch einmal in eine Verbindung mit Großbritannien zu willigen, ward von Lord Shelburne entworfen, welchem der Gedanke einer gänzlichen Trennung des Mutterlandes von seinen Kolonien unerträglich war. Der Plan ist dieser:

Amerika soll eine eigene, höchste, und von jeder anderen Gesetzgebung in der Welt unabhängige Gesetzgebung haben. Diese Gesetzgebung soll aus dem Könige von England, als König von Amerika, und einer solchen Repräsentation des Volks im Ober- und Unterhause bestehen, als die Amerikaner selbst für dienlich erachten werden, so daß Amerika sich mit Irland, in Ansehung der Gesetzgebung, in gleichem Falle befinden soll.

Am Dienstag kam Sir Henry Clinton in der Fregatte „Pearl" von New York zu Portsmouth an. Es heißt, er habe Amerika einige Tage nach der Ankunft des Sir Guy Carleton verlassen, und daß er Nachricht von einigen sehr wichtigen Umständen mitbringe, das Betragen des Kongresses betreffend, als derselbe die Nachricht von General Conways glücklichen Antrage in Rücksicht auf Amerika, und die Veränderung des Ministeriums erhielt.

London, 21. Juni 1782

Man sagt, eine der vorläufigen Friedensbedingungen sei, Kanada wieder an Frankreich abzutreten. Geschieht das, so würde dies ein Meisterstreich unseres neuen Ministeriums und das sicherste Mittel sein, die Kolonien in Zukunft enger an uns zu binden. Man weiß, daß die Kolonien das, was die von 1767 an taten, schon seit einem halben Jahrhundert zu tun willens waren, es aber nicht wagen durften, so lange sie Frankreich im Rücken hatten und ihre Absichten nicht eher auszuführen anfingen, als bis England so unweise war, und sich im Pariser Frieden Kanada abtreten ließ.

Paris, 28. Juni 1782

Seit 2 Tagen haben die Friedensgerüchte wieder sehr abgenommen. Es ist zuverlässig, daß seit der Zeit eine Veränderung vorgegangen sein muß; denn der Marquis de la Fayette hat nicht nur Befehl erhalten, unverzüglich nach Brest und von da nach Amerika abzugehen, sondern es sind auch nach Brest, Rochefort, l'Orient und Toulon gemessene Befehle vom Hofe ergangen, an der Erbauung der neuen Schiffe mit verdoppeltem Fleiße zu arbeiten. Überhaupt scheint es gewiß zu sein, daß der Friede noch nicht so nahe ist, als man noch vor Kurzem angegeben hatte und das Großbritannische Parlament muß erst öffentlich die Independenz Amerikas anerkannt haben, ehe dieses heilsame Werk zu Stande kommen kann. Dabei ist ausgemacht, daß unser Hof keinen Schritt von seinem Plan abweicht, den er sich bei dem Frieden vorgesetzt hat, obgleich die Engländer seit der Zeit einige Vorteile in Westindien erhalten haben.

Grenville war am 15. Juni in Passy bei Franklin eingetroffen und hatte diesem den Auftrag (wahrscheinlich seitens Fox) ausgerichtet, daß England Amerika eine nicht an Bedingungen geknüpfte Unabhängigkeit anbiete; es schlage vor, daß zwischen England und Frankreich der Zustand von 1762 wiederhergestellt werde (das den Franzosen damals abgenommene Kanada also bei England verbleibe). Franklin verstand diesen Wink sofort. Es muß aber doch etwas von diesem Plan durchgesickert sein, denn Frankreich nahm Veranlassung, sich in der Öffentlichkeit gegen jede Veränderung s e i n e s Planes zu verwahren.

London, 28. Juni 1782

Herr Greenville soll gefunden haben, daß das Französische Kabinet sich nicht einig sei. Ein Teil desselben ist für den Frieden und hält denselben für Frankreich so notwendig, als England ihn für sich nur immer halten kann. Die andere Partei ist eifrig für die Fortsetzung des Krieges, weil sie glaubt, die schweren Unkosten desselben werden den Kredit Englands ruinieren, weil sie sich mit der Hoffnung tröstet, daß England innerhalb zweier, höchstens dreier Jahre bankrott sein werde.

London, 12. Juli 1782

Gestern ist ein Paketboot aus New York angekommen, welches am 19. Juni von da abgesegelt war. Der Kongreß hat es abgeschlagen, sich ohne die Teilnehmung von Frankreich in Friedensverhandlungen einzulassen. Er hat sich sogar geweigert, einen gewissen Herrn Morgan, welchen der General Carleton mit dem Auftrag seiner Depeschen und Vorschläge an den Kongreß abschicken wollte, einen Paß zu bewilligen.

London, 12. Juli 1782

Höchst merkwürdig waren die Worte des neuen Premierministers (Shelburne) in der vorgestrigen Sitzung des Oberhauses: Er wolle, sagte er, das System des Marquis von Rockingham befolgen, dessen Andenken er verehre und mit dem er nur über die Unabhängigkeit von Amerika verschiedener Meinung gewesen sei. England sei verloren, wenn es Amerikas Unabhängigkeit anerkenne, Amerikas Freiheit sei dahin, wenn dessen Unabhängigkeit unterzeichnet würde. Der Friede sei wünschenswert, aber er müsse anständig, nicht von Frankreich vorgeschrieben, nicht von Amerika erpocht worden sein. Das Königreich sei freilich nicht in blühenden Umständen — es sei durch den Krieg erschöpft; allein, wenn wir nicht reich seien, so sei Frankreich arm; Britannien sei ein großes Reich, worin sich noch brave Männer im Überfluß befänden, die für die gemeine Sache fechten wollten. Amerikas Unabhängigkeit und Englands Ruin wären von einander unzertrennbar.

Mit Recht nennt die Zeitung die Worte Shelburns „höchst merkwürdig". Fox war zurückgetreten und Shelburne an höchste Stelle gerückt. Solange er nur Staatssekretär unter Rockingham war, trat er, wie sein Premier, für die Unabhängigkeit ein und leistete sich darin, wie wir noch sehen werden, einen aufsehenerregenden Skandal. Jetzt, dicht am Rockzipfel des Königs, war er natürlich Gegner der Unabhängigkeit geworden: Noblesse oblige. — Rockingham war in den ersten Julitagen plötzlich verstorben.

Paris, 15. Juli 1782

Privatbriefe aus London reden von der neuen Revolution als von einer für das allgemeine Beste gar nicht vorteilhaften Sache. Sie sagen, Lord Shelburne sei aus Ehrbegierde und Vergrößerungssucht von seinen vormaligen patriotischen Grundsätzen abgegangen, er schmeichle den Lieblingsideen des Königs, und sinke sehr sichtbar auf die Seite der ehemaligen Minister, von denen einige Anhänger in diesen Tagen geheime Konferenzen bei dem Könige gehabt haben.

London, 15. Oktober 1782

Unsere öffentlichen Blätter, die sich noch immer nicht daran gewöhnen können, daß das Ministerium in Absicht der Amerikanischen Unabhängigkeit so plötzlich nachgegeben hat, wiederholen mit einer vielsagenden Miene, als wenn dadurch das Geheimnis, weshalb der Minister Fox das Ministerium verlassen, aufgeklärt sei: das gleich anfangs verbreitete Märchen, daß diese Unabhängigkeit auf Fox und der Rockinghamschen Partei dringende Forderung endlich im Ministerium durchgegangen sei, zu der auch Lord Shelburne seine Stimme gegeben habe. Man habe demnach sogleich einen Expressen mit den dazu gehörigen Instruktionen an Sir Guy Carleton abgesandt. Einige Tage darauf habe sich Lord Shelburne besser bedacht, die Meinung der meisten Mitglieder auf seine Seite gezogen und nun sei die Unabhängigkeit plötzlich verworfen worden und ein Expresser hinter dem ersten hergesandt, die Instruktionen an den General zurückzunehmen. Allein, dies sei zu spät gewesen, und Sir Guy Carleton sei durch diese Unbeständigkeit des Kabinets so aufgebracht gewesen, daß er seine Zurückberufung gefordert habe. Das würde nun freilich jeder seine Ehre liebender Mann an seiner Stelle getan haben.

Aber man muß nicht hoffen, daß unser Ministerium das sei, wozu es die Verfasser der Artikel in unseren Zeitungen machen, die, weil sie nicht von einem Manne herrühren, so viel Kluges und Abgeschmacktes durch einander enthalten.

Der Generalkongreß wies die angetragene Unabhängigkeit durch folgende Resolution ab: daß, da er von seinen Gesandten an den europäischen Höfen keine Nachricht erhalten hätte, welche mit dem Inhalte des Schreibens des Generals Carleton und des Admirals Digby übereinstimme, er den Antrag für hinterlistig hielte, und alle Vereinigten Staaten auffordere, ihre Kräfte zu verdoppeln, um die Königlichen Truppen und die Loyalisten aus Amerika zu vertreiben.

Der Kongreß erteilt die erste Audienz

Philadelphia, 14. Mai 1782

Gestern hatte der Königliche Französische bevollmächtigte Minister, von Luzerne, eine öffentliche Audienz bei dem Kongreß, dem er die Geburt des Dauphins bekannt machte, wobei er an der äußeren Treppe von zwei Delegierten des Kongresses empfangen wurde. Das Regiment Rhode-Island paradierte, die große Staatsflagge war ausgesteckt, und während der Audienz wurden verschiedene Salven gegeben. Nachmittags war große Tafel, wobei der ganze Kongreß, alle Generals und Minister erschienen, und den Armeen und Washington und Green wurde davon Nachricht gegeben, damit sie an den Freunsbezeugungen Teil nehmen möchten.

Bei dem Dauphin handelt es sich um den späteren König Ludwig XVII., der aber nie den Thron bestieg, sondern 1795 unter mysteriösen Umständen in der Gefangenschaft starb.

Frankreich griff tief in die Tasche

Paris, 6. August 1782

Man sieht eine Berechnung von Frankreichs Ausgaben in diesem Kriege. Es soll uns bereits 772 Millionen gekostet haben, um Amerika unabhängig zu machen.

Gründung der Bank von Philadelphia

Philadelphia, 6. Juli 1782

Die vor 2 Jahren hier errichtete Bank ist nun völlig begründet. Vorgestern bestimmten die Direktoren eine Dividende von $4\frac{1}{2}$ Prozent des Kapitals für das am 1. dieses abgelaufene halbe Jahr. Nach dem 10. Juli wird die Dividende ausbezahlt werden. Die Genauigkeit, womit diese Bank bisher ihre Verbindlichkeiten erfüllt hat, verschafft selbiger immer mehr und mehr Kredit, und das bare Geld kommt bei selbiger aus den verschiedenen Provinzen an. Den 24. Juni sind von Baltimore, unter Begleitung eines Kommandos Dragoner, zwei Wagen mit ansehnlichen Summen abgesandt worden. Während daß sich nun die Regierung Mühe gibt, durch diese und andere Maßregeln den gefährlichen Umlauf einer zu großen Menge Papiergeld zu verhindern, hat sich ein anderes Übel eingeschlichen, wodurch das Land von dem baren Gelde entblößt wird, nämlich ein heimlicher Handel mit der Stadt New York. Man brachte von selbiger durch die Jerseys bis nach dieser Stadt eine Menge Waren, die alle mit barem Gelde bezahlt werden müssen. Man wußte zu New York sehr wohl, wie sehr dieses Übel uns gefährlich sei, indem dadurch die Bezahlung der Taxen gehindert ward; aber nunmehr hat der Kongreß diesen Handel aufs nachdrücklichste verboten.

Noch einmal die „unbedingte" Unabhängigkeit

London, 22. Oktober 1782

Die Erbitterung über Charles Fox ist noch so groß zu New York, daß man daselbst die durch ihn und den General Conway zu Stande gekommene Parlaments-Akte, nach welcher Amerika die unbedingte Unabhängigkeit angeboten worden ist, öffentlich eine verfluchte Akte und eine Raserei nennt. Die Königlich gesinnten zu Savannah hatten wirklich sich erboten, diesen Platz zu verteidigen, wenn man sie mit Munition versehen wollte.

Niederrhein, 15. November 1782

Von dem bisherigen Gange des Friedensgeschäftes läßt sich nunmehr folgendes sagen. Die Unterhandlung des Herrn Fitzherbert zu Paris hatte anfangs, wie aller Anfang schwer ist, nur einen langsamen Fortgang, bis man, unter gegenseitigem Zaudern, da Frankreich der Eroberung, England der Rettung Gibraltars durch Howe entgegen sahen, plötzlich zu Paris, vielleicht noch früher als zu London, die ganz unerwartete Nachricht aus Amerika erhielt, daß General Carleton zu New York dem Kongresse die Unabhängigkeit angeboten habe. Das Französische Ministerium, erstaunt über einen solchen Vorfall, von dem selbst Fitzherbert nichts wußte, wußte sich nicht anders zu helfen, als daß es Herrn Gerard von Raynal nach London schickte, um geradezu anzufragen, ob das begründet sei. Er brachte bald eine bejahende Antwort nach Paris zurück, und nun wurden schon um die Mitte des Oktobers die Friedens-Konferenzen viel häufiger. Herr Adams eilte aus dem Haag herbei, dem alten Franklin beizustehen und sein Stab bei einem so wichtigen Vorgange zu sein.

Wir wollen bei dieser Lage der Sachen einen Blick auf die Umstände werfen, welche das Friedensgeschäft hindern oder erleichtern können. Wird der Fehlschlag mit Gibraltar Frankreich nachgiebiger

machen? Schwerlich. Wird aber der Fehlschlag Carletons mit dem
Kongreß England nachgiebiger machen? Schwerlich. Frankreich und
Spanien wird auf Gibraltar nur hartnäckiger; und England, da der
Separatfriede und die Verbindung mit Amerika fehlschlug, wird nun
auch bei dem von Frankreich entworfenen Vergleiche seine Rechnung
nicht finden, und vielleicht die Unabhängigkeit gar wieder zurück
nehmen. Die großen Vorfälle dieses Jahres werden dazu anspornen.
Aber der unerschwingliche Aufwand? Hier wird es vermutlich alles
darauf ankommen, daß man wisse, ob England, oder Frankreich sich
eher erschöpfen wird. Geldmangel ist in Frankreich bekanntlich so
groß, daß der Finanzminister neue Edikte zu neuen Auflagen wirklich schon ausgefertigt hat; allein das Parlament widersetzt sich, und
wer genau weiß, welche Bewegungen, Auftritte und Schwierigkeiten
die letztere neue Auflage in Frankreich verursacht hat, der wird die
großen Hindernisse neuer Auflagen einsehen. Frankreichs Marine ist
sehr geschwächt. In Amerika herrscht Unzufriedenheit mit dem Kongreß, und Teilung der Gemüter. Auf der anderen Seite hat England
eine unerträgliche Schuldenlast von 200 Millionen. Was wäre nun das
Resultat? Dieses, deucht uns, daß auf beiden Seiten die Schwierigkeiten den Krieg fortzusetzen, die Hindernisse des Friedens über-
wiegen; es müßte denn Frankreich dem Punkte der Ehre, England
zu überwinden, alles aufopfern wollen. Die Zeit wird alle diese Knoten lösen.

Geht nicht aus diesen Ausführungen im Hinblick auf Frankreich klar
der Weg hervor, der sieben Jahre später zum Ausbruch der großen Revolution führen mußte?

Tage der Hochspannung
Alles wartet auf den Frieden

London, 22. November 1782

Mit dem letzten Paketboot von New York hat die Regierung Nachricht erhalten, daß Moritz Morgan, Lord Shelburnes vertrauter Sekretär, welcher mit Vorschlägen unmittelbar an den Kongreß abgeschickt
war, nach New York wieder zurückgekommen ist, nachdem ihm nicht
einmal erlaubt worden, über die amerikanischen Linien zu treten,
ungeachtet er sich alle Mühe gegeben hatte, eine Konferenz mit den
Vereinigten Staaten zu erlangen.

Gestern hieß es durch ganz London, die Friedens-Präliminarien mit Amerika wären unterzeichnet. Ob dieses gleich ein voreiliges Gerücht ist, so will man doch aus den besten Quellen Nachricht haben, daß der Friede mit Amerika nahe sei. Sicherem Vernehmen nach ist soeben eine Vollmacht von dem Kongreß in Europa angekommen, mittels deren verschiedene Personen bevollmächtigt sind, mit Großbritannien in Friedensunterhandlungen zu treten. Diese Bevollmächtigten sind Dr. Franklin, und die Herren Adams, Laurens, Jay und Jefferson. Leider aber können, sagt das Londoner Blatt, wir zu dieser Nachricht nicht hinzu setzen, daß die Bevollmächtigten zu einem Separatfrieden autorisiert seien. Das Gewisse werden wir künftige Woche bei der Wiederzusammenkunft des Parlaments erfahren. Die Rede des Königs ist gestern Abends schon im Kabinet zum ersten Male gelesen worden, obgleich verlautete, daß das Parlament aufs neue bis auf den 4. Dezember prorogiert sei, um inzwischen sichere Nachrichten aus Paris von dem Gange der Friedensunterhandlungen zu erhalten.

Wenn sich die Verhandlungen zwischen Franklin und den englischen Unterhändlern so sehr hinschleppten, dann auch, weil beide Teile in der Frage der Loyalisten zu keiner Einigung kommen konnten. England wollte seine königstreuen Amerikaner nicht fallen lassen, Franklin ihnen aber keinerlei Zugeständnisse machen. Der Haß gegenüber diesen Loyalisten war in den Vereinigten Staaten sehr groß. Franklin selbst, durch sie um Hab und Gut gekommen, trug einen Stachel gegen sie im Herzen. Alles, was er billigte, war, daß er eine Entschädigung an sie England zur Pflicht machte, für dessen Interesse sie ja gegen die Amerikaner gekämpft hatten. Wenn sie schließlich doch leer ausgingen, dann war es nicht Franklins Schuld.

London, 23. November 1782

Die Admiralität hat befohlen, daß wieder 6 neue Schiffe sollen erbaut werden. Sechstausend Mann werden zu Portsmouth eingeschifft. Dieser kriegerischen Zurüstungen ungeachtet, sagt man, wären die Friedens-Präliminarien am 8. zu Paris zwischen Großbritannien und Amerika mit Bewilligung Frankreichs von Herrn Oswald und Dr. Franklin unterzeichnet worden. Amerika sei durch diesen Vertrag für unabhängig erklärt worden, mit der Freiheit, Gesandten zu dem Friedens-Kongreß schicken zu dürfen. Der König wird vermutlich von dieser Sache in seiner Parlamentsrede Erwähnung tun, und solche der Versammlung vorlegen. Gestern des Nachts kam von Paris ein

Herr als Friedensunterhändler hier an, und diesen Morgen in aller Frühe reiste Herr Laurens dahin ab. Viele Glieder des Kongresses sehnen sich nach dem Frieden, denn ihre Provinzen sind so erschöpft von Geld, daß statt 8 Millionen Dollars, die durch Taxen sollten erhoben werden, erst der 18. Teil davon eingegangen ist.

Am 8. November war der Friede noch nicht unterzeichnet. An diesem Tage aber drängte Franklin Vergennes auf Beschleunigung der Verhandlungen und ließ die Notwendigkeit einer neuen Anleihe für die Staaten durchblicken, deren Geldsorgen immer peinlicher wurden.

London, 26. November 1782

Der Herr von Rayneval, erster Sekretär des Grafen von Vergennes, ist die vorige Woche in dem Hotel des Grafen von Shelburne, als Friedensunterhändler von Seiten Frankreichs, aus Paris angekommen. Seit dieser kurzen Zeit hat Lord Shelburne drei verschiedene Kuriere nach Paris geschickt; der letztere soll, wie man sagt, die letzte Entschließung dahin überbringen.

In einem Privatschreiben aus Paris wird folgendes gemeldet:

„Die letzten Vorschläge Großbritanniens sind von dem Englischen Bevollmächtigten unserem Ministerium und den Holländischen und Spanischen Gesandten mitgeteilt worden; letzterer habe dieselben angenommen, die anderen Mächte dieselben aber verworfen, und verschiedene neue Hindernisse in den Weg gelegt; doch glaubt man durchgängig, daß diese Angelegenheiten sich in einer solchen Lage befänden, daß, falls keine anderen Bedingungen zu erhalten stünden, man dieselben willig genehmigen würde. Doktor Franklin soll seinen Freunden erklärt haben, daß er die Vorschläge Englands besser befunden, als er erwartet habe; und man vermutet also, daß die Unterhandlungen jetzt einen besseren Fortgang haben, und der Frieden noch vor dem Frühlinge zu Stande kommen werde."

In einem zu St. James den 22. gehaltenen großen Rate gab der König Befehl, das Parlament, welches sich heute hätte versammeln sollen, bis zum 5. Dezember zu prorogieren. — Dieser unerwartete Schritt erregte anfänglich Verwunderung; allein er klärte sich den folgenden Tag durch ein Schreiben auf, welches der Staats-Sekretär, Herr Townshend, an die Bank erließ, und welches wie folgt lautet:

„Da die Minister des Königs wünschen, den Übeln, welche aus den Spekulationen in den Fonds während des ungewissen Zustandes der Friedensverhandlungen nur allzu häufig zu entstehen pflegen, so bald

als möglich vorzubeugen: so haben sie Se. Majestät um Erlaubnis gebeten, die Bank und durch dieselbe das Publikum zu benachrichtigen,
daß die gegenwärtigen Friedensverhandlungen zu Paris bereits so
weit gediehen sind, daß noch vor der Versammlung des bis zum
5. Dezember prorogierten Parlaments entweder der völlige Friede
oder die Fortsetzung des Krieges beschlossen sein muß."

Dieser Nachricht zufolge stiegen die öffentlichen Fonds noch denselben Tag um 2 Prozent. So viel ist gewiß, daß Amerikas Unabhängigkeit den Frieden keinen Augenblick länger aufhalten wird.

Rotterdam, 3. Dezember 1782

Obgleich die bisherigen Englischen Nachrichten, daß die Präliminarien des Friedens bereits unterzeichnet wären, zu voreilig waren,
so ist doch so viel gewiß, daß der Friede Englands mit Amerika sehr
nahe ist, indem eine Kommission von dem Kongresse in Europa ernannt ist, welche Vollmacht hat, mit England in Unterhandlung zu
treten. Diese Kommissarien sind: Doktor Franklin, die Herren Adams,
Laurens, Jay und Jefferson. Die mit den übrigen Mächten bereits
vorläufig verglichenen Punkte sind, wie man sagt, folgende:

1. Die Unabhängigkeit von Amerika,
2. Spanien bekommt Gibraltar, tritt aber dafür die Insel Puerto Rico
   ab, welche den Königlich gesinnten Amerikanern zum Aufenthalt
   dienen soll,
3. Frankreich gibt an England alle in Westindien gemachten Eroberungen zurück, aus genommen Dominique und St. Vincent, und
   erhält dagegen von England Pondichery und alle in Ostindien gemachten Eroberungen zurück,
4. Holland bekommt St. Eustaz und die in Ostindien verlorenen Besitzungen zurück,
5. England bleibt im Besitz von Neu-Schottland, Kanada, Terrevueve,
   und der ganzen nördlichen Gegend von Neu-England, tritt aber
   einen Teil der Küste von Terrenueve an Frankreich ab, seine Fische
   daselbst zu trocknen und einzusalzen.

Alles waren nur Spekulationen und hinsichtlich des Gesamtfriedens ver-
frühte Hoffnungen, denn der rege Kurierverkehr ging in erster Linie auf
das Konto der Sonderverhandlungen zwischen Franklin und Oswald. Da
wir nur die Geschichte Amerikas behandeln wollen, sollen uns die weiteren zahlreichen Friedensgerüchte hier nicht interessieren. Nur soviel, daß
der Vorfrieden mit Frankreich erst am 20. Januar und der Definitivfrieden
am 3. September 1783 geschlossen wurden.

Paris, 30. November 1782

Am vorigen Donnerstage hoffte man, daß die Präliminarien zu dem Frieden zu Versailles unterzeichnet werden würden; gestern wendete sich das Blatt, und einige Artikel legten noch Schwierigkeiten in den Weg. Heute nun verbreitet sich, sogar auf der Börse von Personen, die es zuverlässig wissen könnten, das Gerücht, Herr von Rayneval habe die Präliminarien vom Könige von England unterschrieben überbracht; des Abends wären sie zu Versailles unterschrieben worden und Herr von Rayneval sei sogleich wieder nach London abgegangen.

Tatsache war, daß Franklin, der „seinen" Vorfrieden in aller Stille in Passy mit Oswald verhandelt hatte, am 29. November die Engländer in seinem Hause empfing, wo in Gegenwart von Jay und Adams unterzeichnet wurde. Noch am selben Abend sandte Franklin dann eine Abschrift des Vertrages an den Grafen von Vergennes.

Sonderfrieden England—Amerika

in Paris unterzeichnet
Georg III. erklärt Amerika für frei und unabhängig

London, 3. Dezember 1782

Herr Townshend ließ heute um 2 Uhr dem Lordmayor wissen, daß soeben aus Paris ein Expresser die Nachricht gebracht habe, wonach am 30. November die Provisional-Artikel zwischen unseren und den Kommissaren der Vereinigten Staaten von Amerika unterzeichnet worden sind, welche dem zwischen Großbritannien und Frankreich zu schließenden Friedens-Vertrag eingerückt werden sollen.

Auf dieses allgemeine Gerücht stiegen die Stocks gleich um 4 Prozent.

London, 6. Dezember 1782

Gestern eröffnete der König das Parlament mit folgender Rede: „Mylords und Herren!

Seit der letzten Sitzung wandte ich alle meine Sorge und Zeit bei dieser kriegerischen Lage auf die öffentlichen Angelegenheiten. Ich verlor keine Zeit, die nötigen Befehle zu erteilen, um die fernere Fortsetzung eines Offensivkrieges in Nordamerika zu verhindern; welches, wie ich glaubte, die Gesinnung meines Volkes und Parlamentes war; wie ich denn sowohl in Europa als in Amerika alle Maßregeln zu einer gänzlichen und herzlichen Aussöhnung getroffen habe.

Diesen Endzweck zu erreichen, erbot ich ihnen, sie durch einen, in den Friedens-Vertrag eingerückten Artikel für freie und unabhängige Staaten zu erklären.

Die Präliminar-Artikel, worin wir schon einig sind, werden ihre Wirkung haben, wenn die Friedensartikel mit dem Französischen Hofe zu Ende gebracht sind.

Da ich also ihre Trennung von der Krone dieses Königreiches zugelassen, so habe ich jede Betrachtung meines eigenen Bestens den Wünschen und Gesinnungen meines Volkes aufgeopfert. Ich bitte Gott, daß er Großbritannien die Übel, welche aus der Zergliederung eines so großen Reiches entstehen können, nicht möge fühlen lassen, und daß Amerika von diesem Unglück frei bleiben möge, welches ehedessen das Mutterland erfahren hat. Ich hoffe, es werde eine beständige Vereinigung zwischen diesen beiden Ländern stattfinden, zu welchem Endzweck nichts auf meiner Seite fehlen soll. Da ich mich sorgfältig aller Offensiv-Operationen gegen Amerika enthalten, so habe ich meine gänzliche Macht zu Wasser und zu Lande gegen die anderen kriegenden Mächte gewandt. Ich hoffe, Sie werden die Vorteile empfinden, welche die Handlung davon hat, Sie werden mit Stolz und Vergnügen die tapfere Verteidigung meines Gouverneurs in Gibraltar vernommen haben, und wie meine Flotte den Endzweck ihrer Bestimmung erfüllt, und noch der vereinigten Macht Frankreichs und Spaniens ein Seetreffen an ihren Küsten angeboten hat. Diesen herrlichen Zustand habe ich unter Gottes Segen dem Vertrauen, das zwischen mir und meinem Volke herrscht, zu danken, wie denn auch einige Privatpersonen zur Ehre und Verteidigung ihres Vaterlandes öffentliche Proben davon abgelegt haben.

Ich habe das Vergnügen Ihnen zu berichten, daß die Friedensunterhandlungen ziemlich weit gekommen sind, deren Erfolg, sobald solche zuende, Ihnen vorgelegt werden soll; und hoffe daß solche nächstens auf solche Bedingungen, die Sie billigen, zustande kommen werden. Ich glaube und hoffe inzwischen mit dem vollkommensten Vertrauen auf die Weisheit meines Parlaments und auf die Liebe meines Volkes, daß, wenn eine unvorhergesehene Veränderung in den Dispositionen der kriegsführenden Mächte meine Erwartungen hintergehen sollte, Sie die Fortsetzung des Krieges billigen und die Subsidien dazu hergeben werden."

Die Feindseligkeiten gegen Amerika werden nun also aufhören. Von Brest sind zwei von dem Doktor Franklin abgeschickte Amerikaner abgereist, um dem Kongreß die Nachricht davon zu überbringen.

Finale

London, 10. Mai 1782

Doktor Franklin hat an einen Freund zu London geschrieben, daß man in Amerika die Friedens-Nachricht mit unendlichem Vergnügen vernommen, und der Kongreß eine allgemeine Danksagung befohlen habe. Die Armee des General Washington machte ein Freudenfeuer.

Zu Philadelphia hatte man die Auswechselung der Friedens-Präliminarien am 10. April erhalten, worauf der Kongreß hat bekannt machen lassen, daß alle Feindseligkeiten zu Wasser und zu Lande eingestellt sein sollen.

Die Geburt der U.S.A. ist abgeschlossen, ein neues Kapitel im Buche der Menschheitsgeschichte aufgeschlagen worden. Was Zeitgenossen George Washingtons zu Beginn der Auseinandersetzungen prophezeiten: Amerika werde einst die Größe der reichsten und mächtigsten Staaten der Welt erreichen; es werde sich dereinst als die Grundfeste der Freiheit über die schmachtenden und erschöpften Reiche Europas erheben, davon ist unsere heutige Generation lebendiger Zeuge geworden. Sie hat den unvergleichlichen Aufstieg Amerikas zum Teil noch miterlebt und dabei vom „amerikanischen Wunder" gesprochen. Doch war es ein Wunder? Die Amerikaner selbst halten es nicht dafür. Sie wissen, daß sie den Gewinn ihrer politischen Freiheit in erster Linie ihrer unbeschwerten Vergangenheit verdanken. Sie wissen ferner, daß die aus dieser Freiheit hervorgegangene Begeisterung und Entschlußkraft sie zu übermenschlichen Leistungen befähigte, die in dem Geschaffenen ihren Ausdruck fanden. Da sie die einmal als richtig erkannte politische Regierungsform — von wenigen Schwankungen abgesehen — bis auf den heutigen Tag und ohne Störungen von außen konsequent verfolgten, erlangten sie jenen Grad von Glückseligkeit, der Europa als Wunder erscheinen will.

Es konnte nicht ausbleiben, daß dieser glückliche Funke damals von begeisterten Mitkämpfern der amerikanischen Freiheit auch nach Europa gebracht wurde. Wir wissen, wie dieser erste Versuch ausging. Anfangs schien der Fall der Bastille tatsächlich das Morgenrot einer besseren Zukunft zu verkünden, bis es dann im Blutstrom der Guillotine verlosch und einem Despotismus härtester Prägung Platz machte, der Europa noch tiefer als je in die Fänge des angemaßten historischen Rechtes zurück stieß.

Man muß schon weit in der Geschichte zurückgreifen, um die Wurzel der europäischen Unfreiheit aufzuspüren. Damals, als das Römerreich zerbrach, teilte sich die Waffengewalt in ihr Erbe. Europa aber wurde Schauplatz fürchterlichster Verwirrungen. In ihm regierte das Faustrecht und weder eine Staatsführung, noch ein Christentum waren vorhanden, in deren Schutz die Schwachen sich flüchten konnten. Was blieb ihnen schließlich übrig, als sich unter das Schwert ihrer

Peiniger zu stellen. Der Preis, den sie dafür zu zahlen hatten, war der Frondienst und der Beginn des Feudalwesens. Daß aus dieser physischen Übermacht und Gesetzlosigkeit die Leibeigenschaft hervorging, bis auch sie durch die fortschreitende Zivilisation aufgehoben und in jene geschickte Staatspolitik übergeleitet wurde, die mit ihrem Grundsatz: „Alle Gewalt und alles Recht am Eigentum liegen beim König, und dieses von Gottes Gnaden", nun über Leben und Sterben jedes Einzelnen bestimmen konnte, das vermögen wir in jedem Geschichtsbuche nachzulesen.

Die Vielzahl der kleinen Häupter, die sich nun zu einer Hof-Aristokratie zusammenschlossen, konnte, um ihre Würde zu erhalten, nichts besseres tun, als den Thron erblich zu erklären. Sie vermied damit alle mit einer Wahl verbundenen Erschütterungen und schuf somit die Legitimität. Krone und Kirche teilten sich nun in der Ausübung der Macht. Während die Krone die Höhe des weltlichen Wohles bestimmte, richtete die Kirche den Geist nach ihrem Willen aus.

Da wagte es 1517 ein gläubiger Mönch diese Weltordnung durch 95 Leitsätze, die er an die Schloßkirche zu Wittenberg schlug, zu erschüttern. Was Martin Luther durch seine Thesen bezweckte, sollte durchaus keine Kampfansage an die Kirche sein, wohl aber eine solche an ihre Mißbräuche. Dennoch: es war eine Revolution, die sich nun wie ein Feuerstrom über die erwachende Menschheit ergoß; sie war der Beginn der geistigen Freiheit. Der Kampf, der nun nicht ausbleiben konnte, war wohl das Schimpflichste, was sein Jahrhundert in der Geschichte aufzuweisen hatte. An seinem Ende lag Europas dunkelste Nacht und standen die spanischen Philippe und die französischen Ludwige, Intoleranz und Inquisition, um ein Regiment der Knechtschaft ohne Gleichen auszuüben. So tief war Europa noch nie gesunken, daß die Verzweiflung Tausende über den Ozean trieb, um in den unwirtlichen Weiten des amerikanischen Kontinents unter schwersten Bedingungen ihre Kräfte zu verzehren, nur, um ihres Glaubens willen frei leben und frei sterben zu können. Sie waren auch die Urväter von George Washington und Benjamin Franklin und es ist daher kein Zufall, daß gerade aus Amerika, das einst der Hort der geistigen Freiheit wurde, nun nach 260 Jahren die Nachkommen jener unglücklichen Europäer auch die These der politischen Freiheit der Welt verkündeten:

„Kann der Mensch in seiner Vereinigung zur Staatsgesellschaft, d. h., kann ein Volk das Eigentum Einzelner werden?"

Am 15. Mai 1776 stellte der amerikanische Kongreß in Philadelphia diese Frage zur Debatte. In Europa wurde sie zum größten Teil bejaht, so weit war die Versklavung dort schon eingewurzelt, daß sie als solche nicht mehr empfunden wurde! Die hier und da aufflackernden Brände, Zeichen einer besseren Einsicht — wir haben ihrer verzerrtesten Auslegung oben schon gedacht — sie schwelten erst langsam, bis sie sich auf immer breiterer Basis in den Körper der Völker hineinfraßen und den Klassenkampf an die Stelle der politischen Freiheit setzten. Wann wurde wohl je die edelste Regung menschlichen Geistes schändlicher mißbraucht? Und wie bitter hat sich diese Falschmünzung bisher an den Völkern gerächt!

Amerika gab der Welt ein Beispiel. Europa aber schuf daraus die Internationale. So wenig verstanden sie dort teilweise den Sinn der amerikanischen Revolution, daß sie das höchste Gut, die persönliche Freiheit, einer Doktrin unterwarfen und zum Kollektivmenschen wurden. Vielleicht aber mußte es erst so schlimm kommen, wie es jetzt gekommen ist; vielleicht mußte die Not erst so groß und die Gefahr so offensichtlich werden, um der Vernunft zum Durchbruch zu verhelfen, auf daß wir das Schicksal, das uns so grausam gestraft hat, noch einmal segnen! Jetzt hat Europa die letzte Chance, allen Ballast der Vergangenheit über Bord zu werfen, die Schlagbäume, auch die der Herzen, niederzureißen und sich zu einem gemeinsamen Volke auf gleicher Straße zusammenzufinden. Tut es dies nicht, wird Lexington umsonst gewesen sein, denn: Frei sind auch die, die ihre Unfreiheit nicht fühlen!

Namen- und Sachverzeichnis